EL REY
QUE SE NEGÓ
A MORIR

Los anunnaki y la búsqueda
de la inmortalidad

ZECHARIA SITCHIN

EL REY
QUE SE NEGÓ
A MORIR

Los anunnaki y la búsqueda
de la inmortalidad

EDICIONES OBELISCO

Si este libro le ha interesado y desea que le mantengamos informado
de nuestras publicaciones, escríbanos indicándonos qué temas son de su interés
(Astrología, Autoayuda, Ciencias Ocultas, Artes Marciales, Naturismo, Espiritualidad,
Tradición…) y gustosamente le complaceremos.

Puede consultar nuestro catálogo en www.edicionesobelisco.com.

Colección Crónicas de la Tierra
El rey que se negó a morir
Zecharia Sitchin

1.ª edición: noviembre de 2014

Título original: *The King Who Refused To Die*

Traducción: *Antonio Cutanda*
Maquetación: *Marga Benavides*
Corrección: *Sara Moreno*
Diseño de cubierta: *Enrique Iborra*

© 2013, The Estate of Zecharia Sitchin
(Reservados todos los derechos)
© 2014, Ediciones Obelisco, S. L.
(Reservados los derechos para la presente edición)

Edita: Ediciones Obelisco, S. L.
Pere IV, 78 (Edif. Pedro IV) 3.ª planta, 5.ª puerta
08005 Barcelona - España
Tel. 93 309 85 25 - Fax 93 309 85 23
E-mail: info@edicionesobelisco.com

ISBN: 978-84-16192-16-8
Depósito Legal: B-21.199-2014

Printed in Spain

Impreso en España en los talleres gráficos de Romanyà/Valls S. A.
Verdaguer, 1 - 08786 Capellades (Barcelona)

1

.

—¿Para la exposición extraordinaria, señora?

Astra se sobresaltó con la pregunta. Había estado en el museo muchas veces anteriormente, pero nunca tan tarde, ya entrada la noche. Esta vez se detuvo ante las verjas de hierro, sobrecogida ante la imponente fachada columnada del museo, bañada en la luz ámbar de los focos que la iluminaban desde el suelo. Una tenue llovizna difuminaba la visión, dotándola de cierto halo de misterio, como si hubiera un secreto oculto tras las inmensas columnas, un secreto dorado, como las ambarinas luces. Y, como hipnotizada por la visión, Astra se preguntó si el estremecedor aspecto del museo no se debería al hecho de que hubiera en él tantos objetos extraídos de antiguos enterramientos.

—¿Para la exposición extraordinaria, señora? –repitió el guarda, saliendo de su cabina.

—¿Eh? Sí –respondió Astra.

—Tiene que mostrarme su invitación –dijo el hombre bloqueando la puerta.

—¡Ah, sí! La invitación… –murmuró ella.

El guarda la observó mientras ella rebuscaba en su voluminoso bolso. Bajo su gorro caqui, pudo distinguir una barbilla cuadrada y unos labios pequeños pero carnosos. El impermeable, también caqui, estrechamente ajustado a la cintura, dejaba entrever un cuerpo bien contorneado.

—Aquí está –dijo Astra, mientras sacaba una tarjeta blanca del sobre en el cual se la habían enviado.

—Pase –dijo el portero sin siquiera mirar la tarjeta–. Llega bastante tarde. Si no se da prisa, el vino y los canapés habrán desaparecido para cuando llegue.

Astra se aferraba aún a la invitación cuando atravesó el patio, demasiado absorta en sus pensamientos como para acordarse de volver a guardarla en el bolso. Para entonces, se sabía ya de memoria lo que decía aquella tarjeta. «Los administradores del Museo Británico la

invitan a la apertura de La Exposición Extraordinaria de Gilgamesh»,
decía la invitación, junto a una fecha y una hora. Pero, incluso en
aquel momento, mientras subía los doce anchos peldaños de la escalinata que llevaba a la puerta frontal del museo, Astra seguía sin saber
por qué la habían invitado ni quién podía haber dado su nombre y su
dirección.

Seguía dándole vueltas a lo extraño de la situación cuando otro
guarda la detuvo para inspeccionar su bolso, momento en el cual se
acordó de guardar la invitación. Tras constatar que no llevaba armas
ni explosivos, el guarda le indicó que fuera al ala oeste del museo.
Astra dejó en la guardarropa su gorro y su impermeable y, poco después, se unió al resto de los invitados.

Para la ocasión, habían trasformado la cafetería del museo en una
sala de recepción, en la que se servían gratuitamente bebidas y unos
pequeños canapés triangulares. El camino para llegar a la recepción
discurría por unas galerías a modo de corredores flanqueados por estatuas griegas, que daban paso después a un tramo de escaleras, desde
el cual los invitados bajaban ya a las galerías de la exposición. Mientras Astra intentaba abrirse paso hasta el mostrador, se encontró de
pronto aprisionada entre la multitud; pero, entre empujones y apretu-
ras, logró maniobrar para acercarse a la pared, donde la aglomeración
no era tan agobiante.

Desde su improvisado mirador echó un vistazo a su alrededor. Ya
hacía un buen rato que se había cerrado el museo, y las multitudes
habituales de turistas habían dado paso a un repertorio de personas
completamente diferente. Aunque sólo unos pocos hombres llevaban
corbatas negras, y aún menos mujeres iban ataviadas con vestidos largos, todos los invitados tenían un aspecto elegante y sofisticado. Y
mientras escuchaba sus conversaciones, Astra comenzó a sentirse
completamente fuera de lugar. ¿Era su imaginación o realmente la
estaban mirando, vestida como iba con su viejo uniforme de azafata
de vuelo, despojado de las insignias y, ahora, quizás demasiado ceñido? ¿Se darían cuenta de que ella no debía estar ahí, que debía haber
habido algún error o, aún peor, que alguien le había gastado una pé-
sima broma?

Sus ojos se cruzaron con los de un hombre alto y delgado que se
hallaba en el rellano superior de las escaleras. El hombre levantó su

vaso y le sonrió, y comenzó a abrirse paso hacia ella entre la multitud sin apartar la mirada.

—Hola –dijo cuando llegó–. Me ha parecido que estaba demasiado sola en medio de este mar de gente, ¡y sin nada que beber!, y se me ha ocurrido venir a rescatarla… ¿Está sola?

—Sola y desconcertada –respondió Astra–. No sólo no tengo nada que beber, sino que ni siquiera sé cómo he venido a parar aquí.

—¿Que no sabe cómo ha venido a parar aquí? –repitió él en tono jovial–. Sin duda, alguien ha debido de dejarla inconsciente y la ha traído aquí envuelta en una alfombra mágica, ¿no es cierto?

Astra se echó a reír.

—No, quiero decir que no tengo ni idea de por qué me han invitado ni quién me ha invitado. ¿Lo sabe usted? –preguntó Astra mirándole fijamente.

—¿A quién le importa, mientras esté usted aquí y yo esté intentando conocerla? –respondió él–. Yo soy su caballero y he venido a rescatarla. Me llamo Henry. ¿Y cuál es su nombre, mi dama?

—Astra.

—¡Un nombre maravilloso, celestial! ¿Quiere que le traiga algo de beber, mi encantadora dama? –preguntó el hombre haciendo una leve inclinación y acercando su rostro al de ella.

Astra echó la cabeza hacia atrás, intentando mantener las distancias entre sus labios.

—Sí, claro, Henry, me gustaría beber algo, por favor.

—No se mueva –dijo él–. ¡Vuelvo en un suspiro!

Henry dio media vuelta y comenzó a abrirse paso hacia las escaleras que llevaban a la cafetería. Pero, en cuanto él se dio la vuelta, Astra se metió entre la multitud en dirección opuesta.

A los invitados se les estaba haciendo retroceder ahora a través de la galería de Grecia y de la galería que llevaba hasta la entrada; en tanto que, para aliviar la aglomeración y el riesgo de que las estatuas pudieran resultar dañadas, los celadores estaban retirando las barreras que impedían el paso a la sección del museo dedicada a Asiria. La gente entró en tropel en la zona recién abierta, y Astra entró con ellos.

La entrada a esta sección estaba custodiada por dos estatuas de piedra de tamaño natural de sendas deidades guardianas, que manifestaban su estatus divino por los tocados con cuernos que portaban. Las habían puesto en la entrada para recibir a los visitantes modernos, del mismo modo que habían recibido miles de años atrás a los adoradores de la antigua Asiria. Astra se sintió aliviada en su incomodidad cuando pasó entre ellas para adentrarse en la zona del museo donde tantas veces había estado anteriormente. La mayoría de las personas que entraban con ella en la sala se volvieron hacia la izquierda, atraídas por la imponente imagen de las dos gigantescas esculturas mitológicas que habían custodiado en otro tiempo el trono del rey asirio: dos toros con alas de águila, y con la cabeza humana de una deidad protectora. Astra giró hacia la derecha, en dirección a una hilera de estelas asirias del primer milenio a. e. c.,[1] unas columnas de piedra que representaban al rey, protegido por los emblemas celestiales de los grandes dioses asirios. Aquellos cinco símbolos se repetían en todas las estelas, en tanto que una placa en el muro ofrecía una explicación a los visitantes.

Astra leyó a media voz lo que decía la placa: «El tocado con cuernos representaba a Anu, el dios de los cielos. El disco alado era el emblema celestial de su hijo, el dios Asur, dios supremo del panteón asirio. La luna creciente era el emblema de Sin, el dios luna. El rayo ahorquillado era el símbolo de Adad. Y la estrella de ocho puntas representaba a Ishtar, la diosa del amor y de la guerra, a quien los romanos llamaron Venus».

Después de leer la leyenda de la placa, Astra pasó de estela en estela, examinando los emblemas de cada una de ellas, y se detuvo en la estela del rey Asurbanipal, que levantaba la mano hacia los emblemas celestiales, con el dedo índice apuntando al símbolo de Ishtar. Ignorando a la gente que había a su alrededor, Astra alargó la mano para tocar aquel símbolo, y sintió que se le aceleraba el pulso al acariciar el antiguo grabado. Luego, se fijó en la boca del rey, tocó sus labios de piedra y susurró:

—¡Labios ancestrales, pronunciad de nuevo vuestro inmortal mensaje!

---

1. BCE en el original inglés, *Before the Common Era,* «antes de la era común», una expresión de carácter interreligioso con la que se pretende evitar el término exclusivamente cristiano de «antes de Cristo». *(N. del T.)*

Astra cerró los ojos y, a pesar del alboroto que había a su alrededor, pudo escuchar con claridad, en un susurro: «Mira, Astra, mira la estrella de tu destino…».

Un estremecimiento recorrió su cuerpo, abrió los ojos y se dio la vuelta repentinamente. Henry estaba justo detrás de ella, ofreciéndole con una sonrisa la bebida prometida.

—¿Me ha dicho usted algo? –preguntó ella.

—Mis labios no han pronunciado aún las dulces palabras que desearían pronunciar –respondió él–. Sin embargo, sí que le voy a preguntar esto: ¿por qué acariciar unos labios helados cuando existen labios llenos de vida a los que besar?

—Me han dicho algo –dijo Astra ignorando sus palabras–. Quizás le suene extraño, pero en otra ocasión ya escuché algo procedente de esta estela.

—¡Qué interesante! Cuénteme eso –le dijo él mientras le tendía el vaso.

—No sé por qué, pero estos emblemas tocan una fibra sensible en mi interior –dijo Astra mientras se volvía para contemplarlos de nuevo–. Vengo a verlos siempre que puedo, después del trabajo… Es como si guardaran un secreto, un mensaje oculto.

—Y, entonces, la piedra le da un mensaje, ¿no?

—No estoy loca. He oído pronunciar unas palabras… y no es la primera vez; también las oí en una ocasión anterior –respondió ella, levantando a continuación el vaso como si brindara por la estela.

Astra regresó hacia la estela, mientras Henry se veía retenido por la multitud que se agolpaba a su alrededor.

—Tienes que hablarme de tu culto –le gritó finalmente mientras levantaba el vaso.

Astra ignoró sus palabras y dejó que la multitud pusiera aún más distancia entre ellos. Era como si toda la aglomeración se estuviera concentrando en aquella parte del museo. Entonces, un hombre subió a una pequeña plataforma situada entre los dos toros alados y pidió silencio a la multitud; y, al cabo de varias llamadas al orden, dio inicio al acto.

—Damas y caballeros –dijo con una voz firme–, mi nombre es James Higgins, y soy el director de la sección del museo del mundo antiguo en Asia occidental. Tengo el placer de darles la bienvenida en nombre de los administradores del Museo Británico para la apertura de La Exposición Extraordinaria de Gilgamesh.

El hombre hizo una pausa un tanto efectista y prosiguió:

—La Exposición Extraordinaria de Gilgamesh se ha organizado para celebrar una especie de centenario. Entre los grandes descubrimientos arqueológicos realizados en Mesopotamia durante el siglo XIX, habría que destacar la inmensa biblioteca de tablillas de arcilla inscritas del rey Asurbanipal, en Nínive. Aquellas tablillas, en su mayor parte dañadas o fragmentadas, se trajeron al Museo Británico; y aquí, en los sótanos de este mismo edificio, George Smith se encargó de ordenar, acoplar y clasificar decenas de miles de fragmentos grabados de arcilla, a medida que le iban llegando, embalados en cajas de madera. Pero, un día, dio con un fragmento que parecía contar la historia de una gran inundación, ¡y se dio cuenta de que había encontrado una versión mesopotámica del relato bíblico del Diluvio!

»Comprensiblemente entusiasmados, los administradores del museo enviaron a George Smith a aquel emplazamiento arqueológico de Mesopotamia en busca de fragmentos adicionales. Y Smith tuvo la fortuna de encontrar suficientes fragmentos como para reconstruir el texto original y publicarlo en un libro, en 1876, titulado *The Chaldean Account of the Flood, El relato caldeo del Diluvio*».

Se escucharon murmullos de conformidad entre la multitud, mientras el director de la sección del museo continuaba:

—Pero, tal como concluyó el mismo Smith, y como han venido a confirmar también otros hallazgos realizados hasta la fecha, el relato que se descubrió en la biblioteca de Asurbanipal trataba sólo en parte del tema del Diluvio. En realidad, era un relato bastante extenso, escrito en doce tablillas, y su título original, extraído del verso con el que comenzaba la historia era, *El que todo lo vio*. En la actualidad, nos referimos a él como *La epopeya de Gilgamesh,* pues cuenta la historia de un rey con ese nombre, un rey inquieto e intrépido, que se atrevió a desafiar no sólo las leyes de los hombres, sino también las de los dioses. Declarándose parcialmente divino, Gilgamesh reivindicó su derecho a la inmortalidad y, en su intento por eludir el destino de todos los mortales, fue hasta el Lugar de Aterrizaje de los Dioses, y más tarde a los dominios secretos de la Tierra de los Vivos. Allí se encontró con un antiquísimo antepasado suyo, aún vivo, que resultó ser el héroe del Diluvio, aquél al que en la Biblia llamaron Noé. Sería él mismo quien le contaría a Gilgamesh el relato de la apocalíptica calamidad que supuso la Gran Inundación.

»Y así fue cómo, hace un siglo, los relatos bíblicos del Génesis quedaron vinculados con las antiguas tradiciones de Asiria y Babilonia; y durante los últimos cien años hemos conseguido averiguar que todos esos escritos proceden de una fuente común, aún más antigua; que los registros originales habían sido escritos por los sumerios, aquel misterioso pueblo que había dado lugar, en el sur de Mesopotamia, a la primera civilización conocida.

»Pero estos antiguos relatos asirios y babilónicos no son las únicas fuentes que confirman que Gilgamesh fue un personaje histórico, puesto que otros relatos épicos, así como las listas de los reyes que han llegado hasta nosotros, lo confirman asimismo. Gilgamesh fue el quinto soberano de la ciudad sumeria de Uruk, la bíblica Erek, donde reinó hace casi cinco mil años. Su padre fue un sumo sacerdote, en tanto que su madre fue una diosa llamada Ninsun, lo cual convertía a Gilgamesh en dos tercios divino. Hasta que la pala del arqueólogo no sacó a la luz la ciudad —mostrando de nuevo al cielo sus calles, casas, embarcaderos y templos, inclusive los santuarios dedicados a Ninsun—, Erek no fue más que el nombre de un lugar mitológico, desconocido y nebuloso del cual se hablaba en la Biblia. Pero, si la Biblia tenía razón acerca de Erek y de todas las demás ciudades mencionadas en ella, y si estaba en lo cierto en lo relativo a los distintos reyes asirios y babilonios de los que hablaba, ¿no podría ser que todos los demás relatos —acerca de un diluvio y de un tal Noé, de una Torre de Babel y de un Jardín del Edén— fueran también ciertos? ¿No podría ser que fueran el registro escrito de unas épocas perdidas en el tiempo?»

El director se detuvo un instante, para proseguir nuevamente en tono de disculpa:

—Pero permítanme que me detenga aquí. Sean cuales sean las implicaciones de los descubrimientos del siglo pasado, y de otros descubrimientos más recientes, de lo que no hay duda es de que la publicación de *The Chaldean Account of the Flood* supuso un punto de inflexión en nuestros conocimientos y en nuestra comprensión del pasado. Y éste es el motivo por el cual el museo ha decidido organizar esta exposición extraordinaria, para conmemorar el centenario de tal acontecimiento. Para ello, hemos reunido aquí distintos hallazgos arqueológicos distribuidos por diversos museos del mundo, si bien el núcleo central de la exposición lo constituyen las tablillas que George Smith recompuso y que no han estado expuestas al público desde hace mucho tiempo.

El director hizo entonces una señal, y los celadores retiraron las sogas que impedían entrar a la gente en la sección especial.

—Les invito a la inauguración de La Exposición Extraordinaria de Gilgamesh –anunció el hombre finalmente, con la voz agitada por la emoción, y con la esperanza de que sus palabras se escucharan por encima del alboroto de la concurrencia.

Sin embargo, ya nadie esperaba realmente sus últimas palabras pues, en cuanto se retiraron las sogas, la multitud se abalanzó hacia la sala sin más contemplaciones.

Astra, que se había mantenido en el fondo durante la charla del director, tuvo que esperar ahora su turno para poder entrar en la zona de la exposición extraordinaria. Allí, en el centro de la sala, protegidos por un cubículo de plexiglás, estaban los fragmentos originales que recompusiera George Smith; y bajo otra campana del mismo material, se exhibían también los sellos cilíndricos pertenecientes al relato épico de Gilgamesh. Se trataba de unos pequeños cilindros tallados en piedras semipreciosas, en los cuales se habían grabado las escenas del relato de forma invertida; de tal modo que, cuando se hacía rodar el cilindro sobre una plancha de arcilla húmeda, la impresión de la escena quedaba grabada de la forma correcta. Y no sólo había sellos de Mesopotamia, sino de todo el mundo antiguo, datados en el primer y segundo milenios a. e. c. La escena que más aparecía en los sellos era la de Gilgamesh luchando con los leones, en tanto que en otras se le mostraba con su atuendo real; pero había también representaciones de su camarada, Enkidu, en las que se le veía rodeado de animales salvajes, entre los cuales había crecido.

El que todo lo vio,
que fue al País;
el que lo experimentó todo,
y lo consideró todo…

Muchos secretos ha visto,
lo que estaba oculto al Hombre él descubrió;
incluso trajo noticias
de los tiempos anteriores al Diluvio.
También emprendió el largo viaje,
fatigoso y lleno de dificultades.
Y volvió y, sobre una columna de piedra,
el relato de todos sus esfuerzos hizo grabar.

Astra estaba aún inclinada, leyendo este texto, cuando sintió un leve toque en el hombro. Se volvió…, era Henry.

—¿Me recuerdas? –dijo él–. ¡El caballero de la armadura! Me temo que dije alguna inconveniencia poco antes de perdernos de vista. Lo siento.

—No importa –respondió Astra–. La verdad es que vine aquí por la exposición.

—Eso quiere decir que Gilgamesh te resulta más interesante, después de tanto tiempo muerto, a pesar de su incansable búsqueda de la inmortalidad –comentó Henry–. ¿Sabías que, para mantenerse joven, recorría las calles de Erek por las noches buscando celebraciones de boda? Retaba a los novios a un combate y si ganaba, reclamaba como premio el derecho a desflorar a la novia. Y siempre ganaba.

—¿Eso hacía? –preguntó Astra, y añadió con una risita–: ¿Y qué hacía si había más de una boda en una noche?

—Aquí dice –respondió Henry señalando con el dedo el texto de la primera tablilla– que Enkidu, que era una especie de hombre artificial creado por el dios Enki, le hizo el amor a una ramera durante seis días y siete noches, sin parar; y que Gilgamesh, igualmente viril, sobrevivió al rito anual del Matrimonio Sagrado con la diosa Inanna, durante el cual tenía que hacerlo cincuenta veces en una sola noche… ¿Responde esto a tu pregunta?

Astra se fijó mejor en Henry. Era más joven que ella, quizás de unos treinta años, con la cara pecosa y el cabello castaño claro, y estaba lejos de ser un hombre apuesto. Pero tenía una sonrisa audaz, fresca y atractiva…

—Parece que sabes mucho –dijo ella–. ¿Eres profesor o algo así?

—Pues sí, lo soy. Soy profesor de Asiriología. ¿Y tú, qué eres?

—Más bien, «era» –respondió Astra encogiéndose de hombros–. Era azafata de vuelo; una de las buenas. Pero ahora, al hacerme más mayor y rellenita, dirijo la sala de *briefing* de la tripulación de cabina.

—Más que rellenita, yo diría que con más curvas –dijo Henry, inclinando la cabeza como para verla desde otro ángulo–. No te diferencias mucho de Inanna, más conocida como Ishtar. A ella le gustaba exhibir su hermosa desnudez, y de ahí que en muchas representaciones aparezca sin ropa, o llevando velos trasparentes.

De pronto, Henry tomó a Astra de la mano y la llevó hasta el expositor de los sellos cilíndricos.

—Aquí –dijo señalando un grupo de sellos– la puedes ver en algunas de esas representaciones.

—¿Y por qué hacía eso?

—Inanna era la diosa del amor. Supongo que tendría que estar a la altura de su reputación… En la sexta tablilla de *La epopeya de Gilgamesh* se cuenta que cuando Inanna vio a Gilgamesh desnudo, le invitó a hacer el amor con ella.

Y mirándola a los ojos y apretándole fuertemente la mano, añadió:

—¿Tú crees que se repetirá la historia, Astra?

—¿Aceptó Gilgamesh la invitación? –respondió ella con otra pregunta.

—Bueno… según dice el relato, no. Gilgamesh la rechazó, aduciendo que Inanna había matado a todos los amantes humanos que había tenido. ¡Pero *yo* no habría desperdiciado la ocasión!

—Es una oferta interesante: recrear un encuentro de hace milenios y ver si acaba ahora de otra manera –dijo Astra mientras se soltaba de su mano–. Pero sigo queriendo saber qué hago yo aquí. ¿Lo sabes tú?

—*Yo* lo sé –dijo de pronto una voz a su lado.

Astra se volvió hacia el dueño de la voz. Era un hombre alto y de anchos hombros, de unos cincuenta años, con el cabello espeso y canoso en las sienes. Tenía los ojos de un tono gris azulado, y la miraba con tanta intensidad que Astra fue incapaz de fijarse en nada más.

—¿Usted? Pero, ¿por qué? –balbuceó Astra.

—Es un asunto que deberíamos tratar en privado –respondió el extraño tendiéndole la mano.

Y, sin dejar de mirarla fijamente, añadió:

—¿Tendría la amabilidad de acompañarme, por favor?

—Un momento –intervino Henry–. ¡Esta joven está conmigo!

—No diga tonterías –le espetó el extraño–. Le he visto intentando camelarla, incluso burlándose de ella cuando le ha hablado de su vínculo con esas antigua estelas... De modo que, por favor, no se ofenda por tomarle prestada un rato a la señorita Kouri.

Y sin dar ocasión para que ninguno de los dos pusiera más objeciones, tomó a Astra del brazo y se la llevó entre la multitud de invitados.

Habían salido ya de la sala de la exposición cuando Astra se detuvo y, soltándose el brazo, le dijo:

—¡Usted sabe mi nombre!

—Efectivamente. Usted es la señorita Astra Kouri, ¿no es así?

Astra sintió que se le agolpaba la sangre en el rostro, y que su corazón latía ahora con fuerza.

—¿Cómo sabe...?

—Me complace enormemente que haya aceptado usted la invitación –le dijo el extraño con una sonrisa.

—¿Y quién *es* usted?

—Mis amigos me llaman Eli, que es una abreviatura de mi apellido, Helios. Me llamo Adam Helios... ¿Tiene suficiente con esto, de momento?

Astra asintió con la cabeza.

—Acompáñeme entonces –le dijo amablemente, tomándola de nuevo por el brazo.

El hombre la llevó hasta la entrada de la exposición de Asiria y se detuvo delante de la estela de Asurbanipal.

—Mira, Astra, mira la estrella de tu destino –dijo el hombre en un susurro.

—¡Usted! –gritó Astra– ¿Qué es lo que quiere usted de mí?

Y, entonces, sin dejar de mirarla a los ojos, le tomó la mano y deslizó sus dedos hasta una cicatriz apenas apreciable que tenía Astra en el borde de la mano. Después, tomó su otra mano e hizo que ella deslizara sus dedos por el borde de su mano, hasta que Astra pudo sentir una cicatriz similar en la mano de él.

—¡Oh, Dios mío! –exclamó ella.

—Sí, yo también tenía un sexto dedo. Me lo extirparon quirúrgicamente cuando era niño –dijo el hombre–. ¿No es eso lo que le ocurrió a usted también?

—¡Es increíble! –dijo Astra–. Estoy muy confundida... ¿Cómo sabe usted eso? ¿Y cómo sabía mi nombre?

—¿Cree usted en el destino, Astra? –le preguntó él en un susurro, mientras la tomaba con ambas manos por la cintura–. ¿Cree que las estrellas nos pueden llamar, que las piedras pueden hablar?

Astra intentó zafarse de él.

—¿Qué sabe usted de mí, por todos los cielos?

El hombre la soltó.

—Sé más de usted de lo que usted misma haya sabido jamás –respondió–. Venga conmigo y se lo contaré todo.

Pero el hombre ya no la miraba a ella, sino a los símbolos celestiales de la estela.

—La verdad es que no creo que deba... –comenzó a decir Astra, pero se detuvo cuando el hombre extendió la mano y puso en contacto su cicatriz con la de ella.

—Somos únicos en nuestra especie –dijo él–. Dotados excepcionalmente con un sexto dedo... ¿Es que no escucha cómo nos llama nuestro destino?

El hombre la miraba de nuevo fijamente, con una mirada exigente, dominante. Astra quiso decir algo, pero no pudo.

—Venga conmigo –dijo él, y la tomó de nuevo por el brazo.

Esta vez, Astra no se resistió.

—Vivo cerca de aquí –añadió Eli al llegar a la escalinata de la puerta frontal del museo.

Cruzaron el patio y, tras atravesar Great Russell Street, se adentraron por Museum Street, una calle estrecha flanqueada por antiguos edificios que, en otro tiempo, estuvieron habitados por familias ricas, pero que ahora albergaban oficinas de editoriales y librerías especializadas en temas orientales y ocultistas. Caminaban en silencio, mientras Eli seguía llevando a Astra del brazo.

Giraron por una calle aún más estrecha, y luego se metieron en un callejón oscuro, sin iluminación alguna. Astra supuso que se encontraban en la parte posterior de los edificios ante los cuales habían pasado minutos antes, pero no estaba segura. En la más impenetrable oscuridad, Eli se detuvo delante de lo que resultó ser una puerta, soltando por fin el brazo de Astra para poder sacar las llaves y abrir el cerrojo con un hábil movimiento. El hombre abrió la puerta, y Astra percibió una estrecha y empinada escalera que ascendía hacia alguna parte en medio de una tenue luz azulada.

—Pase, por favor –dijo él.

En cuanto Astra entró, Eli cerró la puerta tras de sí.

—Iré yo delante para indicarle el camino –añadió, mientras comenzaba a subir la escalera.

En los rellanos entre piso y piso, Astra alcanzó a vislumbrar unas insospechadas puertas, apenas apreciables bajo la tenue luz azulada cuya fuente no podía determinar. Finalmente, después de ascender lo que le parecieron dos pisos, Eli abrió una puerta y la introdujo en una sala de mediano tamaño, en la que aquella extraña luz parecía más intensa. Por su mobiliario, la habitación parecía destinada a cumplir la función de una sala de estar, aunque tenía todos los espacios disponibles de las paredes cubiertos hasta el techo con estanterías de libros. Nada más entrar, percibió cierto aroma en la habitación, un aroma embriagador. De sus tiempos como azafata de vuelo, Astra había aprendido a reconocer el tufillo de la marihuana y el hachís, pero lo que olía ahora era diferente.

—Póngase cómoda –dijo Eli, señalándole un amplio y confortable sillón.

Astra se sentó, acomodando el bolso entre su cuerpo y uno de los brazos del sillón.

—¡Maldita sea! –dijo de pronto–. ¡Me he dejado el impermeable y el gorro en el museo!

—No se preocupe –dijo Eli–. Estarán a buen resguardo hasta que vaya a recogerlos… ¿Un jerez?

Sin esperar la respuesta, el hombre llenó dos copas de una licorera que había en una mesita lateral; le ofreció una de las copas a ella y, cuando Astra levantó la mano para tomarla, él retuvo la copa por unos instantes.

—*Es* usted hermosa –le dijo; y cedió finalmente la copa.

Aunque sus sentidos estaban anegados por aquel dulce y embriagador aroma que llenaba la habitación, Astra no quiso pasar por alto la observación del hombre.

—¿Es así como suele comenzar las conversaciones? –preguntó.

Eli levantó su copa y dijo ignorando su pregunta:

—Brindemos por esta fascinante velada. Le prometo que se lo voy a contar todo, pero permítame que comience con lo de la invitación –añadió, mientras se acomodaba en otro sillón delante de ella–. Al fin y al cabo, esto es lo más sencillo de explicar. Como habrá podido sospechar, trabajo en el museo, y me ocupo de organizar y restaurar hallazgos arqueológicos de Oriente Próximo. Me fijé en usted hace ya bastante más de un año, y luego estuve siguiendo sus pasos en sus posteriores visitas. Me fijé en usted porque me recordó a alguien.

El hombre hizo una pausa para dar un sorbo de jerez.

—¿A quién? –preguntó Astra.

—La conocerá pronto –respondió él–. Al cabo de un tiempo, me di cuenta de que venía usted al museo ciertos días, a ciertas horas, hasta que esperarla se convirtió para mí en una costumbre. Las más de las veces, no me quedaba decepcionado. Yo la observaba a usted y veía que, una y otra vez, acudía a contemplar determinados objetos del museo y, al igual que ha hecho esta noche (sí, la estaba observando), tocaba los símbolos celestiales esculpidos en las estelas y los relieves. Pasaba una y otra vez los dedos sobre ellos, sobre uno en particular… Yo la observaba, y observaba su mano… Y, sin que se diera cuenta, me acerqué a usted en varias ocasiones… Hasta que un día, cuando levantó la mano para tocar los símbolos celestiales, ¡lo vi!

—¿Qué es lo que vio?

—¡La cicatriz, la reveladora cicatriz que le quedó cuando le extirparon el sexto dedo! –respondió Eli con una sonrisa de excitación–. Y entonces supe que encontrarla a usted era el augurio que yo había estado esperando…

El hombre se detuvo y dio un sorbo al jerez para calmarse.

—El resto fue fácil. La seguí, descubrí dónde vivía y dónde trabajaba, averigüé su nombre y, luego, cuando el museo preparó la exposición sobre Gilgamesh y vi la fecha que se había escogido para la inauguración, supe que todo estaba predestinado… Supe que había llegado el momento de dar el siguiente paso. De modo que sustraje una invitación y se la envié a usted.

—¿Y todo eso por mi sexto dedo? –preguntó Astra antes de dar un sorbo, para a continuación añadir–. ¿O lo que había detrás era el resto de mi cuerpo?

—Igualita que ella –dijo Eli–. De lengua afilada y fogoso temperamento… ¿Hasta qué punto está familiarizada con la Biblia, Astra?

—Donde yo crecí no había escuela dominical –respondió–. No ha respondido a mi pregunta.

—Dejaré que sea la Biblia la que responda –replicó él.

Se levantó y se dirigió a una de las estanterías, sacó un voluminoso libro y volvió a sentarse en el sillón. Encendió una lamparita que había en una mesilla junto a él y estuvo hojeando el libro hasta que encontró lo que buscaba.

—¿Conoce el fragmento bíblico de los espías que envió Moisés como avanzadilla a Canaán, antes de que llegaran las tribus de Israel? –preguntó.

—La verdad es que no –respondió Astra.

—Se halla en el libro de los Números, capítulo 13. Los espías partieron del desierto del Sinaí, cruzaron el Négueb y llegaron a la ciudad de Hebrón, que era donde vivían lo que en la Biblia llaman gigantes, los tres descendientes de Anaq: Ajimán, Sesay y Talmay…

Eli hizo una pausa y se puso a hojear de nuevo la Biblia.

—Estos tres descendientes de Anaq aparecen de nuevo en el libro de Josué, y posteriormente en el primer libro de los Jueces, cuando la tribu de Judá conquista Hebrón. En cada ocasión, se les relaciona por sus nombres: Ajimán, Talmay y Sesay… ¿Sabe lo que significa el nombre de *Sesay?*

—No tengo ni idea.

—¡El de los seis!

—¿Seis dedos? –preguntó Astra sorprendida.

—Puede apostar su vida en ello –respondió Eli–. Toda aquella región del sur de Canaán, fronteriza con la península del Sinaí, era conocida en la antigüedad por ser la morada de los descendientes de seres sobrehumanos, uno de cuyos singulares rasgos era que tenían seis dedos. Quinientos años después, el rey David, luchando con los filisteos en aquella misma región, se encontró con los descendientes de aquellos seres sobrehumanos. Había cuatro de ellos en la ciudad de Gat. Aquí… permítame que le lea esto del segundo libro de Samuel:

«Se dio otra batalla en Gat, donde había un gigante que tenía veinticuatro dedos, seis en cada extremidad. También éste era descendiente de los Refaím».

—¿Está queriendo decir que tenemos algo en común con los gigantes de los relatos bíblicos?

—Efectivamente –dijo Eli–. En la medicina moderna, este fenómeno recibe el nombre de *polidactilia;* y se sabe, sin ningún género de duda, que se trata de un rasgo genético poco habitual que se trasmite de generación en generación. Al igual que otros rasgos poco comunes, este gen errático deben portarlo tanto la madre como el padre para que se reproduzca en sus descendientes… Sin embargo, en ocasiones, el gen puede adoptar un patrón recesivo y no manifestarse durante generaciones, para volver a emerger cuando se da el emparejamiento adecuado. Entonces, este rasgo genético aparece de nuevo en los descendientes; en nuestro caso, un sexto dedo en la mano o en el pie.

—He leído algo acerca de tales defectos genéticos, muy peculiares en determinados grupos de personas –comentó Astra–. Dicen que es algo hereditario.

—Precisamente –dijo Eli–. Salvo que, en nuestro caso, no se trata de un defecto, en absoluto…

Pero el hombre no terminó la frase, sino que se levantó y rellenó de jerez las copas, le ofreció a Astra la suya y se quedó de pie. La luz de la lámpara iluminaba la pared del fondo tras su cuerpo, mientras cierto *resplandor* realzaba su silueta sobre el tono azulado de la sala. Astra guardó silencio, esperando a que continuara.

—Nosotros, usted y yo –prosiguió mirándola a los ojos–, tenemos un gen en común; descendemos de los mismos antepasados…, de gentes de otros tiempos que ya eran «antiguos» en tiempos bíblicos…

—¡Pero si acaba de decir que esto no es un defecto! –le interrumpió Astra.

—Todo lo contrario –dijo Eli–. ¡Significa que cumplimos los requisitos para la inmortalidad!

—¿*Inmortalidad?* Debe de estar de broma.

—En absoluto –respondió Eli–. Lo digo completamente en serio.

—¿Simplemente porque nacimos con seis dedos en una mano?

—Porque somos descendientes de los Refaím, entre otras cosas… ¿Sabe usted lo que significa esta palabra bíblica?

—No.

—Significa, literalmente, «los Sanadores». Se los menciona varias veces en la Biblia como a unos seres extraordinarios que vivían en determinadas zonas de Tierra Santa en tiempos remotos. Según las tradiciones de otros pueblos de la antigüedad, los Refaím eran seres divinos que conocían los secretos de la sanación…

—¿Como el arcángel Rafael?

—Exacto, pues eso es precisamente lo que ese nombre significa: «Sanador de Dios» o, traducido de forma literal, «el Sanador de la deidad llamada El»… Según un antiguo relato cananeo, hubo un rey llamado Keret que era un semidiós, pues era hijo de El. Pero provocó las iras de cierta diosa, y ésta le afligió con una enfermedad fatal. Cuando Keret se estaba muriendo a causa de la enfermedad, El envió a la diosa de la sanación en su rescate, y ésta le devolvió la salud.

Eli dio un sorbo a su copa.

—Y luego está el relato cananeo de Dan-El, del que se dice claramente que era descendiente de los Refaím. Vivía en la zona del Négueb, en Canaán, y, al igual que el patriarca hebreo Abraham, recibió la visita de unos seres divinos que le prometieron que tendría un hijo de su esposa a pesar de la avanzada edad de la pareja. Para hacer posible el milagro, le dieron a Dan-El una poción denominada Aliento de Vida, que rejuvenecía y devolvía el vigor.

—¿Y funcionó? –preguntó Astra.

—¡Por supuesto que funcionó! De hecho tuvieron un hijo, que terminaría convirtiéndose en un joven muy apuesto; tan apuesto que Anat, la diosa cananea de la guerra y el amor, le propuso mantener relaciones íntimas. Sabiendo cuáles eran las consecuencias de hacer el amor con una diosa, salvo en determinadas circunstancias, el joven se negó a acostarse con ella. De modo que, para seducirlo, Anat le prometió que conseguiría para él la inmortalidad.

—La inmortalidad a través del rejuvenecimiento, la eterna juventud. ¿Es eso?

—Sí –respondió Eli–. ¡El rasgo divino de los Refaím, trasmitido genéticamente a sus descendientes y manifestado en el rasgo inusual del sexto dedo!

—Siga contándome –dijo Astra–. Cuéntemelo todo.

Eli se acercó a ella y, tomándola por la barbilla, la miró fijamente a los ojos.

—Es un largo viaje –dijo al fin–, un viaje que nos llevará hasta nuestros orígenes.

—Pues lléveme hasta nuestros orígenes –murmuró Astra–. Quiero saberlo todo.

Por unos instantes, Astra sintió el deseo de cerrar los ojos, pero la mirada de Eli era demasiado turbadora como para dejarse llevar por aquel impulso. Sin soltarle la barbilla, Eli se inclinó sobre ella, y Astra supo que pretendía darle un beso. Un escalofrío recorrió su cuerpo como un rayo… mientras Eli depositaba un suave beso en su frente, para incorporarse inmediatamente de nuevo.

—Muy bien –dijo él–. Iniciemos nuestro viaje al pasado.

2

.

Eli volvió a su sillón junto a la mesita y la lámpara. Sobre el fondo de la luz azulada de la habitación, a la cual se habían habituado ya los ojos de Astra, la brillante luz de la lámpara de la mesita envolvió a Eli con un resplandor inquietante, proyectando su sombra sobre la pared opuesta.

—Los acontecimientos que nos conciernen tuvieron lugar hace mucho tiempo –dijo lentamente Eli–, y sus raíces se adentran en el pasado más oscuro…

Tomó la Biblia de nuevo y, levantándola a la altura de su cabeza, dijo:

—Los orígenes están registrados aquí, pero la Biblia sólo nos ofrece un atisbo de la historia completa. La Biblia es sólo la puerta de entrada, el pasillo son los relatos del nebuloso pasado a los que denominamos mitología, y la sala del tesoro se encuentra en los relatos sumerios de la prehistoria; que son, de hecho, las Crónicas de la Tierra.

—¿El relato de Gilgamesh es uno de ellos? –preguntó Astra.

—Son relatos muy anteriores a la época de Gilgamesh, pero su historia es más apropiada de lo que puedas imaginar –respondió, dirigiéndose a ella ahora de un modo más familiar–. En primer lugar, tenemos al mismo Gilgamesh, que reivindicaba su derecho a la inmortalidad debido a que era divino en dos terceras partes. Su madre, Ninsun, era una diosa, y su padre era descendiente de un dios llamado Shamash. Después estaba el héroe del Diluvio, al que llaman Noé en la Biblia y Ziusudra en los textos sumerios. Gilgamesh fue en su busca porque los dioses le habían concedido a Ziusudra la Vida Eterna. En la Biblia se dice que Noé era de un linaje puro, pero las crónicas sumerias son más explícitas; nos dicen que el padre de Ziusudra era hijo de un dios, concretamente de Shamash.

—El linaje se remontaba a los dioses, a un gen divino… ¿Es ése el secreto de la Vida Eterna? –preguntó Astra.

—Linaje, herencia, orígenes divinos, cierto gen… llámalo como quieras.

—Gen que algunos mortales tienen debido a que son descendientes de los hijos de los dioses –concluyó Astra removiéndose incómoda en su sillón–. ¿Pero en qué se basa para decir que los dioses mantuvieron relaciones sexuales con los seres humanos?

—¡Me baso en la Biblia! –respondió Eli con un tono sinuoso–. Yo me creo, literalmente, cada una de las palabras de la Biblia... Aquí, en el Génesis 6, cuando se habla de la situación en la Tierra antes del Diluvio, dice:

Y sucedió,
cuando los Terrestres comenzaron a incrementar su número sobre la
    faz
de la Tierra y les nacieron hijas,
que los hijos de los dioses vieron a las hijas del Hombre, y vieron que
eran compatibles, y las tomaron por esposas según su elección...
Los *Nefilim* estaban en la Tierra en aquellos días, y también después,
cuando los hijos de los dioses cohabitaban con las hijas de los
    Terrestres, y tenían hijos de ellas.
Éstos fueron los héroes de la Eternidad, el Pueblo del *Shem*.

Tras la lectura, Eli cerró la Biblia y dijo:

—Ahí lo tienes. En el versículo que normalmente se traduce como «En aquel entonces había gigantes en la tierra», yo leo el término original hebreo, *Nefilim,* que significa «Aquellos que bajaron de los cielos a la Tierra». Ellos eran los hijos de los dioses, y se casaron con mujeres humanas; y sus descendientes fueron los héroes, el pueblo de la eternidad, que disfrutaba del privilegio de la Vida Eterna.

De pronto, Astra percibió un fuerte temblor en el brazo derecho de Eli, que éste intento contener con la mano izquierda.

—¿Qué le ocurre? –preguntó Astra.

—Nada, nada –dijo él–. Sólo es que me emociono cuando leo los textos sagrados que nos vinculan con nuestro pasado, con nuestras raíces.

—Mira, Eli –dijo Astra, aceptando finalmente un trato más familiar–, quizás deberíamos continuar en otro momento. Se está haciendo muy tarde, y mañana tengo que ir a trabajar. Creo que será mejor que me vaya.

Astra se levantó con la intención de partir.

—¡No! –gritó Eli–. ¡Tienes que quedarte! ¡Tenemos que continuar… esta noche!

—¿Qué tiene de especial esta noche? ¿La exposición de Gilgamesh?

—El momento concreto –respondió Eli, mientras su brazo se convulsionaba de nuevo e intentaba controlarlo con la otra mano–. Está predestinado, créeme… ¡Por favor, quédate!

Había algo misterioso en su voz, pero también había cierto tono de impaciencia. Astra vaciló.

—Por favor, siéntate –dijo él, mientras se calmaban sus convulsiones, y también el tono de su voz–. Deja que te muestre unas diapositivas.

Finalmente, Astra aceptó continuar la velada. Eli se levantó, se dirigió a la pared opuesta a donde estaba sentada ella y desplegó una pequeña pantalla. Apagó la lámpara de la mesita, devolviendo así a la sala su tenue luz azulada, y se fue a un rincón de la habitación, justo detrás de Astra. Allí puso en marcha un proyector de diapositivas y, por unos instantes, la habitación se inundó con una luz cegadora, mientras Eli buscaba la primera diapositiva. Por fin, una imagen apareció en la pantalla, la fotografía de unas ruinas antiguas en las que destacaban seis altas columnas.

—¡Baalbek! –exclamó Astra dejando escapar un grito.

—Sí, Baalbek, en las montañas del Líbano, en el bosque de los Cedros. ¿No es de ahí de donde procedes?

—¡Sí! Nací en un pueblo cercano a las ruinas. Mi familia siempre ha vivido allí…

Eli pasó otra diapositiva.

—Esto es una fotografía aérea del lugar. Las ruinas actuales son de templos romanos, unos templos de mayores dimensiones que cualquiera de los que se construyeron en la misma Roma. Pero estos templos se levantaron sobre las ruinas de otros templos griegos más antiguos, cuya construcción ordenó Alejandro Magno. Pero antes de Alejandro, los templos que había eran fenicios. Por otra parte, se sabe que el rey Salomón engrandeció el lugar en honor a su invitada, la reina de Saba. Pero allí hubo templos antes incluso de que hubiera reyes en Jerusalén. Sin embargo, aunque los templos se iban sucediendo con los distintos conquistadores que llegaban a la región, sólo una cosa permanecía invariable: la inmensa plataforma sobre la cual se construyeron los templos. Una plataforma de en torno a 465.000 metros cuadrados, construida con rocas inmensas; y, en una de las esquinas, ¡un imponente podio que no tiene parangón en todo el mundo!

—A nosotros no nos dejaban ir a las ruinas –dijo Astra en voz baja–. Mis padres y mis abuelos decían que eran sagradas, y el sacerdote maronita que teníamos en la aldea decía que era el hogar de los Ángeles Caídos. Recuerdo que había leyendas que decían que aquel lugar se había construido antes del Diluvio, que lo habían construido los gigantes.

—Entonces, ¿nunca estuviste en las ruinas? ¿Nunca te subiste a aquella inmensa plataforma?

—Una vez; sólo una vez. Fue antes de que partiera del Líbano para venir a Inglaterra. Había algo que tiraba dentro de mí y que me conectaba con aquel lugar, como un cordón umbilical… De modo que fui allí, a pesar de todas las advertencias. Subí a la montaña y recorrí la plataforma, y luego me subí al podio. Estuve allí un buen rato. Podía ver el horizonte al norte, al oeste, al sur. El viento agitaba mis cabellos, y tenía la sensación de que el viento me iba a elevar y que saldría volando, no sé hacia dónde… Y luego sentí, tuve la profunda certeza, de que no me iba a pasar nada en todos mis vuelos como azafata de líneas aéreas.

—¿Viste el Trilitón? –preguntó Eli mientras ponía otra diapositiva, en la que se veían tres inmensos bloques de piedra, que formaban una de las capas de la base del podio–. ¡Cada uno de ellos pesa más de mil toneladas!

—¿Esos tres colosales bloques de piedra? Sí, los había visto antes, muchas veces, y otros muchos bloques igualmente inmensos –dijo Astra–. Los niños solíamos acercarnos sigilosamente por la ladera para ver aquellas gigantescas piedras desde la distancia… Pero sí que fuimos, y nos subimos al bloque de piedra que todavía se encuentra en la antigua cantera, en el valle.

—¡Ah, sí! –dijo Eli–. Es la siguiente diapositiva.

Y en la pantalla apareció entonces un colosal bloque de piedra tumbado sobre un costado, enterrado parcialmente en el suelo. Había un hombre sentado sobre él, que parecía una mosca sobre un cubito de hielo alargado.

—¿Se ha averiguado cómo pudieron llevar esos gigantescos bloques de piedra desde la cantera, en el valle, hasta la cima de la montaña? –preguntó Astra.

—No –dijo Eli–. Ni siquiera hoy en día existe maquinaria capaz de levantar mil toneladas, ni siquiera las quinientas toneladas que pesan la mayoría de las piedras del podio. Sin embargo, en la antigüedad, alguien, no se sabe cómo, hizo lo imposible.

—¿Los gigantes de las leyendas cristianas?

—Y de las leyendas judías, y griegas…, los gigantes que, en la Biblia, reciben literalmente el nombre de «Aquellos que bajaron». Los sumerios los llamaron *anunnaki,* que significa lo mismo: «Aquellos que del cielo a la Tierra vinieron».

—¿Gilgamesh no intentó entrar en un túnel secreto de los anunnaki? –preguntó Astra–. ¿Quiénes eran en realidad?

—Los dioses –respondió Eli–. Los dioses de los sumerios y de todos los pueblos de la antigüedad. Ellos vinieron a la Tierra, según contaban los sumerios, cuando nuestra especie se encontraba aún en la fase de los primates. El jefe de la primera partida de aterrizaje se llamaba Enki, que significa «Señor de la Tierra». Era un científico brillante. A él le siguió su hermanastro, Enlil, que significa «Señor del Mando», pues fue a él a quien se puso al mando de la Misión Tierra de los anunnaki. A ellos se les unió una hermanastra de ambos, Ninharsag, como oficial médico jefe. Aunque cada uno de ellos había nacido de una madre diferente, todos tenían el mismo padre, Anu, el soberano de su planeta de origen, al que llamaban Nibiru.

—Pero eso son sólo leyendas, ¡mitología! –exclamó Astra–, como los relatos griegos de Zeus y las guerras celestes entre los dioses y los titanes.

—¡No, Astra, son hechos! –afirmó categóricamente Eli–. La Biblia afirma una y otra vez que a los Nefilim se los conocía también como *anakim,* que es, simplemente, la traducción hebrea de anunnaki. También afirma que había un grupo concreto de Anakim a los que llamaban *Zuzim,* es decir, descendientes de Zu. ¿Has llegado a leer el relato sumerio de Zu?

—No –dijo Astra.

—El nombre completo de Zu era Anzu, que significa «El que conoce los cielos»; es decir, un astrónomo o un científico espacial. Fue enviado a la Tierra cuando los anunnaki ya se habían establecido aquí. Había seiscientos de ellos en la Tierra, y otros trescientos en las plataformas orbitales y en la lanzadera. A sugerencia de Enki, Zu fue asignado al cuartel general del centro de control de misiones de Enlil. Allí, en la cámara de acceso más restringido, sumida en un resplandor celestial y en un zumbido constante, Enlil guardaba las Tablillas de los Destinos. Estas tablillas debían de ser algo así como nuestros actuales discos de memoria, aunque sin duda mucho más sofisticadas, y eran esenciales para lo que ellos llamaban *Dur-an-ki,* o «Enlace cielo-Tierra», pues seguía el rastro de todos los movimientos celestes y dirigía a las naves espaciales entre Nibiru y la Tierra. Pero, un día, intentando hacerse con el control, Zu robó las Tablillas de los Destinos y huyó con ellas, provocando así el bloqueo de todos los sistemas… Al final, las tablillas fueron recuperadas tras un combate aéreo entre Zu y el principal hijo de Enlil, Ninurta, que derribó a Zu con un misil sobre la península del Sinaí.

—¡Vaya cuento! –exclamó Astra–. Estaciones espaciales, una cámara secreta envuelta en resplandores y zumbidos, un científico loco, combates aéreos…, ¡la ciencia ficción de hace seis mil años!

—No dejaría de ser sorprendente, aunque fuera la ciencia ficción de hace seis mil años –dijo Eli–. ¡Pero todo eso ocurrió verdaderamente!

—Todo lo que me cuentas es increíble –insistió Astra–. En una época tan primitiva, ¿Tablillas de los Destinos que eran discos de memoria de la era espacial…?

—Bien, entonces –dijo Eli–, ¿qué me dices de *esto?*

Eli cambió de diapositiva, proyectando sobre la pantalla la fotografía de un objeto circular, un disco sobre el cual habían inscritas varias formas geométricas (líneas, flechas, triángulos y otras formas) acompañadas por símbolos cuneiformes.

—¿Qué es eso? –preguntó Astra.

—Una Tablilla de los Destinos… o, más bien, una réplica de ellas. El mismo objeto de cuya existencia acabas de dudar. Un disco codificado, una mapa de rutas celestes. La clave de la inmortalidad. ¿Lo recuerdas, Astra?

—¿Que si lo recuerdo? ¿Por qué tendría que acordarme de ese objeto?

Eli rodeó el sillón y se puso delante de ella, mirándola a los ojos.

—Tienes que acordarte de la tablilla –dijo–. Es muy importante que recuerdes.

Astra se encogió de hombros.

—Enlil, Enki, Ninharsag…, ¿nada de todo eso resuena en tu interior?

—No sé adónde quieres ir a parar –respondió Astra.

Sin responderle, Eli se dirigió a una de las estanterías y, presionando un botón disimulado, descorrió un panel. De la hornacina interior sacó una jarra, se dirigió a la mesita donde estaba la botella de jerez y vertió el líquido dorado que contenía la jarra en dos pequeñas copas. Luego, se dirigió a Astra y le ofreció una de las copas.

—Es un néctar –dijo–, obtenido a partir de ciertas hierbas y flores; una antiquísima receta de mi familia, que se cree que se remonta a los rituales de los templos asirios… Bebe…, bebe y ponte cómoda…, relájate…, deja que tu mente flote libremente.

Astra tomó la copa con ciertas reservas, y examinó el líquido detenidamente. Entonces, sin previo aviso, Eli se inclinó sobre ella y la besó de nuevo en la frente. Sus labios eran cálidos, extrañamente cálidos, y su contacto pareció trasmitirle a Astra esa sensación de calidez hasta el interior de su cerebro.

—¿Es algún tipo de poción amorosa? –preguntó ella.

Eli sonrió.

—Mi querida Astra –dijo suavemente–, nos amamos desde hace mucho tiempo… El néctar te ayudará a recordar.

Eli dio un sorbo a su copa, mientras ella le miraba desconcertada.

—Ya va siendo hora de que me digas quién eres –dijo Astra.

—Bébete el néctar y te lo diré –contestó él.

Astra tomó un sorbo. Por su sabor, parecía una mezcla de miel y granada, pero olía a jazmín. Era agradable y suave al paladar; pero en cuanto se tragó aquel sorbo, sintió una oleada de calor, algo así como un resplandor interior. Astra sonrió.

—Está bueno –dijo–. Continúa.

—Yo soy asirio –dijo–. No un sirio del actual país que limita con el Líbano, sino un descendiente de los asirios del norte de Mesopotamia, de los poderosos reyes cuyas estelas has estado admirando y acariciando en el museo… Los asirios, con la bendición de sus dioses, se proclamaron soberanos de las Cuatro Regiones. Y con el fin de legitimar ese estatus imperial, tuvieron que extender sus dominios hasta el antiguo Sumer, y casarse con los descendientes de los reyes de Sumer, especialmente con aquellos que, por su linaje, descendían de los semidioses… Ellos casaron a sus hijas con los descendientes de los reyes de Erek y Ur, cuyo linaje divino no estaba determinado sólo por registros familiares, sino por una señal inequívoca y reveladora, el sexto dedo.

Eli levantó la mano para mostrarle una vez más su cicatriz.

—A pesar de los milenios trascurridos, del auge y la caída de imperios, de guerras, matanzas y dispersiones, un reducido núcleo de descendientes de los antiguos asirios ha mantenido ininterrumpidamente sus vínculos familiares y genéticos. Siempre se agruparon en torno a la familia que portaba el gen divino, que se les revelaba mediante el nacimiento de un bebé con seis dedos.

—¿Quieres decir que fuimos de algún modo familia en un lejano pasado?

—Sí –respondió Eli–. Tú y yo… Nuestros destinos estuvieron entrelazados en el pasado, ¡y el destino nos ha unido ahora de nuevo!

Eli dio un sorbo a su copa de néctar, y lo mismo hizo Astra, que sintió de nuevo un intenso calor en su interior, al punto de perlar su frente con unas minúsculas gotas de sudor.

—Tengo calor –dijo mientras se levantaba y se quitaba la chaqueta.

Sus movimientos para despojarse de la prenda hicieron que la blusa presionase sus firmes y bien redondeados senos, y Astra captó un súbito centelleo en la mirada del hombre. Pero, de improviso, un nuevo temblor azotó el brazo de Eli, que a punto estuvo de derramar el néctar de su copa. Extrañamente, Astra sintió el repentino impulso de tocarle.

Se acercó a él y, tomando su agarrotado brazo, se lo acarició hasta que el espasmo se desvaneció. Ninguno de los dos dijo una sola palabra. Luego, Astra juntó su cicatriz con la de Eli y le miró a los ojos.

—¿Me vas a decir quién soy en realidad? –preguntó con una voz suave.

Eli se la acercó, y Astra juntó su cuerpo al del hombre. Cerró los ojos y entreabrió los labios, pero Eli la besó dulcemente en la frente.

—Tienes que recordar más –susurró él–, sólo entonces…

Sin terminar la frase, Eli la llevó de vuelta hasta su sillón.

—Te prometo que te diré más de ti misma de lo que nunca hayas imaginado –dijo él–, pero tenemos que hacerlo poco a poco… Tenemos que llegar ahí juntos.

—¿Llegar adónde? –preguntó Astra.

Eli tomó su copa.

—Brindemos –dijo–. ¡Por la Vida Eterna!

—¡Por la Vida Eterna! –repitió ella levantando su copa.

Eli volvió al proyector y puso en la pantalla una diapositiva en la que se veía el símbolo celeste del disco alado.

—Nuestra historia comienza en los distantes cielos –dijo–. Hace eones de años, cuando nuestro sistema solar todavía era joven, apareció un gran globo celeste procedente del espacio exterior, un refugiado de otro sistema solar que había estallado. Entonces fue cuando nació la Tierra, así como el cinturón de asteroides y los cometas, a consecuencia de las colisiones y estragos que este planeta provocó en nuestro sistema. Finalmente, el invasor quedó cautivo en órbita alrededor del Sol, convirtiéndose en el duodécimo planeta de nuestro sistema solar. Su inmensa órbita le lleva a perderse en el espacio en su fase de mayor lejanía, para volver en su perihelio a nuestras inmediaciones cada 3.600 años.

—¿Nibiru?

—Sí, el planeta de los anunnaki. Una vez cada 3.600 años, ellos podían ir y venir entre su planeta y la Tierra. Hace alrededor de 450.000 años, aterrizaron aquí buscando oro. La atmósfera de su planeta se estaba debilitando, y sus científicos descubrieron que, suspendiendo partículas de oro en la atmósfera, podrían preservar la vida en su majestuoso mundo.

Astra se removió en su asiento.

—Enki… Enlil… –susurró.

—Sí, ellos fueron los líderes del grupo que vino de Nibiru –confirmó Eli–. ¿Te suenan esos nombres?

—No estoy segura –dijo Astra–. Parece que algo se remueva en mi interior.

Eli se acercó a la mesita de nuevo y volvió a llenar las copas con néctar.

—Toma, bebe más –dijo mientras le ofrecía una copa a Astra, para dar luego un sorbo a la suya.

—No te detengas… Sigue contándome –dijo Astra para, acto seguido, beber también de su copa–. Me siento como si me estuviera elevando, como si flotara…

Eli se inclinó sobre ella y volvió a besarla en la frente.

—Relájate…, relájate… y recuerda –dijo en un murmullo.

Eli guardó silencio durante unos instantes, y luego reanudó su relato.

—La órbita de Nibiru tiene una importancia determinante en nuestra odisea, Astra. Una órbita de Nibiru en torno al Sol no es más que un año para quienes viven allí; pero ese año de Nibiru equivale a 3.600 años terrestres… Sin embargo, nada es inmortal en el universo, pues incluso las estrellas nacen y mueren. Y lo mismo ocurre con los anunnaki, con los dioses de la antigüedad. Para los seres humanos que los adoraron, los anunnaki, con sus largos ciclos vitales, parecían ser inmortales. Por muchas generaciones de seres humanos que vivieran y murieran, los anunnaki siempre estaban allí, casi sin envejecer. Pero envejecían, hasta que finalmente morían.

—Es triste que los dioses tengan que morir –reflexionó Astra en voz alta.

—Si un terrestre, un ser humano mortal, pudiera alcanzar solamente un año de los anunnaki, viviría para siempre en términos humanos: 3.600 años. Diez años de los anunnaki significarían 36.000 años de vida en la Tierra… ¿Te lo imaginas?

—Eso es lo que buscaba Gilgamesh.

—Sí –respondió él–. Pero sigue bebiendo néctar –añadió.

Ambos bebieron y, mientras tanto, Eli puso una imagen en la pantalla, la de una mujer con un casco similar al de un piloto, con los senos y el vientre desnudos.

Una sacudida estremeció la mano en la que Astra sostenía su copa.

—Ishtar –dijo ella–. La hermosa y encantadora Ishtar… que recorría los cielos en su esfera celeste.

—¿Puedes recordar? –preguntó Eli.

Pero Astra guardó silencio.

—Su nombre en sumerio era Irnina –dijo Eli–, que significa «La que da alegría». Su hermano gemelo era Shamash, conocido en tiempos de los sumerios como Utu, «El brillante». Eran nietos del gran Enlil; y su padre, Nannar, fue el primer anunnaki nacido en la Tierra. El nacimiento de los gemelos supuso una gran alegría, pero entonces se les hizo evidente la terrible verdad; pues, mientras que los que habían venido de Nibiru seguían disfrutando del largo ciclo vital de su planeta, Nannar, que había nacido en la Tierra, envejecía con mayor rapidez, y sus hijos crecían y maduraban aún más rápido. Era evidente que el período orbital de la Tierra y su ciclo vital estaban contrarrestando de algún modo la herencia genética de Nibiru.

—A Utu le gustaba volar –dijo Astra de repente–. Él era el jefe de las Águilas.

Eli dio la vuelta al sillón para mirarla. Astra tenía los ojos cerrados, y sonreía.

Eli se inclinó sobre ella y la besó dulcemente en la frente.

—Vuela, remóntate en el tiempo –dijo él–. ¡Sigue recordando!

Astra abrió los ojos.

—Continúa, no te detengas –dijo ella–. Es una historia fascinante.

Eli volvió al proyector de diapositivas y puso en la pantalla un relieve mural con la imagen de un joven dios equipado con dos pares de alas y dos pares de cuernos en el casco. En la muñeca derecha llevaba un objeto circular, al modo en que llevamos el reloj de pulsera en nuestros días, mientras sostenía una cuerda de medición en la mano izquierda.

—A los anunnaki que tripulaban las instalaciones espaciales se los llamaba «las Águilas» debido a su uniforme, que llevaba alas. Y, sí, con el tiempo, Utu se convirtió en su comandante.

—Abgal –dijo Astra con un estremecimiento, ahogando en un murmullo otras palabras que Eli no pudo entender.

—¿Quién era Abgal? –preguntó–. Te acuerdas de él.

—Abgal pilotaba los Barcos del Cielo. Todo el mundo sabe eso –dijo Astra, dejando escapar a continuación una risita.

—¡Ah, claro! –dijo Eli–. Un piloto de las naves espaciales. Utu era su comandante, ¿no?

—Él me enseñó a volar…, pero me enseñó también otras cosas –dijo Astra con una sonrisa pícara.

—Había un espaciopuerto en la península del Sinaí, una región restringida… Entonces la llamaban Tilmun, el Lugar de los Cohetes… Háblame de eso, Astra.

Astra se removió en el sillón.

—El Lugar de Aterrizaje estaba en la montaña de los Cedros –dijo lentamente.

Eli buscó una diapositiva en el carro del proyector y, tras encontrarla, la proyectó en la pantalla. En ella se veía un objeto esférico con tres patas extendidas. De su parte inferior emergía una protuberancia bulbosa, y en su diámetro central se veían unas aberturas parecidas a ojos.

—Esto es un mural de un emplazamiento arqueológico de la ribera oriental del río Jordán. Tiene alrededor de siete mil años –dijo–. Una esfera celeste, una nave aérea, con la que los dioses recorrían los cielos, con la que probablemente iban hasta el Lugar de Aterrizaje.

Eli hizo una pausa, pero Astra no dijo nada, de modo que continuó:

—Gilgamesh fue al Lugar de Aterrizaje. Ishtar le vio allí… Había una tablilla…

—Abgal pilotaba un Gir –dijo Astra categóricamente.

—Efectivamente –respondió Eli.

Pasó algunas diapositivas hasta que encontró una en la que se apreciaban los dibujos de algo parecido a un cohete, con llamas emergiendo de su cola. En uno de los dibujos se veía el extremo superior del vehículo unido al resto del cohete. En el otro, el módulo superior se veía aparte, alejándose del cohete.

—Aquí está el Gir –dijo Eli–. Era la lanzadera, que aterrizaba y despegaba de la Tierra para ir al encuentro de la estación orbital… Abgal te llevó en un Gir, ¿no?

—Nibiru brillaba intensamente. Era la más radiante de las estrellas –dijo Astra.

—La tablilla –apuntó Eli–. ¿Recuerdas la tablilla?

Astra refunfuñó, y Eli dio la vuelta al sillón para observarla. Tenía los ojos abiertos, pero era como si los tuviera en blanco. Eli la besó de nuevo en la frente.

—La Tablilla de los Destinos, Astra –le dijo suavemente–. Te la mostraré por partes. ¡Te *vas* a acordar! ¡*Tienes* que acordarte! ¡Nuestras vidas dependen de ello!

Eli volvió al proyector y puso en la pantalla la diapositiva del objeto discoidal que le había mostrado antes.

—La Tablilla de los Destinos –dijo–. ¡Tienes que acordarte!

Astra se revolvió incómoda en el sillón.

—Es diferente –dijo al fin–. No parece la misma.

—¡Por los dioses! –gritó Eli–. ¡Te estás acordando!

Cambió las diapositivas, poniendo ahora en la pantalla un dibujo lineal del objeto, en el que se veían con más claridad las formas geométricas inscritas y la escritura cuneiforme.

—Las direcciones –dijo Eli–. ¿Reconoces las direcciones?

—No es la Escritura del Cielo –respondió Astra–. Es la profana.

—¡Claro! –dijo Eli–. ¡Tienes toda la razón! El objeto que te he estado mostrando está hecho de arcilla. Es una réplica que encontraron los arqueólogos, y que se encuentra ahora en el Museo Británico. Las inscripciones las pasó a escritura cuneiforme el que hizo la réplica, en la antigua Erek… No es la Escritura del Cielo, pero nos ha permitido leer las instrucciones… Te lo mostraré mejor.

Eli pulsó un botón del proyector y en la pantalla apareció la ampliación de uno de los segmentos de la tablilla, en el que se veían dos triángulos conectados por una línea angular, a lo largo de la cual había siete puntos. Junto al segundo triángulo había cuatro puntos más.

—«El dios Enlil pasó junto a los planetas» –dijo Eli–. Eso es lo que dice la inscripción que hay debajo de los siete puntos que hay junto a la línea… «Siete planetas en la ruta de Nibiru a la Tierra». Plutón era el primero; luego, Neptuno y Urano; y, más tarde, los gigantes Saturno y Júpiter. Viniendo de Nibiru, Marte era el sexto, y el séptimo era la Tierra. Más allá se encuentran la Luna, Venus y Mercurio, y finalmente el Sol… en un sistema solar en el cual Nibiru era el duodécimo miembro.

Astra no reaccionó.

—La inscripción que hay a lo largo del borde inferior del segmento –continuó Eli– dice, en sumerio, «Cohete, Cohete, Remontar, Montaña, Montaña»; y junto al borde inclinado, «Alto, Alto, Alto, Alto, Nube de Vapor, No Nube de Vapor»… Junto a la curva de la circunferencia, la instrucción «Preparar» se repite seis veces, y se dan los nombres de los cuerpos celestes, pero la tablilla está muy dañada en esa zona, por lo que esta parte es ilegible… ¿Cuáles eran las instrucciones, Astra? ¿Puedes recordarlo?

—Enlil vino de Nibiru –dijo Astra como entre sueños–. Eran los dominios de Anu.

—¡Sí! ¡Sí! –exclamó Eli nervioso–. Todo eso ya lo sabemos. Concéntrate en la tablilla. ¡Tienes que recordar!

Comenzó a temblarle de nuevo el brazo, e intentó sujetarlo torpemente con la otra mano. Eli estaba sudando. Hizo entrar una nueva diapositiva, con la ampliación de otro de los segmentos de la tablilla.

—Concéntrate en esto, Astra –le dijo–. Es una ampliación del segundo de los ocho segmentos de la tablilla. Está muy deteriorado, pero se puede leer «Tomar», «Lanzar» y «Completar».

Astra no abrió la boca, de modo que Eli cambió nuevamente de diapositiva.

—Este segmento, con formas extrañas y una línea en forma de flecha, tiene la inscripción «El planeta Júpiter, que proporciona la dirección». También se ven los nombres de dos constelaciones, «Géminis y Tauro». ¡Estoy seguro de que puedes recordar lo que significa, Astra!

Pero Astra balbuceaba de forma ininteligible. Eli puso otra diapositiva en la pantalla.

—Después de fijar el rumbo a Júpiter y cambiar de rumbo en Marte, los astronautas de Nibiru llegaban al corredor de aterrizaje en la Tierra. Las palabras «Nuestra luz» y «Cambio» se repiten a lo largo de la línea descendente. Hay una instrucción que dice «Observa el Sendero y el Terreno Elevado». En la línea horizontal pone «Cohete, Cohete, Cohete, Ascenso, Planear», seguido por una serie de números. Donde las dos líneas se encuentran, pone «Terreno Llano». Las formas geométricas en esta sección, en la parte de nivel, representan tres picos triangulares, dos altos y uno más bajo…

—¡Las pirámides! –gritó Astra–. Las grandes montañas. ¡La obra de Enki!

—Sigue –ordenó Eli cuando Astra se detuvo.

Ella pronunció unas cuantas palabras más, pero todas ellas resultaban ininteligibles. Luego, se revolvió, agitó las manos y se quedó callada.

—Sí –dijo Eli–, las pirámides las construyeron los anunnaki como balizas de aterrizaje, señalando el camino hacia el espaciopuerto del Sinaí.

Y, cambiando de diapositiva, añadió:

—Aunque está muy deteriorado, este segmento del disco tiene mucha información. En la línea descendente, pone «Llanura Central», y se repite seis veces el número cien. En las líneas que interconectan pone «Vía de Carrera», «Inicio Rápido» y «Final». ¡«El Gir ha Aterrizado»!

—Enlil regresó para ver a su padre –dijo Astra de repente.

—Sí –dijo Eli–. El último segmento de la Tablilla de los Destinos daba de hecho instrucciones importantes para el regreso a Nibiru. De eso va todo esta noche, Astra…

Eli puso en la pantalla la diapositiva de un segmento del disco en el que se veían unas líneas cruzadas, una línea central con forma de flecha y unas palabras inscritas.

—Aquí, en el borde, en la flecha que apunta hacia el cielo –dijo–, se ve con claridad la palabra sumeria que significa «Retorno»… ¡Existe un camino de regreso, Astra! ¡Podemos emprender el regreso!

—Me has mostrado sólo siete segmentos –dijo Astra de pronto.

—Bueno, sí –vaciló él–. Me he saltado el tercer segmento. Está muy deteriorado.

—Prometiste que me lo contarías todo, ¡todo! –exclamó Astra, visiblemente molesta.

Eli buscó la diapositiva del tercer segmento y, cuando la encontró, sacó la diapositiva previa, inundando de pronto la habitación con la intensa luz del proyector mientras insertaba la nueva imagen.

—¡El rayo ha caído! –gritó Astra, saltando de su asiento.

Eli se precipitó sobre ella y la agarró por los hombros. Astra le miró con los ojos muy abiertos.

—¡El rayo ha caído! –gritó de nuevo, estremeciéndose–. ¡Es un augurio!

Eli la besó en la frente y la abrazó. Poco a poco, dejó de temblar.

—Sí –dijo él dulcemente, acariciándola–. Era un augurio, de Anu, de Nibiru… Mira a la pantalla.

El segmento cuya ampliación aparecía en la pantalla estaba muy deteriorado en su mitad superior. Había una forma geométrica que seguía siendo parcialmente discernible; parecía una elipse con varios triángulos pequeños en su interior. La inscripción que había en la mitad superior y en el margen curvo era ilegible, pero las palabras que había escritas a lo largo de la línea horizontal seguían intactas.

—Dime… lo que dice el augurio –susurró Astra.

—Son palabras divinas –dijo él–. Lo que queda en la sección que no está deteriorada reza así, «Emisario del Divino Anu… a la Divina Ishtar, la Divina Amada de Anu».

Entonces, Eli la soltó, y Astra dio un paso atrás.

—¡Por los dioses! –exclamó–. ¡Una invitación de Anu! Una invitación para regresar a Nibiru, ¿no es eso?

—Sí –dijo Eli–. Eso era… Y eso es lo que sigue siendo.

—¿Sigue siendo?

—Sí, siempre y cuando encontremos la Tablilla de los Destinos original que fue enviada desde el cielo.

—¿Nosotros?

—Sí, tú y yo… Hay que hacerlo, pero no puedo hacerlo solo. ¡Tenemos que volver juntos!

Astra dio otro paso atrás.

—¿Quién eres tú? –preguntó con dureza.

—Será mejor que te sientes –dijo él–. Conviene que bebamos más néctar antes de que te lo diga.

Astra se volvió a sentar en el sillón, mientras Eli rellenaba de néctar las copas. Una vez llenas, dio un sorbo, y Astra, aunque reacia en un primer instante, terminó bebiendo también. Después, Eli volvió al proyector y puso de nuevo la diapositiva de la tablilla discoidal.

—Esto es una réplica –dijo– hecha en la antigüedad. La Escritura del Cielo original fue reemplazada con símbolos cuneiformes para que otras personas pudieran leerlo…, para que lo leyeran los que no eran dioses… La tablilla original era un disco codificado con instrucciones para un viaje espacial a Nibiru. Y *yo* fui quien lo encontró.

—¿Tú?

—Descendió de los cielos, en Erek, durante una noche estrellada, la última noche de la festividad de Año Nuevo… Estaba dentro de una cápsula espacial… Yo lo encontré, lo tomé… y te lo oculté…

Eli hablaba como en sueños, y sus palabras se iban desvaneciendo poco a poco…

—Sigue –insistió Astra.

—A lo largo de los milenios, mi familia ha conservado el nombre de Elios, que no es sino una deformación de Helios, el nombre griego del dios Sol, Shamash… En mi familia se ha trasmitido en secreto, de generación en generación, que somos descendientes de Shamash…

Eli apagó el proyector de diapositivas y dio la vuelta hasta situarse delante de ella.

—Las listas de los reyes sumerios dicen con claridad que Gilgamesh era descendiente de Shamash por parte de padre… Ishtar y Shamash eran hermanos gemelos; ambos tenían el gen divino del sexto dedo. Y también lo tenía Gilgamesh…

Eli se inclinó sobre Astra y la besó en los labios.

—¡Oh, amada mía! –dijo en un susurro–. ¿No te acuerdas de mí? *¡Yo era Gilgamesh!*

Astra le observó desconcertada, mientras él la miraba directamente a los ojos.

—¿Y quién soy yo…, quién era yo? –preguntó ella en voz baja.

—Cierra los ojos… ¡Remóntate flotando en el tiempo, y lo sabrás!

Astra cerró los ojos y, durante unos instantes, reinó el silencio. Después, sintió de nuevo los labios de Eli en su frente, y oyó que volvía a darle la vuelta al sillón.

—Ya puedes mirar –le dijo Eli.

3

·

Astra abrió los ojos y, súbitamente, antes incluso de que pudiera recordar dónde estaba o por qué estaba allí, vio a la mujer.

Estaba de pie, más allá del vano de lo que parecía una puerta, o simplemente una abertura en la pared, bañada por un resplandor dorado que la hacía destacar sobre el fondo oscuro. Al principio, Astra pensó que la mujer estaba desnuda, pero luego se percató de que llevaba unos finos velos, casi trasparentes, muy ceñidos, que resaltaban sus senos. Tenía el cuello y el pecho cubiertos con un collar de piedras preciosas, dispuestas en tamaños crecientes en distintas hileras, con las piedras más pequeñas en la hilera superior y las más grandes en la inferior. La mujer llevaba dos extrañas hombreras que, junto con el collar, ceñido estrechamente bajo la barbilla, parecían obligarla a mantener la cabeza erguida.

Su cabello, trenzado, sobresalía por debajo del extraño casco con el que iba ataviada, un casco parecido al que llevaban los aviadores de principios del siglo XX. De él emergían dos cuernos por encima de las orejas, que se curvaban después hasta encontrarse sus puntas en el centro del casco, sobre su frente.

La mujer permanecía inmóvil. Unos pómulos ligeramente marcados y una barbilla ancha y prominente destacaban sobre su delicado rostro, mientras fruncía los labios con lo que parecía casi una sonrisa. Astra no podía distinguir bien su nariz, pero sí pudo ver sus profundos y oscuros ojos. La mujer llevaba entre sus manos un pesado vaso de gruesos bordes, ligeramente inclinado hacia Astra, como si se lo estuviera ofreciendo.

—¿Quién eres tú? –gritó Astra.

La mujer no respondió; permaneció inmóvil.

—¿Quién eres tú? –gritó de nuevo Astra, con una mezcla de pavor y de cólera en su voz.

Pero la mujer no se movió, con aquella media sonrisa congelada en su rostro.

—¿No la reconoces? –dijo una voz que, un instante después, reconoció como la voz de Eli.

Él encendió la luz de la lámpara de la mesita, y entonces Astra pudo verle, sentado en el mismo sillón en el que se había acomodado al inicio de la conversación.

—¿Quién es esa mujer? ¿Qué está haciendo esa mujer aquí?

—¿No la reconoces? –repitió Eli.

Astra se fijó mejor en la intrusa. La mujer seguía allí de pie, con su leve sonrisa y sus oscuros ojos, mirándola directamente. Astra se fijó en sus labios carnosos, en sus prominentes pómulos y su cuadrada barbilla; y, de pronto, cerró los ojos y se estremeció.

—¡Dios mío, soy *yo!* –exclamó mientras se desplomaba en el sillón.

Eli saltó de su asiento y se precipitó sobre Astra para atenderla. La tomó de las manos y se las frotó para darle calor, y luego le dio unas suaves palmaditas en las mejillas.

—No pasa nada –le dijo–. No pasa nada. Es sólo una estatua.

Astra abrió los ojos.

—¿Una estatua?

Eli la ayudó a levantarse y la llevó hasta la abertura de la pared iluminada. Entonces se dio cuenta de que era una especie de hornacina que se abría entre las estanterías de libros y que no había visto hasta que Eli la iluminó. La figura era ciertamente una estatua, casi de la misma altura que ella.

—¿Quién es…? ¿Quién *era?* –preguntó Astra.

—Ishtar –dijo Eli enfáticamente–. La gran diosa Inanna, conocida como Ishtar, también como Astarté…

—Oh, Dios mío… Oh, Dios mío… –dijo ella en un susurro.

Astra apartó la mirada y se santiguó, y Eli optó por dejarla tranquila unos segundos.

—¡No me lo puedo creer…, es imposible! –dijo Astra mientras recuperaba la compostura–. Se parece…, se parecía… mucho a mí…

—Puedes decirlo de otro modo –dijo él–, ¡que tú te pareces mucho a ella!

Astra alargó la mano y tocó el helado rostro de la estatua, y luego sus redondeados senos.

—Se parece tanto a mí…, me parezco tanto a ella –dijo en voz baja.

—Y también llevas su nombre –dijo Eli–. Astra, la Celestial. Astarté… ¡Ishtar!

—¡Es tan real…!

—Sí. La encontraron en Mari, una antigua ciudad junto al río Éufrates. Cuando los arqueólogos que la encontraron se fotografiaron con ella, hubo muchos que no pudieron distinguir a la diosa de piedra entre aquellos hombres que la habían hallado…

Eli le dio la vuelta a la estatua en su pedestal para que Astra pudiera ver la parte posterior.

Las protuberancias con forma de cuernos de la parte frontal parecían por detrás unos dispositivos similares a unos auriculares. En la parte posterior del casco había una especie de caja cuadrada sujeta con una banda, y de la base de la caja pendía algo parecido a una manguera, con varias secciones que llegaba casi hasta el suelo. El equipo que portaba la diosa debía de ser bastante pesado, pues se apoyaba en las grandes hombreras y se sujetaba con dos series de bandas que le cruzaban la espalda y el pecho en diagonal.

—La diosa voladora –dijo Astra, recorriendo sus rasgos con los dedos y girándola después de nuevo hacia ellos–. Pero, ¿por qué? ¿Por qué la estatua?

—Para convencerte –respondió Eli.

—¿Y el sexto dedo? ¿Tenía un sexto dedo?

—Se les extirpaba quirúrgicamente ocho días después de nacer; un ritual que se refleja en la circuncisión judía de los bebés varones, también en el octavo día después del nacimiento… Sin embargo, si te fijas, verás que el escultor fue muy fiel a la realidad, pues dejó unas reveladoras cicatrices allí donde debería haber estado el sexto dedo en manos y pies.

Astra pasó los dedos por las cicatrices de piedra.

—Ya veo –dijo–. *Era* como yo… Bueno…, yo soy como ella.

Y, volviéndose hacia Eli, le preguntó:

—¿Soy yo tan hermosa como lo es… como lo era ella?

Eli la tomó por las caderas y se la aproximó.

—¡Lo eres! –respondió.

Y la besó en los labios, con un beso largo y apasionado.

—Estoy preparada –susurró al cabo ella–. Estoy preparada para volver…

—Ven entonces, mi amada reina –le dijo él mientras la apretaba firmemente contra su cuerpo–. ¡Viajaremos juntos… al pasado!

Esta vez fue Astra la que se abalanzó sobre sus labios y le besó apasionadamente.

—Estoy preparada –dijo finalmente–. Yo fui Ishtar… Y quiero ser de nuevo Ishtar.

—Tendrás que confiar completamente en mí –le advirtió él–. Tienes que creer en lo más profundo de ti que, ocurra lo que ocurra, no vas a sufrir ningún daño.

—Confío en ti, amado mío…, ¡mi Gilgamesh!

—Esta noche es la noche –dijo Eli mientras la acariciaba–. La noche del ritual del Matrimonio Sagrado, para sellar la unión sagrada… La noche de la interminable unión de los cuerpos, la noche en que Ishtar y Gilgamesh se convirtieron en uno…

—Llévame de vuelta –dijo ella en un susurro–. Tengo que encontrar la tablilla, y responder a la llamada de Anu…

—Volveremos juntos. Tenemos que regresar juntos, Astra…, a Erek, a la noche de las estrellas fugaces…, ¡unidos en cuerpo y alma!

Eli la tomó de la mano y la introdujo en la hornacina en la que se encontraba la estatua, y entonces Astra se dio cuenta de que la hornacina era en realidad un pequeño ascensor, uno de aquellos viejos ascensores que no disponían de puertas ni de rejillas protectoras.

Era un ascensor con capacidad para tres personas, de modo que se apretujaron junto a la estatua, Eli pulsó un botón y el ascensor se elevó lentamente hasta el piso superior. Salieron a una habitación grande, tenuemente iluminada con la misma luz dorada que bañaba la estatua en el ascensor. Pero, antes de seguir adelante, Astra se dio la vuelta para contemplar una vez más aquella imagen; y, de nuevo, tal como le había ocurrido al principio, se quedó atónita por su sorprendente parecido.

Una gran cama con dosel, que ocupaba buena parte de la habitación, le hizo pensar a Astra que aquél era el dormitorio de Eli. Si lo era, sin duda era un dormitorio de lo más inusual, pues en todo espacio disponible se erguían o colgaban de las paredes objetos arqueológicos: estatuas de todos los tamaños, estatuillas, relieves murales y objetos de arcilla, bronce e incluso oro. Le llamó la atención especialmente una antigua lira, instrumento que le resultó familiar, porque Astra había visto muchas veces a su homóloga en el Museo Británico. Sus dos montantes se elevaban con un ligero ángulo desde la caja de resonancia, y estaban conectados en la parte superior por el yugo. La parte frontal de la caja de resonancia se curvaba y quedaba rematada con la cabeza esculpida de un toro dorado. Astra pulsó levemente las cuerdas, tensas entre el yugo superior y la caja de resonancia, y se sorprendió por el sonido tan profundo que emergía de aquel instrumento.

—Es una réplica, evidentemente –dijo Eli–; una réplica del original, de casi cinco mil años de antigüedad, que encontró sir Leonard Woolley en las tumbas reales de Ur... Perteneció a la reina sumeria Pu-Abi.

Astra volvió a pulsar las cuerdas.

—Su sonido es exquisito –dijo en un murmullo.

—Los arqueólogos no sólo encontraron liras y arpas, que consiguieron reconstruir y volver a encordar, sino que también recompusieron las antiguas notaciones musicales sumerias. Después de descifrar las notas musicales, un equipo de profesores de California consiguió interpretar aquellas antiguas composiciones... Tengo aquí una grabación.

Eli pulsó un discreto botón y la habitación se inundó con una melodía enigmática y evocadora, una melodía de otro tiempo y otro mundo, pero que a Astra no le resultó extraña en modo alguno.

Miró a su alrededor aquella habitación llena de objetos, preguntándose si serían sólo réplicas o hallazgos arqueológicos genuinos. A Eli no le pasó desapercibida aquella mirada.

—Trabajo en el museo, restaurando objetos, haciendo réplicas –dijo trazando un arco con la mano, como para desplegar todos aquellos objetos ante la vista–. Y tuve que recrear el entorno, la atmósfera del antiguo Sumer, para regresar a nuestra amada Erek.

—La melodía... –dijo Astra– evoca recuerdos en mí...

—La música de lira era la favorita de Anu y de Ishtar –dijo Eli–. En la última visita a la Tierra del soberano de Nibiru, los anunnaki construyeron una morada para él, que terminaría convirtiéndose con el tiempo en la ciudad de Erek; y, para complacerle, le dejaron allí una magnífica lira. Cuando Anu volvió a Nibiru, legó aquella morada a Ishtar, su amada Irnina, a quien le encantaba tocar la lira, e incluso compuso muchas melodías con ella.

Astra sintió de pronto que la cabeza empezaba a darle vueltas, y se olvidó de los objetos que había a su alrededor. Se sentía hechizada por la melodía, y cada pulsación de las cuerdas de aquel instrumento reverberaba en los latidos de su corazón. Se arrimó a Eli y se apoyó en él sin decir nada.

Eli la besó dulcemente en la frente.

—El néctar, la música... te están llevando de vuelta..., te llevan flotando, remontándote en el tiempo...

—Estoy mareada –dijo de pronto ella.

Sin mediar más palabras, Astra se sentó en el suelo, con la espalda apoyada en la cama, mientras Eli la observaba. Y, como abstraída, comenzó a tararear la melodía de la lira, y luego se puso a cantar; al principio, casi en un susurro, para ir soltándose poco a poco.

Duerme, oh, duerme, duerme un poco, hijo mío,
que duerman sus inquietos ojos.
Brilla, brilla, oh, luna nueva,
ahuyenta al malvado dolor.
Oh, Enlil, sé su guardián en la Tierra,
Oh, Anu, sé su guardián en el cielo.
Oh, diosa de la vida, sé su aliada;
que mi hijo impere durante muchos días felices...

—Es hermoso –dijo Eli mientras se sentaba en el suelo junto a ella.

Astra le miró como si nunca antes le hubiera visto.

—¿Eres tú, Shamash? –preguntó–. Nuestra madre te cantaba esta nana... Preocupada siempre por tus doloridos huesos. No podía comprender por qué crecíamos tan de prisa... ¿Te acuerdas, Shamash?

—Soy Gilgamesh, no Shamash –la corrigió dulcemente él, pasándole el brazo por encima de los hombros.

—Solía tomarnos el pelo diciendo que sólo habíamos pasado cien años terrestres en pañales –prosiguió Astra como en sueños–. A todos les costaba reconocer que habíamos madurado... Y jugábamos cuando nos quedábamos solos. Al principio, tú siempre simulabas ser otro... ¿Por qué?

—Porque era más divertido así –dijo él.

—Juega conmigo otra vez, Shamash –dijo Astra–. ¡Te necesito tanto!

—Sí –dijo él besándola en la frente–. ¡Juguemos!

Eli se levantó, y acto seguido la ayudó a levantarse a ella; y, apretándola contra su cuerpo, comenzó a balancearse suavemente, al ritmo de la ancestral melodía…, de un lado a otro, con un suave vaivén, sin mover los pies.

—Estamos juntos de nuevo –dijo él en voz baja.

—Estamos juntos de nuevo –repitió ella.

—Esta noche es la noche.

—¿Estás seguro?

—Sí, reina mía. Es la noche de la unión de los cuerpos, en Erek.

—¡Rápido, llévame allí! –dijo Astra con un tono apremiante.

—Juntos. Tenemos que volver *juntos* –insistió Eli.

—Si, juntos… Vayamos juntos.

Soltándola, pero con los cuerpos aún lo bastante cerca como para sentir su calor, Eli comenzó a desnudarla. Astra era consciente de lo que él estaba haciendo, pero no intentó detenerle, pues no sólo estaba fascinada, sino que también deseaba que lo hiciera. Cuando estuvo completamente desnuda, Eli la llevó hasta un armario, del cual sacó una vaporosa túnica trasparente, y le ayudó a ponérsela.

En la puerta del armario había un espejo de cuerpo entero, y Eli lo orientó de tal modo que, cuando Astra se contempló en él, pudo ver al mismo tiempo la estatua del ascensor detrás de ella. Astra se quedó atónita ante el parecido y, por unos instantes, en su estado de confusión entre fantasía y realidad, llegó a preguntarse quién era quién, cuál de ellas era de carne y hueso, y cuál era la estatua… ¿Era ella, Astra, la realidad? ¿O la realidad, la sempiterna realidad, era la de aquella diosa eternamente inmóvil que había tras ella? Astra recorrió su propio cuerpo con las manos, desde sus firmes senos hasta sus sinuosas caderas, para regresar después hasta los hombros, el cuello y la cara, y terminar introduciendo los dedos entre sus oscuros cabellos.

—¡Yo soy Ishtar! –gritó–. ¡Soy Ishtar!

Aún se estaba contemplando en el espejo, comparándose con la estatua, cuando Eli apareció desnudo detrás de ella. Tenía una constitución más robusta y atlética de lo que había pensado viéndole vestido. Y, antes de que ella tuviera ocasión de darse la vuelta, él la tomó por los senos, con fuerza, casi violentamente.

—¡Oh, amada mía! –exclamó jadeando–. La primera vez que te vi, me impactó profundamente tu parecido… y supe entonces que el destino te había encontrado para mí. He estado planeando este encuentro desde entonces, en cada uno de sus detalles…

Astra sonrió anticipando el placer, mientras sentía cómo el cuerpo de Eli se apretaba contra el suyo.

—¡Hazme el amor, Shamash –dijo–, pero conserva la simiente!

Eli ya no se molestó en corregirla de nuevo, sino que la volvió hacia él y la besó con frenesí.

—No nos demoremos –susurró Astra–. Muéstrame el amor, Shamash… ¡Rápido!

—Sí, sí, amada Ishtar –respondió Eli–. Pero tienes que yacer en la Cama que Flota, hasta que hagan pasar al rey ante tu presencia.

Él la llevó hasta el lecho y, después de sentarla, la ayudó suavemente a tenderse de espaldas, de tal modo que la mitad de su cuerpo sobresalía por el borde la cama, mientras apoyaba los pies en el suelo. Sobre la cama había extendida una hamaca, que Eli procedió a elevar, con la ayuda de unas poleas fijadas al techo, levantando el cuerpo de Astra a media altura.

—Quieres que flote –dijo ella como en un sueño.

—Estás en la Cama que Flota –dijo él–, diseñada por el jefe de los artesanos para que disfrutes del placer tal como te gusta a ti, sin que hombre alguno yazga en tu cama… Pero pronto sonará la hora prescrita, y yo, el rey, ¡vendré a ti para el Matrimonio Sagrado!

—¡Date prisa, date prisa, juguemos al juego del amor! –dijo ella con impaciencia.

Eli pulsó un interruptor y una luz comenzó a rotar en el techo, alternando rayos de colores rojos y azules. Él le apartó la túnica y comenzó a besarle los pechos, mientras ella sonreía, inmóvil, con la mirada fija en las luces rotatorias del techo. Luego, le abrió las piernas, disponiéndolas a ambos lados de la hamaca, y comenzó a mecer la hamaca adelante y atrás, entrando en ella una y otra vez con los sucesivos balanceos.

—¡Estamos juntos de nuevo! –dijo él–. Te acaricio por dentro, para que viajemos juntos hasta el momento en que entre en tu lecho y, dándote placer, tal como prescriben los ritos sagrados, me convierta en rey de nuevo.

—Oh, Shamash –susurró ella–, me encanta así…

Él siguió balanceando la hamaca, penetrándola con cada balanceo.

—Dicha, éxtasis… –dijo Astra, gimiendo de placer–. Nuestra madre decía que yo era demasiado joven para casarme… ¡No sé lo que habría hecho sin ti!

—¡Amor mío, no eres demasiado joven! –dijo Eli dulcemente, complaciéndola en la fantasía de que él fuera Shamash, el gemelo de Ishtar.

—Te ha empezado a crecer la barba, y sólo piensas en las naves espaciales –dijo Astra con un punto de irritación en la voz, para luego soltar entre risitas–. Pero el piloto que te ha estado enseñando a volar me ha estado enseñando *a mí* un par de cosas…

—Todo el mundo admira tu belleza.

—Nuestra madre está preocupada, Shamash… El abuelo, Enlil, le ha hablado de mí a nuestro padre. ¿Has oído algo de eso? Están organizando mi matrimonio, la unión de los dos bandos… para cimentar la paz, según dicen…

—Matrimonio –dijo Eli–. Un Matrimonio Sagrado.

Astra guardó silencio, y Eli detuvo el balanceo de la hamaca. Instantes después, Astra comenzó a estremecerse y a removerse, inquieta. Eli la acarició, y no dijo nada.

—Tu tacto es divino, mi amado Dumuzi –dijo Astra en un susurro–. La música me hechiza… Que los músicos no dejen de tocar mientras vienes hasta mí…

—Los músicos están tocando –dijo Eli, acariciándola, sin perturbarse tampoco ahora por que le hubiera llamado por otro nombre.

—Oh, no seas tímido, mi amado Dumuzi –dijo ella–. Aunque sólo estemos prometidos, ése no es motivo para que me niegues tu amor…, ¡ven, ven, sigue balanceándome!

Eli empezó a balancear la hamaca adelante y atrás una vez más, y poco después comenzó a penetrarla de nuevo.

—Volvemos a estar unidos… Somos uno –dijo él.

Astra se puso a tararear una canción.

—Di a los músicos que toquen más fuerte –imploró–. Quiero cantar las alabanzas de mis desposorios…

Y, sin mediar más palabras, entonó una melodía:

El novio está junto a mí; ¡qué alegría!
El buey salvaje Dumuzi está junto a mí; ¡alegría!
Los cantores entonan una canción;
y una canción compondrá Ishtar para él:

Soy como un campo en barbecho,
el buey salvaje está junto a mí, con su cuerno, dispuesto
para la labranza.
Estamos en un barco celestial de firmes sogas,
nuestra pasión es elevarnos, como la nueva luna creciente.

Mis pechos son montículos,
mis muslos son campos ondulados.
Mi cuerpo es como la tierra húmeda;
¿dónde estará el buey que venga a labrar mis campos?

Mi señor Dumuzi; él labrará mis campos.
Mi amor, él vendrá a mí.
¡Oh, mi señor Dumuzi,
canta conmigo nuestra canción de amor!

Eli siguió balanceando la hamaca mientras ella cantaba, penetrándola con un movimiento rítmico; y, durante algunos segundos, ambos guardaron silencio. Luego, Astra comenzó a retorcerse en la hamaca, y Eli tuvo que parar.

—¿Qué ocurre, amada mía? –preguntó él.

Astra se puso a gemir.

—¡Ay de mí! –gritó finalmente, entre lágrimas–. El pastor que durmió a mi lado… ¡me lo han arrebatado! El malvado hizo que lo mataran… ¡Mi buey salvaje, mi amado Dumuzi, está muerto!

—Anu te dio Erek para otorgarte dignidad regia –dijo Eli acariciándola–. Y te dio su lira divina, para que su música te dé la paz.

Pero el llanto de Astra se convirtió en sollozos, aunque dejó de retorcerse, mientras Eli seguía acariciándola.

—Los músicos están tocando –dijo Astra en voz alta–. ¿Por qué, entonces, guardan silencio los cantores?

—He compuesto una canción para ensalzar tu grandeza –dijo Eli.

Y se puso a cantar, al principio suavemente, para luego ir elevando la voz poco a poco:

Canto a Ishtar, gran señora.

Oh, voluptuosa dama; oh, regia dama.

El día ha pasado y el sol se ha ido a dormir.

La gran dama está en el lecho del regocijo.

Está vestida de placer y de amor,

cubierta de encantos y vitalidad.

Sus ojos son centellas, su figura es seductora.

Sus labios son dulces, y la Vida anida en su boca.

Ishtar está en el lecho de la realeza.

Una sonrisa se dibujó en el rostro de Astra.

—¿Quién es el que me ensalza así?

—El rey, tu sirviente –dijo Eli–. El rey ha venido a tu lecho sagrado, a yacer en tu sagrado regazo, para alcanzar así la vida.

—Es una dulce canción –dijo Astra como entre sueños.

Eli se inclinó sobre ella y la besó en los labios.

—¡Estamos juntos de nuevo –dijo–, juntos, para emprender un viaje hacia la eternidad!

Y, dicho esto, comenzó a descender la hamaca, hasta que Astra quedó de nuevo sobre la cama.

—Mi reina –susurró–, tu lecho sagrado ha sido dispuesto y purificado.

—Nadie puede entrar en mi lecho y seguir vivo –dijo Astra levantando la mano derecha.

—Esta noche es la noche –respondió Eli tomando su mano–. Es la noche del Matrimonio Sagrado, noche de nuestros dulces desposorios.

—¡Sólo el rey puede desposarme! –dijo ella–. ¡Ten cuidado, hombre mortal!

—Yo *soy* el rey –dijo Eli, inclinándose para besarle los pies–. El rey se postra ante ti… Yo soy Gilgamesh, rey de Erek, hijo de Ninsun, simiente de Shamash…

—¿Gilgamesh, el rey? ¡Oportuna es tu llegada! –dijo ella extendiendo la mano–. ¡Ven, haz que mi lecho sea tan dulce como la miel! ¡Dame placer!

—He venido a unirme contigo, gran Ishtar –dijo Eli mientras se incorporaba–. Para que se me conceda la eterna juventud, y vivir para siempre.

—Mi dulce Gilgamesh –dijo Astra extendiendo ambas manos–, no pierdas más el tiempo… ¡Ven a mí ya!

—¡Gran dama que das la vida –dijo él–, realizaré los ritos a la perfección!

Y, lentamente, Eli se situó sobre el cuerpo desnudo de Astra, acariciándola y besándola a medida que avanzaba.

—Dama celestial, divina Ishtar –dijo él dulcemente–, el rey ha venido a tu lecho sagrado, para yacer en tu sagrado regazo… para unirnos, para emprender juntos el viaje de regreso.

—¡Silencio! –le espetó Astra, molesta–. ¡Abrázame, dame la dicha, Gilgamesh!

Ella se aferró a su cuerpo, entrelazando las manos en la espalda de él; y Eli, con toda la fuerza que aún le quedaba, la penetró.

—¡Nos hemos unido! –gritó–. ¡Emprendemos el viaje de regreso juntos!

—Oh, cariño mío –dijo Astra gimiendo–. Sáciame, sáciame… ¡Hagámoslo juntos las cincuenta veces prescritas!

Libre ya de las sogas de la hamaca que le impedían moverse, Astra se retorció y se revolvió como una leona en su jaula. Le besó, le mordió, le clavó las uñas, estrechamente pegada a él como si estuvieran unidos por los más poderosos imanes. Y conforme su éxtasis iba en aumento, comenzó a proferir palabras y frases ininteligibles, llamándole unas veces Gilgamesh, y otras Shamash o Dumuzi.

—Oh, reina mía –dijo Eli en un murmullo, a medida que incrementaba el ritmo de la penetración–, estamos regresando juntos a Erek. Es la época del Año Nuevo, la noche del Matrimonio Sagrado… Estamos en el lecho celestial, para que me des así la vida…

Y Eli derramó su simiente dentro de ella, se estremeció y, derrumbándose a su lado, se quedó inmóvil.

Astra gimió.

—Lo has hecho –dijo en un susurro.

Y se sumió también en el silencio.

4
.

A pesar de haber terminado completamente exhausto, se despertó inquieto y alterado poco después de quedarse dormido; pero, temiendo despertar a la diosa, se mantuvo inmóvil durante un tiempo, sumido en un mar de pensamientos. En el pasado, esta noche divina de éxtasis le había proporcionado calma, y también cierta paz interior. Pero esta vez no había sido así; aunque no porque él hubiera hecho algo mal, pensó para sí, pues lo cierto es que, a pesar de haber trascurrido otro año más, lo había hecho a la perfección, ¡las cincuenta veces requeridas!

Incapaz de contener su inquietud, se levantó finalmente del lecho, tras asegurarse de que la diosa estaba profundamente dormida. El frío de la noche le recordó que estaba desnudo. Encontró su túnica y se la puso, sin ceñir, pero no se calzó las sandalias, sino que las tomó con una mano para no despertarla con sus pasos.

Se detuvo en la entrada de la cámara, alerta ante cualquier sonido no deseado, pero todo estaba en silencio. Los músicos y los cantores hacía rato que se habían ido; los sacerdotes y las sacerdotisas se habían retirado a sus aposentos, y el sacerdote que atendía el fuego eterno, gracias a cuya luz se podía leer la hora del reloj de agua, se había quedado dormido en su puesto. Con paso raudo, aunque en silencio, atravesó el salón de Fiestas, cruzando calladamente los vanos sin puertas que llevaban a las cámaras de los alimentos, donde quizás se hubieran quedado a dormir algunos de los sirvientes que se ocupaban de las viandas y las bebidas.

Aquella noche agradeció el hecho de que el Gipar, el pabellón de los placeres nocturnos de Ishtar, se hubiera construido, siguiendo las instrucciones la diosa, junto al patio del Jardín, cerca de una pequeña puerta lateral de la muralla del Recinto Sagrado. Aquélla había sido una idea ciertamente práctica, ordenada por la diosa para facilitar las idas y venidas de sus amantes, que debían hacer el amor con ella de pie, balanceando a la diosa en su hamaca, si es que querían seguir con vida al día siguiente. La ubicación de la puerta, particularmente apartada, le permitía ahora llegar allí casi sin ser visto por los sacerdotes apostados en las plataformas y los baluartes de los templos principales.

Se puso las sandalias y se ciñó la túnica para protegerse del frío. La luna, casi llena, bañaba el Recinto Sagrado con una luz plateada, ocultándose de tanto en tanto tras alguna nube pasajera. Esperó entre las sombras uno de aquellos momentos de oscuridad y rápidamente recorrió el camino que llevaba a la pequeña puerta lateral. Tenía la esperanza de que los sacerdotes que la custodiaban estuvieran dormidos también. Entre los claroscuros de la luna, pudo ver a dos de ellos sentados, apoyados en el muro; pero, cuando se acercó a los sacerdotes, éstos oyeron sus pasos y se pusieron en pie de un salto, con las lanzas en las manos.

—¿Quién va? –gritó uno de los sacerdotes.

—Soy yo, Gilgamesh, el rey.

—El rey está con la diosa en su cámara –dijo uno de los guardias.

Gilgamesh se les acercó.

—La reina celestial deseaba dormir sola durante un rato, y me apetecía respirar un poco de aire fresco.

Los guardias le reconocieron.

—Sí, la noche es fría –admitió uno de ellos.

—¿Está tranquila la ciudad? ¿Duermen sus gentes? –preguntó Gilgamesh, señalando la puerta.

—Sí, claro –dijo el otro guardia, el más joven de los dos–. Después de diez días de angustia y penitencia, todo el mundo está exhausto.

—Los ritos de la festividad del Año Nuevo son muy exigentes –coincidió Gilgamesh–, incluso para las personas comunes, por no hablar de las exigencias que supone para el rey.

—Es el temor, el temor a los dioses –dijo el guardián de más edad–. Aunque los dioses regresan cada año de la casa Akitu, el temor embarga siempre el corazón de la gente cuando los dioses se van del Recinto Sagrado, no sea que partan y no regresen jamás.

—Entonces, el sumo sacerdote tendría que prolongar su ayuno y, en vez de ayunar sólo un día, tendría que ayunar durante al menos una semana –dijo Gilgamesh sarcástico.

—El ayuno y la penitencia nos purifican de nuestros pecados –dijo el mayor de los sacerdotes–. La gente tiene el resto del año para consentirse placeres.

Gilgamesh intentó acercarse a la puerta para echar un vistazo a la calle, comentando en un tono casual:

—Las calles nunca están tan silenciosas.

Pero los guardias se interpusieron en su camino, cerrándole el paso con sus cuerpos.

—Nadie puede abandonar el Recinto Sagrado antes del amanecer –dijo el sacerdote más veterano, mirando fijamente a Gilgamesh y aferrando con fuerza su lanza–. ¡Ni siquiera el rey!

Gilgamesh le devolvió la mirada al sacerdote, y ambos mantuvieron durante un largo instante aquella pugna de voluntades. Finalmente, Gilgamesh dio un paso atrás.

—Sólo he salido para tomar el aire –dijo–, para dar un corto paseo por el Patio del Jardín… Ésta es la única ocasión que tengo cada año de ver el Recinto Sagrado por la noche, cuando el señor Sin asienta sus dominios, y no bajo la brillante luz del día del señor Shamash.

—Majestad –se oyó una voz detrás de él–, la diosa podría despertarse.

Gilgamesh se dio la vuelta. Un sacerdote, embozado en su túnica marrón para protegerse del frío, y ocultando su cara bajo la capucha, estaba apoyado en el muro a escasa distancia. Al parecer, se había acercado con el más absoluto sigilo, pues ninguno de ellos le había oído ni le había visto llegar.

—Tenéis que regresar a las cámaras –añadió el sacerdote.

—Es uno de los guardas del Gipar –dijo el sacerdote de más edad–. Todos ellos llevan esas túnicas marrones.

El sacerdote del Gipar le hizo un ademán al rey para que volviera al pabellón.

—La diosa podría despertar –repitió.

—Sin duda, una advertencia oportuna –respondió Gilgamesh.

Miró a la puerta de nuevo, pero los dos sacerdotes guardianes seguían bloqueándola con sus cuerpos, lanza en mano.

—Pero no me iré sin antes contemplar los impresionantes templos bajo la luz de Sin, mi gran antepasado –añadió Gilgamesh.

El rey desanduvo el camino, atravesando el patio del Jardín que separaba el Gipar del Gran Templo, y se detuvo unos instantes para contemplar la magnífica construcción consagrada a Ishtar, un templo sin igual en todo el país, por su altura y sus macizas columnas, decoradas con teselas de arcilla de múltiples colores. Durante el día, las inmensas columnas empequeñecían a los adoradores que venían a hacer sus ofrendas a Ishtar, en agradecimiento por las bendiciones recibidas o para implorar a la diosa en previsión de aciagos sucesos. Pero ahora, sin mortal alguno alrededor, los mosaicos de las columnas reflejaban la luz de la luna en un espectáculo majestuoso de imponente inmovilidad.

—Majestad… –oyó una voz detrás de él.

Gilgamesh se volvió, para encontrarse nuevamente con el sacerdote del Gipar.

—Todavía no –dijo Gilgamesh haciendo un gesto con la mano para indicarle que se fuera.

Le dio la espalda y se entregó a la contemplación del Eanna, la casa de Anu, construido sobre una plataforma artificial que se elevaba sobre estrados progresivamente menores. En el nivel superior estaban las dependencias privadas de Ishtar, y se distinguía de todos los demás no sólo por su altura, sino también por la serie de mástiles con aros que flanqueaban su entrada. Se decía –aunque nadie salvo los dioses podía saberlo a ciencia cierta– que, merced a aquellos aros, Ishtar podía escuchar hasta los susurros proferidos en la lejanía por Enlil, en Nippur, o por Shamash, en Sippar, que estaba aún más lejos que Nippur. Unos gallardetes de colores aleteaban ahora con el viento, pendones que habían fijado a los mástiles los dioses allí congregados para reafirmar el destino de Ishtar como diosa reinante de Erek. Cada uno de los gallardetes portaba los colores de un dios, como signo del sometimiento de ese dios a la supremacía de Ishtar. Pero estaba demasiado oscuro, y la puerta estaba también demasiado lejos de Gilgamesh, como para poder distinguir los colores de los distintivos. Sin embargo, sabía que a la luz del día no habría tenido dificultad alguna en distinguir los colores pertenecientes a su madre, Ninsun.

—¡Oh, madre –dijo en voz baja Gilgamesh, como si ella pudiera escucharle a través de los agitados gallardetes–, cuánto me duele verte subordinada…!

—Majestad –dijo con firmeza el sacerdote detrás de él, tocándole esta vez en el hombro.

Gilgamesh se volvió bruscamente.

—¡Cómo te atreves a tocar al rey! –le dijo enfurecido.

—Majestad, soy sirviente de Niglugal –dijo el sacerdote en un susurro.

—¿Un sirviente de mi canciller? ¿Vestido de sacerdote?

—Ojos que no ven, oídos que no escuchan –dijo el sacerdote con una ligera inclinación de cabeza–. Por la seguridad del rey…

—No tenía ni idea –dijo Gilgamesh.

Pero aún se demoró unos instantes más. Se volvió hacia una gran construcción que podía verse más allá del zigurat del Eanna, y preguntó en voz alta:

—¿No bastaba con que mi madre, vástago de los grandes dioses, tuviera que vivir en el Irigal, con su aglomeración de capillas y santuarios consagrados a los padres de Ishtar, Nannar y Ningal, a sus abuelos, Enlil y Ninlil, a su hermano Shamash, a diez deidades menores asignadas a Erek, y de toda una colección de residencias sacerdotales?

Se volvió hacia el sacerdote como esperando una respuesta, para añadir:

—¿No bastaba todo eso, para que encima yo haya tenido que llevar a cabo mis funciones en el Matrimonio Sagrado, la diosa…?

Pero se detuvo en seco en mitad de la pregunta, mientras su mano, que seguía levantada, descendía lentamente.

—Mi señor Gilgamesh, no prolongue su ausencia –dijo el sacerdote–. Debería estar junto a la diosa cuando amanezca pues, de lo contrario, al día siguiente, en vez de ser coronado, será ejecutado.

—Sí, al día siguiente –repitió él.

Gilgamesh señaló entonces al extremo occidental del Recinto Sagrado, donde, sobre una colina, resplandecía una construcción blanca bajo la luz plateada de la luna.

—Allí, en el templo Blanco, que se yergue desde los días de antaño, fijarán mi destino –dijo con algo parecido a una risa–. La diosa y el sumo sacerdote…

Pero no terminó su frase. Volviéndose hacia el sacerdote, le preguntó:

—¿Sabes tú, fiel sirviente, qué destino me espera en sus manos?

—No, mi señor –dijo en voz baja el sacerdote.

—No importa –dijo Gilgamesh.

Volvió a inspeccionar la puerta lateral, y contempló a los guardianes de la entrada por unos instantes. La puerta estaba ahora cerrada, y los guardias estaban juntos delante de ella. Gilgamesh volvió a mirar al templo Blanco de Anu, y luego se encogió de hombros.

—Será mejor que entre –dijo.

* * *

En el mismo instante en que el sol despuntó por el horizonte, Ninsubur, la dama de cámara de Ishtar, entró en el Gigunu, el dormitorio íntimo de la diosa, para despertar al rey y llevarle afuera, cometido que llevó a cabo en silencio para no despertar a Ishtar.

En el exterior, un grupo de sacerdotes le estaba esperando. Llevaron a Gilgamesh hasta el templo principal, a las cámaras donde le habían preparado y aderezado el día anterior para la noche sagrada. Lo desnudaron y lo bañaron, y luego lo vistieron con una túnica blanca.

—Estáis consagrado a la reina del cielo –entonó el jefe de los sacerdotes en la lengua de las escrituras antiguas–, pero todavía no habéis vuelto a ser rey.

Después, en mitad de una procesión, con sacerdotes marchando delante y detrás de él, desfiló hasta la puerta principal del Recinto Sagrado, mientras el jefe de los sacerdotes proclamaba siete veces:

—¡Id y volved, oh, consorte que será rey!

El chambelán del rey, Niglugal, estaba esperando en el Gran Pórtico con un séquito de funcionarios de palacio y de héroes armados. Gilgamesh estrechó brazos con él y se dio cuenta de inmediato de que en los ojos de Niglugal había una pregunta que sus labios no se atrevían a formular.

Gilgamesh sonrió y sólo dijo una palabra.

—¡Perfección!

La tensión de los ojos de Niglugal se desvaneció.

—¡El rey lo ha hecho bien! –anunció al grupo real–. ¡Benévolos destinos serán decretados para este año!

Todo el grupo estalló en risas y vítores, y luego se organizó en procesión para llevar al rey de vuelta a su palacio.

La ruta acostumbrada partía desde el Recinto Sagrado, que se extendía sobre una plataforma elevada que dominaba la ciudad, y pasaba por el Gran Pórtico, para bajar después por la avenida de las Procesiones hasta los distritos de negocios de la ciudad, donde prosperaba el comercio y la industria, a lo largo de las estrechas calles que bordeaban los célebres embarcaderos de Erek. Luego, subía por la avenida Real, más ancha, hasta el monte del Palacio, en la zona septentrional de la ciudad, donde se levantaba el Palacio Real. Al igual que en años anteriores, y a pesar de ser una hora tan temprana, el pueblo llano comenzaba a congregarse ante el Gran Pórtico con la esperanza de poder entrar antes en el Recinto Sagrado y poder ver mejor las ceremonias de la tarde. Pero, a diferencia de los años anteriores, la gente no aclamó al rey con el mismo fervor al salir por la puerta, hecho que no pasó inadvertido para Niglugal, aunque Gilgamesh, demasiado absorto en sus pensamientos, no lo advirtió.

—Tomemos el camino más corto –dijo Gilgamesh a Niglugal–. Tengo que hablar contigo cuanto antes, en privado.

—Como deseéis, majestad –respondió Niglugal, para dictar a continuación las órdenes oportunas.

El camino más corto llevaba a lo largo de la muralla sudoriental del recinto Sagrado, y luego recorría el tramo nororiental, pasando por delante de la puerta en la que había estado Gilgamesh la noche anterior. Desde allí bajaba una calle hasta el canal Septentrional, construido por los antiguos reyes profundizando y ampliando una hondonada natural. Y desde allí no había más que un breve paseo cuesta arriba hasta el monte Real y la puerta principal del palacio. Cuando llegaron, no se encontraron con el recibimiento habitual en estas ocasiones, en el que una multitud de funcionarios, soldados y sirvientes de palacio se congregaba en las puertas para honrar al rey. El hecho de haber llegado antes de lo esperado pilló de improviso a todo el mundo, y sólo aquellos que habían sido alertados por los vigías de las murallas le recibieron con las habituales bendiciones de «¡Larga vida!» y «¡Abundancia!», mientras Gilgamesh atravesaba el pórtico, saludándolos con la mano y sonriéndoles, y murmurando, tal como requería la costumbre, las mismas bendiciones. Sin embargo, Gilgamesh no se detuvo para agradecer los saludos personales de este o de aquel funcionario de palacio, sino que, con paso raudo, se dirigió directamente a sus cámaras privadas, siendo Niglugal el único en seguirle.

—¿Qué sucede, mi señor? –preguntó Niglugal.

—¡La diosa! –dijo Gilgamesh mientras se quitaba la túnica–. ¡No pronunció la bendición requerida, a pesar de hacerlo a la perfección!

—¡Es inaudito! –exclamó Niglugal–. ¡Increíble!

—Pues tendrás que creértelo –replicó Gilgamesh–. Y se comportó de la manera más errática durante los ritos. ¡«Estrafalaria» sería la palabra que mejor la describiría! Ignorando mis súplicas para que me prometiera la vida, no hacía más que recordar sus amores y sus aventuras eróticas del pasado. Había veces en que se imaginaba que yo era Shamash, su hermano, cuando eran niños; y otras veces imaginaba encontrarse con su desposado Dumuzi, ¡o incluso con el mismísimo gran señor Anu! Se reía y se contoneaba, lloraba y gritaba angustiada. ¡Y, para colmo de agravios, después de haber realizado yo a la perfección las cincuenta veces prescritas, no pronunció las tradicionales palabras para sellar la unión sagrada!

—Parece increíble –dijo Niglugal–. Es la ley de Anu y de Enlil, los grandes señores. La diosa debe pronunciar la bendición prescrita: «Tu venida es Vida. Tu entrada en mi lecho es Abundancia. Yacer contigo es una gran Alegría. ¡Tú eres Consorte y Rey!».

—Ésas son las palabras, pero la diosa no las pronunció. Y también ignoró mi petición de no tener un fin mortal a cuenta de ser mi sangre en dos tercios divina.

—Un comportamiento de lo más extraño. Me deja perplejo –admitió Niglugal.

—Sospecho que detrás de todo esto debe estar Enkullab, ese intrigante hermanastro mío –dijo Gilgamesh mientras se ponía una de sus propias túnicas.

—He estado intentando averiguar lo que el sumo sacerdote pueda tener en mente –dijo Niglugal, señalando en la dirección del Recinto Sagrado.

—¡Ah, sí! –dijo el rey–. Me he encontrado con uno de tus espías durante la noche… Un buen tipo. Me detuvo cuando estaba a punto de intentar abrirme paso por la puerta privada…

—¿Su majestad? –exclamó Niglugal con una mirada de desconcierto.

—Estaba a punto de tomar yo mismo cartas en el asunto, Niglugal –confesó Gilgamesh.

Y, luego, dirigiéndose hacia la larga mesa que había junto al muro, preguntó enfadado:

—¿Acaso la casa real se ha quedado sin vino?

—Perdonadme, mi señor –se apresuró a decir Niglugal–. Los sirvientes deben de haberse demorado.

El chambelán dio una palmada y, cuando apareció su asistente, le murmuró algunas palabras al oído. Instantes después traían el vino y, después de servirse, Gilgamesh se bebió de un trago una copa, llena hasta los bordes.

—¿Te han dicho algo más tus espías? –preguntó después.

—Enkullab ha tenido bastantes audiencias con la diosa –respondió Niglugal–, pero nadie sabe lo que hayan podido hablar en secreto. Lo que sí sabemos es lo que ocurre en la ciudad…, que los sacerdotes están incitando a la gente a manifestarse en público en vuestra contra…

—¡El muy hijo de puta! –exclamó Gilgamesh–. Aunque el desposeimiento de los atributos reales del rey en el quinto día es sólo un acto simbólico, los sacerdotes me arrebataron la corona, el cetro y la maza sagrada con ferviente determinación. Y Enkullab, cuando estaba ante él de rodillas para la confesión, me abofeteó en la cara y me tiró de las orejas con verdadera saña. No se me escapó la ardiente envidia que brillaba en sus ojos, como si deseara ser él quien pasara la noche sagrada con la diosa. ¿Qué te parece, Niglugal?

—Que la cosa va más allá que todo eso, señor. El pueblo se ha vuelto en contra vuestra.

—¿En mi contra? ¿Es eso cierto?

—Si deseáis conocer la verdad, majestad, ésta es la verdad… La ciudad está llena de novias violentadas y de maridos que se niegan a consumar su matrimonio. Vuestras competiciones de lucha con los novios recién casados, poniendo como premio la virginidad de la novia, está haciendo que los jóvenes abandonen Erek. Se van a Ur para dar culto a Nannar; o peor aún, se van más al sur, a Eridú, donde gobierna la casa de Enki. Por otra parte, vuestras peleas durante el día dejan atrás jambas de puertas y carretones rotos. «Gilgamesh no es un digno descendiente de Enmerkar y Lugalbanda», es lo que dice la gente, señor.

—¿No desearán por ventura ver a otro de los descendientes en el trono, quizás al príncipe de la Corona?

—Mi señor Gilgamesh, ¿puedo hablar sin levantar la cólera del rey?

—Puedo soportar la verdad.

—Hablo desde la lealtad y la devoción –dijo Niglugal sopesando sus palabras–. Cuando se le concedió la realeza a Erek en los días de antaño, vuestro antepasado, Meskiaggasher, era sumo sacerdote en el Kullab, y los dioses lo ungieron también como rey. Un único hombre era, al mismo tiempo, sumo sacerdote y rey… Enmerkar, su hijo, y Lugalbanda, el hijo de Enmerkar, fueron guerreros y exploradores que buscaron el conocimiento y la gloria, y que intentaron que su nombre perdurara en tierras lejanas. Debido a que los deberes sacerdotales exigen una presencia diaria, ellos fueron sólo reyes, otorgándose el sumo sacerdocio a sus hermanos. Y, ahora, Enkullab está diciendo que ha llegado el momento de volver a combinar ambas funciones.

—¿Y hacerme a mí, el rey, sumo sacerdote? –dijo Gilgamesh, estallando después en una sonora carcajada–. ¿Y desatender así a todas las doncellas… y no luchar con los héroes?

—No, lo que dice es que el sumo sacerdote debe convertirse en rey, siguiendo el ejemplo de Meskiaggasher.

Gilgamesh guardó silencio por unos instantes, tras los cuales, nerviosamente, se sirvió más vino.

—Enkullab está olvidando el linaje, el suyo y el mío. Meskiaggasher era hijo del gran dios Utu, nacido de la unión de éste con la sacerdotisa jefe de Sippar, y él tenía la señal del sexto dedo… Enmerkar tenía la señal divina también, y lo mismo Lugalbanda, ¡y yo también! –rugió levantando la mano para mostrarle a Niglugal la cicatriz, como si el chambelán necesitara que se lo recordaran–. Sí, tengo la señal por ser descendiente de Utu y por ser hijo de la diosa Ninsun, por lo que soy dos tercios divino. Pero Enkullab, aunque es hijo de mi padre, nació de una madre mortal. De ahí que heredara de nuestro padre el puesto de sumo sacerdote. ¡Pero soy yo el único legitimado para ostentar la realeza! ¿Acaso ha olvidado eso?

—Él dice que vuestros pecados os han descalificado.

—Ha diseñado muy bien su plan –admitió Gilgamesh–. ¿Y cómo pretende llevarlo a cabo?

Niglugal se encogió de hombros por respuesta, y Gilgamesh, visiblemente nervioso, comenzó a dar vueltas por la cámara.

—El sumo sacerdote entra en el sanctasanctórum solo –dijo en un tono reflexivo–. Y allí hay un cofre, me lo dijo mi padre cuando era niño, que se depositó en el sanctasanctórum cuando Anu vino de visita, hace mil años. Está hecho de madera de acacia recubierta de oro, y tiene unas imágenes aladas de oro que se tocan las alas entre sí en la parte superior. Nadie sabe cómo pero, una vez al año, en el día de la Determinación de los Destinos, la voz de Anu se escucha desde el cofre, trasmitiendo el oráculo al sumo sacerdote. Sólo él está allí para escuchar las palabras sagradas. Luego, sale y pronuncia el mensaje del Padre Celestial.

—Sí, he oído decir que eso es lo que sucede allí –confirmó Niglugal.

—¿Acaso no te das cuenta? ¡El sumo sacerdote está allí solo! –dijo Gilgamesh deteniéndose delante de Niglugal– ¡Completamente solo! ¡De modo que puede salir y decir lo que le venga en gana!

—Ciertamente, eso es un peligro –accedió el chambelán–, pero ni siquiera Enkullab se atrevería a tergiversar las sagradas palabras de Anu, ¡pues el Padre Celestial le daría muerte al instante!

—Enkullab debe de haberle dicho algo a la diosa, debe de haberle hablado mal de mí, para que ella no haya pronunciado esta noche la bendición –dijo el rey–. ¡Pero me pregunto qué vendrá después! –estalló finalmente golpeando la mesa con el puño.

—No os preocupéis demasiado –intervino Niglugal–. Vuestros derechos divinos son intrínsecos, y Enkullab carece del sexto dedo divino. Los dioses jamás lo ungirían como rey.

—Tus palabras me tranquilizan, Niglugal –dijo Gilgamesh abrazando a su chambelán–. Eres un buen amigo…, lo cual me recuerda una cosa… ¿Dónde está mi camarada Enkidu?

—Debido al hecho de haber partido hacia el templo con la salida del sol, no le he visto todavía.

—Bien, Enkidu debería de estar en los ritos del templo esta tarde.

—Como criatura del señor Enki que es, él es inmune al destino mortal –dijo Niglugal–, pero le buscaré y le trasmitiré vuestro deseo.

Y el chambelán, haciendo una reverencia, se dirigió hacia la puerta; pero, antes de desaparecer por el corredor, añadió:

—Convendrá que os toméis un bien merecido descanso, mi señor, pues los ritos de la tarde serán largos y fatigosos.

En su casa de dos plantas, Salgigti estaba supervisando las faenas posteriores al intenso trabajo nocturno. Era una mujer de cabello negro como el azabache, de mediana altura pero de generosa pechera, y estaba gritando órdenes a sus chicas, supervisando la cocción de los dulces y contando las monedas que dejaban los clientes mientras se marchaban…, todo ello al mismo tiempo.

—El día es corto…, ¡rápido, daos prisa! –gritaba a las chicas– ¡Que tenemos que ponernos las ropas de gala y llegar pronto al Recinto Sagrado!

Pasó un buen rato hasta que el alboroto amainó. Habían dispuesto esteras de paja en el suelo, cerca del horno, del cual dos de las chicas sacaban con destreza unas finas tortas redondas, para apilarlas después sobre una gran bandeja de arcilla. Más allá, en el pozo, en el centro del patio, otras dos jóvenes llenaban una gran tinaja con agua fresca, en tanto que otra traía una canasta llena de dátiles e higos secos de la casa.

—¿Dónde está Tiranna? –gritó Salgigti.

—Todavía está en la habitación con ese occidental –dijo una de las chicas.

—¡Maldita sea! –gritó Salgigti–. ¡Despertadlos! ¡Ese marinero no se cansa nunca!

—No hace falta –se oyó una voz varonil en el segundo piso–. ¡Ya estoy despierto, y me voy; gracias a todo este alboroto y a los gritos!

—Ya es casi hora de irse, Adadel –le respondió a voces Salgigti–. ¡Un desagradecido, eso es lo que tú eres!

Adadel bajó y salió al patio, ciñéndose su atuendo de cuero.

—¿Por qué no puede tener un hombre un poco de paz y silencio? –protestó él.

—Porque es el undécimo día, el Día de la Unción –respondió Salgigti–. El día en que el rey recupera la realeza que se le había arrebatado… si es que sobrevive a la noche –añadió entre risas, mientras las chicas estallaban a carcajadas.

—¿Ha sobrevivido? –preguntó Adadel, mientras buscaba el monedero entre sus ropas.

—Sin duda, ha practicado mucho –espetó Salgigti con un rugido de risa.

—Todavía no comprendo vuestras costumbres de Año Nuevo –dijo Adadel–. En la Tierra de los Cedros, que obedece a Shamash, cuyo emblema celestial es el sol, las festividades terminan al amanecer del undécimo día. Sin embargo, aquí, vuestros ritos continúan con un Matrimonio Sagrado entre la diosa y el rey, que ya no es rey; y luego os pasáis otro día devolviéndole al trono.

Adadel le entregó a Salgigti una moneda de plata, pero ella dejó la mano abierta, como esperando algo más.

—Tiranna ha sido buena contigo –le dijo–. ¿Y acaso no he sido yo una buena anfitriona?

El hombre la miró y sonrió.

—Toma –dijo dándole otra moneda–. ¿Cuándo acaba esta interminable celebración?

—Estamos en los dominios de Sin, cuya homóloga celeste es la luna –respondió Salgigti–. Nuestros días comienzan cuando se pone el sol. Cuando el rey sea reinvestido y se ponga el sol, comenzará el duodécimo día, que es el día en que se determinan los destinos. El sumo sacerdote pronunciará el oráculo con las palabras de Anu, determinando el destino del rey y del pueblo para el año que comienza…

—Y, entonces, ¿se abrirán las puertas?

—Al día siguiente. Los dioses congregados durante estos días partirán entonces, y las puertas de la ciudad se abrirán.

—El duodécimo día –dijo Adadel–. El número celestial.

—¡Pero tú, querido, tienes que irte *ya!* –dijo Salgigti mientras se dirigía a la puerta de salida–. ¿Te veremos esta noche?

—Lo dudo –respondió Adadel en la puerta–. Llevamos demasiado tiempo aquí atrapados. Convendrá que haga los preparativos, para zarpar en cuanto llegue la mañana.

—Que los dioses te acompañen –dijo ella mientras le dejaba salir, cerrando la puerta tras él.

Y, regresando al patio, Salgigti volvió por sus fueros.

—Y ahora, chicas, comamos y vistámonos, que tenemos que llegar a los templos antes de que llegue el gentío.

* * *

Las ceremonias de clausura de la festividad del Año Nuevo tenían que comenzar bien avanzada la tarde, una hora antes de la puesta del sol. Sin embargo, mientras Salgigti y sus chicas se dirigían allí, la avenida de las Procesiones, que desembocaba en el Gran Pórtico del Recinto Sagrado, y las calles adyacentes estaban ya abarrotadas de personas. Evidentemente, eran muchos los que no sólo querían situarse lo más cerca posible del lugar donde se desarrollaban las ceremonias, sino también poder presenciar la llegada de los distintos participantes.

A medida que las mujeres se iban aproximando a la zona del templo, la multitud era cada vez más densa, dado que no se permitía el paso a través del pórtico en tanto no hubiesen llegado todos los dignatarios. En los límites de la zona sagrada, tanto los soldados como los guardas sacerdotales empujaban a la multitud con el fin de mantener abierto un camino para los dignatarios y el rey; de tal modo que, para cuando Salgigti y sus compañeras llegaron a la avenida de las Procesiones, ya era imposible seguir avanzando.

Los primeros en llegar a las ceremonias fueron los Ancianos, sesenta de ellos, todos de noble linaje, muchos de ellos funcionarios ya retirados del palacio o del templo. Todos ellos portaban largas barbas, como correspondía a los ancianos, pero cada uno iba ataviado según su elección y sus gustos, inclusive en lo referente al tocado. Llegaron al pórtico, se los identificó y, a continuación, fueron llevados hasta el patio del Gran Templo, donde tendrían que esperar el momento del inicio de la Sagrada Procesión.

El siguiente en llegar fue el rey, con su séquito real de altos funcionarios de la corte y una guardia personal de héroes selectos, sumando en total sesenta también. El rey llevaba su atuendo real y su corona, pero el cetro y la maza los portaba en una bandeja de oro el chambelán, Niglugal, que marchaba delante del rey. Los sacerdotes dispusieron al grupo real al otro lado del gran patio, frente a los Ancianos.

Y entonces, exactamente una hora antes de la puesta del sol, momento en el cual comenzaría el duodécimo día, sonaron los cuernos y los tambores para anunciar la llegada de la Procesión Divina procedente del Eanna. Estaba encabezada por el sumo sacerdote, con su báculo de madera, el casquete y la toga carmesí, así como el pectoral sagrado de piedras mágicas; e iba seguido por los otros once sacerdotes de mayor rango, con sus mantones blancos hasta los tobillos adornados con flecos de color carmesí.

—¡La reina del cielo ha venido y está entre vosotros! –proclamaba el sumo sacerdote, mientras el grupo entraba en el gran patio–. ¡Los doce dioses han venido y están entre vosotros!

Los Ancianos, el séquito real y todos los sacerdotes presentes se postraron y se arrodillaron, y lo mismo hicieron las multitudes que se apiñaban en el exterior escuchando la proclamación, mientras los sacerdotes que portaban las literas con los doce dioses, entre los cuales se encontraban Ishtar y Ninsun, desfilaban hasta el centro del patio.

Todos permanecieron postrados hasta que el sumo sacerdote anunció en voz alta:

—¡Que comiencen los ritos de la Determinación de los Destinos!

Tras estas palabras, los guardas abrieron el paso a las multitudes que se agolpaban ante el Gran Pórtico, y la gente se precipitó en avalancha sobre las barreras, dispuestas para impedirles el paso al gran patio ceremonial, pero desde las cuales podrían contemplar las ceremonias.

Siete veces proclamó el sumo sacerdote las fórmulas prescritas para dar comienzo a los ritos y pedir que fueran propicios, y siete veces se elevaron los vítores entre las masas como respuesta. Después, la Sagrada Procesión comenzó a desfilar lentamente, al ritmo de los tambores, en dirección al templo Blanco de Anu.

Encabezando la procesión iban los sacerdotes que dispensaban el incienso, con las cabezas afeitadas y sus togas del color de la granada, y tras ellos iban los Ancianos. Lentamente ascendieron por la monumental escalinata y, cuando llegaron a la terraza de la plataforma, se alinearon en uno de los márgenes, de cara al podio. Todos y cada uno de los Ancianos, que representaban a la población de Erek, tendrían que firmar posteriormente como testigos la tablilla sobre la cual se dejaría constancia de los acontecimientos de aquella tarde.

A los Ancianos les siguió de cerca en su ascenso por la escalinata el séquito real, que en cuanto llegó a la terraza se ordenó en la zona que daba al templo Blanco, momento en el cual el grupo divino, encabezado por el sumo sacerdote y los otros doce sacerdotes, inició el ascenso.

Al llegar a la terraza, los dioses descendieron de las literas y subieron las escaleras del podio. Allí, un trono con forma de león era el lugar destinado a Ishtar. A su lado habían dispuesto otro trono menos ostentoso, que debía permanecer momentáneamente desocupado, mientras los otros once dioses tomaban asiento en semicírculo, según un orden preestablecido.

Se hizo el silencio, y todos los ojos se posaron en Ishtar. Y la diosa, levantando la mano derecha, dijo con voz solemne:

—Que comiencen los ritos.

Niglugal, el chambelán, salió de la formación y se dirigió hacia podio mostrando la bandeja de oro.

—¡Oh, gran reina del cielo, reina de la Tierra! –dijo–. El rey, tu novio en el Matrimonio Sagrado, se encuentra entre nosotros.

Dicho esto, se acercó a la diosa y puso la bandeja ante sus pies, para luego retroceder respetuosamente.

—Que venga aquel que es llamado Gilgamesh –ordenó Ishtar.

Gilgamesh se adelantó y, situándose delante del podio, se postró.

—¡Yo soy Gilgamesh, el rey, y pongo mi realeza a tus pies, oh, reina del cielo, reina de la Tierra! –dijo mientras se quitaba la corona de la cabeza y la ponía a los pies de ella.

—Tú me has desposado en la noche de este día –dijo la diosa–, de acuerdo con todas las normas y la perfección.

Gilgamesh esbozó una sonrisa al oír estas palabras.

—El divino Dumuzi fue a la vez esposo y pastor real, mi amado consorte fue; y ningún mortal puede ser ambas cosas a la vez, salvo en este único día… ¡Que Gilgamesh sea ungido!

La voz de Ishtar no sólo se escuchó en la plataforma, sino también en todos los patios del Recinto Sagrado.

—¡Sumo sacerdote, proceded! –ordenó Ishtar.

Y todas las miradas se volvieron hacia el templo Blanco, hacia el grupo de sacerdotes que se hallaban formados a lo largo del muro. De pronto, los sacerdotes abrieron la formación, dejando al descubierto la entrada del templo y el extraño árbol que crecía delante de él: una palmera que había plantado el mismísimo Anu en su ya lejana visita. Extraía su agua de las cisternas ocultas bajo el pavimento de la terraza, que recogían el agua de lluvia durante el invierno. También había una cisterna sellada y oculta a la vista en la parte superior del templo, donde se almacenaba el agua de lluvia que caía sobre el tejado. Y éste era el único día del año en que las compuertas de esa cisterna se abrían, para que una fuente de dos caños trazara dos arcos líquidos y cristalinos a ambos lados de la palmera.

A continuación, dos sacerdotes salieron por la puerta del templo, uno de ellos ataviado como un gran pez, y el otro con una máscara y las alas de un águila.

—¡Que sea testigo quien como el señor Enki es –proclamó el sumo sacerdote–, que vino a la Tierra en las aguas, el primero en poner el pie, señor de la sabiduría, creador!

El sacerdote con el atuendo de pez se adelantó y se puso a la derecha del árbol.

—¡Que sea testigo quien como el señor Enlil es, señor de los anunnaki, por cuya palabra las Águilas conducen los Barcos del Cielo, padre de la humanidad! –anunció el sumo sacerdote.

Y el sacerdote ataviado como un águila se adelantó y se puso a la izquierda del árbol. Cada uno de los sacerdotes portaba un balde en las manos y, a una señal del sumo sacerdote, ambos llenaron los baldes con el agua de los caños de la fuente.

—¡Sea ésta el Agua de la Vida! –proclamaron los dos sacerdotes al unísono.

Luego, arrancaron sendos racimos de dátiles de la palmera y dijeron, también al unísono:

—¡Sea éste el Fruto de la Vida!

Y todos cuantos estaban presentes, tanto dioses como hombres, gritaron:

—¡Así sea!

Durante unos momentos, los dos sacerdotes ataviados permanecieron en su sitio, frente a frente, flanqueando el árbol, sosteniendo los dátiles en una mano y el cubo de agua en la otra. Tanto los dignatarios en la plataforma como las multitudes abajo guardaban un profundo silencio, sobrecogidos por el significado de lo que estaban contemplando, con los dos sacerdotes representando a los dos grandes dioses, y ante la imagen de las Aguas de la Vida y el Fruto de la Vida, que otorgaban a los mortales una larga existencia y a los dioses la inmortalidad, la Vida Eterna.

—¡Que Gilgamesh sea ungido! –ordenó Ishtar.

Los dos sacerdotes se dirigieron entonces al podio y se postraron ante Ishtar para, a continuación, incorporarse y situarse a ambos lados de Gilgamesh.

Ishtar se levantó y avanzó hasta el borde del podio. El sacerdote-pez elevó su balde de agua, Ishtar sumergió su mano en él y, acto seguido, roció con agua la cabeza de Gilgamesh.

—¡Seas bendecido en el nombre del señor Enki! –proclamó Ishtar siete veces, asperjando agua sobre él en cada ocasión–. ¡Que la vida sea tu agua!

Luego, el sacerdote-águila le tendió el racimo de dátiles e Ishtar lo tomó.

—¡Seas bendecido en el nombre del señor Enlil! –proclamó siete veces, tocando a Gilgamesh con el racimo en cada ocasión–. ¡Que la fecundidad sea tu pan de cada día!

Y, finalmente, levantó la corona para que todos los congregados la vieran y se la puso en la cabeza a Gilgamesh, diciendo:

—¡En el nombre del señor Enlil, que domina la Tierra, te concedo a ti la realeza!

E Ishtar le tendió la mano a Gilgamesh para que se levantara.

—¡Como señora de Erek, te concedo a ti los poderes reales! –anunció, entregándole el cetro y el mazo sagrado de rey–. Ahora eres tanto consorte como rey. ¡Ven y comparte el trono junto a mí hasta que los Destinos sean determinados!

Ishtar regresó solemnemente a su trono, mientras Gilgamesh subía los peldaños que llevaban al podio, cruzando una mirada con su madre al pasar por su lado, una mirada a través de la cual ella le trasmitía en silencio todo su afecto. Después, se sentó junto a la diosa, en el trono más pequeño, convirtiéndose por unos instantes en un ser divino entre seres divinos, en un dios entre dioses.

—¡Los dioses han hablado! –gritó Niglugal–. ¡Gilgamesh es rey de nuevo!

Luego miró a los Ancianos, pero éstos permanecieron en silencio.

—¡Vigía del recinto! –gritó entonces el sumo sacerdote, dirigiéndose a los sacerdotes que se hallaban en el borde del talud–. ¿Ha tocado el disco de Shamash el borde de los cielos?

Al oeste, más allá de la reluciente banda que dibujaba el río Éufrates en el paisaje, el sol se había convertido en un disco rojo sobre el horizonte. Todos guardaban silencio en la terraza, y lo mismo hacían las multitudes abajo. Y de pronto, no por menos esperado, el grito del sacerdote sobresaltó a todos los presentes:

—¡El sol ha tocado el borde del cielo!

Junto a los taludes de la terraza, los sacerdotes encendieron las antorchas.

—¡Sumo sacerdote, que comience la Determinación de los Destinos! –ordenó Ishtar.

El sumo sacerdote se situó delante de Ishtar e hizo una reverencia.

—Por mandato de la gran señora Ishtar, por la voluntad de los doce dioses reunidos, entraré en el sanctasanctórum –dijo–. Lo que Anu pronuncie, yo repetiré.

A continuación, se incorporó y, con ambas manos, tiró hacia delante del pectoral de piedras, para que Ishtar lo tocara con su bastón de mando.

—Las piedras de Nibiru serán tu protección –dijo ella–. ¡Entra donde ningún mortal puede entrar, escucha lo que ningún mortal puede escuchar!

El sol desapareció bajo el horizonte y, exactamente en aquel momento, el sumo sacerdote entró en el templo, completamente solo. Una suave brisa jugaba con las llamas de las antorchas.

El grupo de sacerdotes de alto rango se puso a entonar melodías muy antiguas, que se venían trasmitiendo, según decían algunos, desde los tiempos en que Anu había puesto sus pies en aquel mismo lugar.

De repente, se escuchó una voz en el interior del templo.

—¡Anu ha hablado!

Los cantos se interrumpieron bruscamente, y todas las miradas se dirigieron a la entrada del templo, mientras el sumo sacerdote emergía de él con aire solemne.

—¡Anu ha hablado! –anunció de nuevo.

Avanzó lentamente hasta situarse delante del árbol sagrado, flanqueado por los dos sacerdotes ataviados.

—Sea testigo quien como el señor Enki es. Sea testigo quien como el señor Enlil es –dijo el sumo sacerdote como en una salmodia.

En medio de un silencio absoluto, casi insoportable, las palabras de Ishtar retumbaron de repente:

—¡Sumo sacerdote, pronuncia las palabras de Anu, Señor de Señores!

Enkullab se aproximó al podio y se inclinó.

—Gran señora, reina celestial –dijo en voz alta–. Me he purificado, me he vestido de lino puro. He pronunciado los conjuros. He levantado el velo. Y he pedido la palabra del Señor de todos los Señores.

Enkullab seguía inclinado, pero se quedó de pronto callado.

Todos los dignatarios reunidos se miraron entre sí, desconcertados, en tanto que Gilgamesh y su madre intercambiaban miradas.

—¡Sumo sacerdote, pronuncia las palabras de Anu! –dijo Ishtar impaciente.

—Mi benévola señora, ante cuyos pies no soy más que un escabel –dijo el sumo sacerdote–, se ha dado un destino para la ciudad, pero no se ha dado un destino para el rey.

Y Enkullab, el sumo sacerdote, hermanastro de Gilgamesh, se postró en el suelo ante Ishtar en señal de absoluta humildad y sumisión ante ella.

Hubo un incómodo silencio al principio, producto de la conmoción que habían provocado las palabras de Enkullab. Pero pronto comenzaron a emerger murmullos entre los Ancianos, así como un sordo rumor de sorpresa y disgusto entre los componentes del séquito real. Gilgamesh estaba levantándose de su trono, apuntando con su mano amenazadora al sumo sacerdote, cuando la misma Ishtar se puso en pie.

—¡Silencio! –gritó, y todo el mundo acató la orden–. ¡Sumo sacerdote –prosiguió claramente enfurecida–, si Anu ha hablado, danos sus palabras!

—Así sea –dijo el sumo sacerdote poniéndose de nuevo en pie.

Miró a su alrededor, valorando la expectación despertada entre los distintos grupos reunidos, para fijar finalmente su mirada en los ojos de Gilgamesh.

—Éstas son las palabras de Anu, Señor de Señores –dijo Enkullab.

Mis palabras están inscritas,
mi mensaje está en las alturas.
Las puertas se abrirán.
Quien venga tendrá la Vida.

El País no será olvidado,
el pueblo no será abandonado.

De nuevo, se elevó un murmullo entre todos los reunidos en la plataforma, pero también entre las masas, abajo. Gilgamesh se sentó de nuevo, atónito, desconcertado. Los dioses se miraban entre sí, también confusos; e incluso Ninsun miraba a su hijo con la perplejidad impresa en el rostro.

El sumo sacerdote aprovechó el desconcierto reinante para hablar.

—Como he dicho, mi señora, y todos vosotros, grandes dioses –dijo, inclinándose ante Ishtar y el resto de deidades–, hay un destino para el país y para el pueblo, pero no para el rey.

—¡Esto ya ha ido demasiado lejos! –gritó Gilgamesh, levantándose como por un resorte.

Niglugal, al frente del séquito real, sacó su espada.

—¡Silencio! –gritó Ishtar, levantando su bastón de mando.

Y, de repente, un rayo emergió del bastón, acompañado por una explosión que retumbó en la distancia. Se hizo un silencio sepulcral en la plataforma y en los patios inferiores.

—El augurio es para todos y cada uno –dijo la diosa–. *El mensaje está en las alturas,* pues viene del altísimo Anu, desde lo más elevado de los cielos. *Las palabras están inscritas,* pues están escritas en el Libro de la Vida. *Las puertas se abrirán,* para todos aquellos que sean justos. *Quienes vengan a través de estas puertas,* los fieles seguidores de Anu y de la casa de Enlil, de Nannar y de Ishtar, *tendrán la Vida.* Así, *el País no será olvidado, el pueblo no será abandonado.* ¡Habrá paz y prosperidad, y alegría para todos!

Se escucharon murmullos de aprobación. Ishtar miró directamente al sumo sacerdote, respondiendo a su mirada confundida con una mirada severa.

—Éste es el significado del oráculo –dijo la diosa–. Éstos son los destinos que Anu ha determinado para el país, para el pueblo, para el rey. ¡Anu ha decretado abundancia!

Y en aquel mismo instante, una vez pronunciadas sus divinas palabras, en un cielo apenas nublado, estalló un relámpago, seguido por el ominoso retumbar de un trueno.

—¡Anu ha hablado! –gritó unos de los sacerdotes cayendo sobre sus rodillas.

Y mientras los demás le miraban y levantaban la vista a los cielos, cada vez más oscuros, un rayo pareció desgarrar los cielos por la mitad, mientras un trueno estallaba con el estruendo de un tambor tan grande como los cielos que hubiera sido golpeado con un gigantesco árbol.

—¡Anu ha hablado! –gritaron otros sacerdotes, cayendo también de rodillas.

Y los Ancianos, imitando a los sacerdotes, se postraron asimismo.

Los dioses reunidos se miraban entre sí desconcertados; pero Ishtar, ocultando su propia perplejidad, comenzó a bajar la escalinata. Apresuradamente, los sacerdotes se levantaron y echaron a correr tras ella, arrastrando la litera en la que deberían haberla llevado de regreso a su morada. El resto de los dioses optó también por ignorar a sus porteadores, y comenzaron a bajar apresuradamente. Y, viendo que los dioses partían y que los sacerdotes corrían tras ellos en medio del desconcierto, los Ancianos emprendieron el descenso también, murmurando entre sí su asombro ante el extraño comportamiento del sumo sacerdote, y preguntándose qué significado podría tener tan enigmático oráculo, así como la celestial interrupción de la ceremonia.

Poco después, la plataforma estaba casi vacía, quedando casi exclusivamente Gilgamesh y el séquito real. Pero, de repente, se escuchó una voz por encima del bullicio.

—¡Gilgamesh! ¡Gilgamesh!

En medio del alboroto, todos se volvieron hacia la solitaria figura que había en el podio, un hombre de anchos hombros, como Gilgamesh, y casi tan alto como él. Su toga carmesí brillaba como si estuviera empapada en sangre bajo las luces parpadeantes de las antorchas. Era Enkullab, el sumo sacerdote.

Gilgamesh se dirigió hacia él en el podio.

—¿Ya te has encontrado la lengua, hermano mío?

Enkullab levantó su báculo.

—¡Escúchame, Gilgamesh, rey juramentado ante la justicia! –dijo con voz poderosa, pudiéndosele escuchar tanto en la plataforma como abajo, en los patios–. Hubo una vez dos hombres en el país; uno era un pastor que tenía muchos rebaños, y el otro no tenía más que una cordera. Y, un día, el poderoso pastor sintió el deseo de comer carne asada, y tomó la cordera del hombre pobre para satisfacerse a sí mismo… ¿Cuál, oh, rey que juraste defender las leyes de Enlil, sería el juicio para ese hombre?

—El más severo de los castigos, pues grande sería el mal que habría hecho –respondió Gilgamesh–. ¿Quién es ese hombre?

—*Tú* eres ese hombre –estalló la voz del sumo sacerdote a través del Recinto Sagrado–. Tú eres un pastor de hombres, no de ovejas, y la preciosa posesión del pobre no es una oveja, sino su novia. ¡Eres un pecador, Gilgamesh, y el tuyo debería ser el más severo de los castigos!

—¡Yo soy el rey! –respondió Gilgamesh vociferando–. ¡Soy dos tercios divino! ¡Y que yo yazga con las doncellas es un honor para ellas, no un pecado!

—Anu no ha querido determinar un destino para ti, Gilgamesh –dijo Enkullab, recuperando la calma–. Tu destino está aún en la balanza, tu realeza está aún en la balanza, ¡tus días están contados!

Gilgamesh se acercó a él y, enfrentándole cara a cara, le miró fijamente a los ojos.

—¡He sido rociado con el Agua de la Vida! –le dijo con un rugido–. ¡El racimo de la fecundidad ha tocado mi cetro y mi maza! ¡Ante el Árbol de la Vida he sido bendecido! ¡Yo soy el rey, y seguiré siendo rey, Enkullab!

—El árbol de Anu, Gilgamesh, es el árbol del conocimiento de la verdad –dijo Enkullab levantando el báculo–. Las palabras divinas no pueden ser tergiversadas. ¡El augurio se hará realidad!

Y, tras de proferir estas palabras, Enkullab dio media vuelta y comenzó a descender por la escalinata.

Niglugal se acercó a Gilgamesh, que finalmente se había sumido en el silencio.

—Va en pos de vuestra realeza, mi señor –dijo–, utilizando como estratagema esas supuestas trasgresiones.

—Oh, mi fiel chambelán –dijo Gilgamesh con tristeza, poniendo su mano sobre el hombro de Niglugal–. Oráculos, augurios…, ¿palabras del cielo o palabras de hombre? ¿Acaso tiene sentido todo eso, Niglugal? ¿Qué voy a hacer?

5

.

Gilgamesh no tenía intención de recorrer las calles de Erek aquella noche, pero los acontecimientos de la tarde y del día anterior le habían trastornado y confundido en gran manera, y no era capaz de conciliar el sueño. No había podido encontrar en palacio a Enkidu, su camarada, con quien le habría venido bien hablar, y que a buen seguro le habría calmado con sus palabras. De ahí que, al final, el pensamiento de Gilgamesh fuera a parar a su madre, la diosa Ninsun. Había sido ella la que le había aconsejado que hablara con Ishtar del tema de su inmortalidad, y ahora todas sus esperanzas parecían derrumbarse. Su madre era la única que le vinculaba con la longevidad de los dioses, la única que podía interpretar para él los augurios divinos.

Siendo residente de Erek, ella podría dejar el Recinto Sagrado tras caer la noche, sin tener que esperar la luz del día, cosa a la que estaban obligados los dioses no residentes. ¿Se habría quedado en el Recinto Sagrado, o habría hecho uso de su privilegio para ir a su lugar favorito de la ciudad? Gilgamesh no podía saberlo.

Vestido con una sencilla túnica y armado sólo con una daga en la cintura, abandonó sus cámaras en mitad de la noche y se encaminó con paso raudo hacia las puertas del palacio. Los guardias, que no esperaban que el rey fuera a salir aquella noche, precisaron más tiempo del habitual para abrir las puertas. Gilgamesh notó el desconcierto de los soldados.

—El trueno y el relámpago, con el cielo casi sin nubes… –les dijo–. No podía dormir, preguntándome si las lluvias se anticiparán este año… ¿Qué dicen los cielos?

—Todo el mundo se hace la misma pregunta, majestad –respondió uno de los guardias–. Todos tenemos la esperanza de que sea un augurio de lluvias abundantes, aunque no hemos visto nubes en el cielo.

—Pero sí hemos visto estrellas fugaces –dijo otro de los guardas, mientras ayudaba a levantar la puerta.

—¿Estrellas fugaces? –preguntó Gilgamesh.

—Sí. Hemos visto una estrella fugaz cruzar los cielos, y luego otra –dijo el otro guardia–. Es una noche llena de augurios, señor Gilgamesh.

Los guardias levantaron la vista al cielo, y Gilgamesh hizo lo mismo. No había nubes, y la luna, casi llena, brillaba intensamente.

—¡Allí! –gritó de repente uno de los guardias–. ¡Allí va otra!

Señaló a un punto en el cielo, y Gilgamesh y el otro guardia miraron en la dirección señalada. Ciertamente, sobre el fondo estrellado del cielo, había una luz que trazaba un gran arco a lo largo del Círculo Celeste. Poco a poco, se fue haciendo más y más grande, e incluso pudieron ver una cola rojiza a medida que se aproximaba. Pero la estrella siguió aumentando de tamaño de un modo extraordinario, hasta que su brillo se les hizo cegador. Instintivamente, los guardias se cubrieron los ojos, y sólo Gilgamesh siguió observando aquella estrella rojiza que se precipitaba sobre la Tierra.

—¡Va a caer sobre el palacio! –gritaron los guardias arrojándose al suelo.

Por un momento, Gilgamesh pensó que la estrella venía directamente hacia él, y levantó el brazo para protegerse la cara. Pero un instante después pareció dirigirse hacia el Recinto Sagrado, para desaparecer finalmente de vista más allá de las murallas del palacio, por el norte.

—Es un augurio, una señal de los Cielos… ¡para *mí!* –gritó Gilgamesh.

Y, antes de que los guardias pudieran siquiera levantarse y preguntarle al rey si deseaba que le acompañaran, Gilgamesh salió corriendo por la puerta.

A medias corriendo, a medias con ágil paso, se dirigió hacia donde la estrella fugaz había desaparecido de vista. La calle que bajaba desde el palacio estaba vacía, y reinaba el silencio entre las casas que se levantaban en el lado opuesto de la calle, un barrio de la ciudad habitado por funcionarios de la corte, escribas, jueces y otros miembros de la nobleza y las altas jerarquías laicas de la ciudad. Llegó al cruce de la calle del Palacio con la calle de los Mercaderes, que llevaba hacia el sur, a la zona del puerto y el mercado, pero Gilgamesh giró hacia el norte, hacia el barrio de la Guarnición, donde se levantaba un pequeño puente sobre un arroyo, que estaba seco en verano, pero que bajaba con agua en invierno, cuando se abrían las compuertas que lo conectaban con el canal.

Cuando se acercaba al puente escuchó voces, unas voces excitadas, y poco después vio un grupo de gente que se dirigía apresuradamente hacia el puente, y pensó que también ellos debían haber visto caer la estrella.

Había gente que había cruzado ya el puente, y había otros que parecían haber venido desde el otro extremo. En cualquier caso, cuando Gilgamesh llegó al lugar en el que parecía haber caído la estrella, ya había una pequeña multitud a ambos lados del arroyo, así como sobre el puente; y cuando reconocieron al rey, le abrieron paso para que pudiera llegar hasta la ribera del arroyo.

—¡Está ahí! ¡Está ahí! –gritaban, señalando un objeto rojo, medio enterrado en la orilla.

Gilgamesh alcanzó a distinguir un objeto reluciente de forma alargada, que se iba apagando por momentos.

Cada vez acudía más gente al lugar, y llegaron también algunos de los soldados que patrullaban las calles por las noches. La gente intentaba buscarse un hueco para ver lo sucedido, por lo que comenzaron a darse empujones y zarandeos entre la multitud, a tal punto que los soldados consideraron necesario formar una barrera protectora en torno al rey, para impedir que se abalanzaran sobre él o lo arrojaran al arroyo. El tumulto no tardó en atraer a todo un pelotón de soldados, encabezados por el capitán del barrio de la Guarnición, y también aparecieron algunos nobles, que se habían despertado con el alboroto del gentío y habían acudido a ver qué sucedía.

Siguiendo las órdenes del rey, el capitán ordenó a unos cuantos soldados que bajaran al arroyo y examinaran de cerca el objeto, que para entonces no desprendía ya fulgor alguno y había adoptado un color negro brillante. Los soldados obedecieron, pero se mantenían a cierta distancia del objeto. De entre el gentío emergían voces sugiriendo cómo podrían moverlo o levantarlo, e incluso hubo alguno que les advirtió que no se atrevieran a tocar aquel objeto divino o estrella caída, si es que en realidad se trataba de eso.

Finalmente, molesto ante tanto caos, Gilgamesh ordenó a los soldados que hicieran retroceder a la gente que se agolpaba junto a las riberas del arroyo. Y desde el puente, y acompañado por varios nobles osados, bajó al arroyo para observar por sí mismo aquel objeto.

En verdad que nunca antes había visto nada semejante. El objeto parecía estar hecho de un material brillante, aunque ahora se veía completamente negro, y la parte de él que sobresalía del suelo tenía el aspecto de un hongo, con un tallo grueso, redondo y alargado, coronado por una estructura circular, más amplia y aplanada. Gilgamesh encontró en el objeto cierta semblanza con un pez, pues también sobresalían de él unas aletas. El tallo, de forma cilíndrica, era tan ancho que un hombre no habría podido abarcarlo con sus brazos.

Haciendo acopio de coraje, uno de los nobles tocó el objeto con su espada y, viendo que no sucedía nada, lo golpeó con más contundencia. Se escuchó un sonido sordo y hueco en su interior, pero no era el habitual sonido metálico que hubiera sido de esperar. Después, otro noble, envalentonado, tocó el objeto con la mano. Estaba caliente.

—¡Hay vida en él! –gritó mientras daba un salto hacia atrás.

Pero el objeto no se movió, ni emitió sonido alguno.

Siguiendo las órdenes de Gilgamesh, los nobles intentaron sacar el objeto del suelo pero, por mucho que lo intentaron, no consiguieron moverlo; era demasiado resbaladizo. Intentaron empujarlo con los hombros, pero estaba firmemente incrustado en el suelo, y no cedía. Dándose por vencidos, los nobles se congregaron en torno al objeto y se contentaron con observarlo, admirados por la suavidad de su tacto y por su brillante superficie. Y extrañados por la forma de aquel objeto, pero también sobrecogidos por su origen celeste, se pusieron a debatir sobre su posible significado y propósito.

—Es una obra de Anu –concluyó finalmente uno de ellos.

Todos se mostraron de acuerdo, pues el objeto había caído de los cielos, la morada de Anu. Y, asumiendo aquella idea como una certeza, los nobles se arrodillaron ante el objeto, y hubo incluso quien le dio un beso. Otros se pusieron a pronunciar plegarias entre murmullos y, a medida que la reverencia iba dejando paso al fervor, uno tras otro comenzaron a tomar distancias con el objeto sagrado.

En aquel momento llegó un grupo de sacerdotes al lugar, procedentes del Recinto Sagrado. La multitud les abrió paso, mientras les resumían a voces lo sucedido y les indicaban el lugar exacto en el que se encontraba el objeto.

—Es un augurio de los cielos –dijo el sacerdote al mando nada más contemplar el objeto desde la ribera–. En verdad es obra de Anu, pues sólo los grandes dioses pueden tocarlo y tolerarlo... ¡Ay del hombre que viole esta santidad! Pues, en el plazo de un año, ¡seguramente estará muerto!

Con el temor que el sacerdote había infundido en el corazón de todos, la gente comenzó a retirarse, empujándose y zarandeándose a medida que retrocedían. También los nobles emprendieron la retirada, trepando por las riberas del arroyo, y deseando no haber tocado nunca aquel objeto. Sólo los sacerdotes se quedaron junto a la ribera, además de Gilgamesh, que seguía junto al augurio celestial.

—¡Gran rey –dijo el sacerdote al mando–, apartaos de la obra de Anu! ¡Es un augurio para los dioses, no para un hombre mortal!

—¡Yo no soy un simple mortal –replicó Gilgamesh–, pues dos tercios de mi sangre son divinos! Éste es el augurio del que se hablaba en el Oráculo de los Destinos. ¡Es un augurio para *mí!*

Y sin esperar la respuesta del sacerdote, Gilgamesh se acercó aún más al objeto caído y lo tocó con cautela. Estaba casi frío para entonces; su vida, si es que había tenido vida, debía habérsele escapado. Acercó el oído a su lisa superficie, y le pareció oír un zumbido peculiar. Sacando su daga, comenzó a golpear el objeto con suavidad; pero aquello no parecía tener efecto alguno, de modo que lo golpeó con más fuerza, y se escuchó un ruido sordo, que a Gilgamesh le recordó el sonido hueco de la barriga al darle una palmada después de beber mucha cerveza. Circundó el objeto, golpeándolo con la daga aquí y allí, con la esperanza de que recuperara la vida, si es que la había tenido. Y, entonces, de repente, al golpear en un punto determinado, se escuchó una especie de siseo.

—¡Es una serpiente, una serpiente celestial! –gritó Gilgamesh dando un paso atrás.

Y, entonces, para su asombro, vio cómo la parte superior del objeto comenzaba a rotar, elevándose lentamente con cada giro, hasta detenerse finalmente, al tiempo que cesaba el siseo.

Por unos instantes, Gilgamesh permaneció absolutamente inmóvil, observando al mudo objeto. Pero luego, recuperando el coraje, se adelantó y tocó con la mano la parte superior de aquel ingenio, la que se había elevado. Sólo pretendía examinarla; pero, con sólo tirar de ella, toda la sección superior se desgajó del tronco incrustado en el suelo.

Sorprendido, Gilgamesh dejó caer esa sección, que golpeó el suelo con un ruido sordo. Pero entonces vio una abertura en la sección que seguía incrustada en el suelo, y Gilgamesh se acercó con cautela para mirar en su interior. Aunque la abertura era amplia, lo suficientemente ancha como para que pudiera pasar un hombre a través de ella, el interior estaba demasiado oscuro como para poder apreciar nada. Sin embargo, se escuchaba algo parecido a un zumbido y, tras asomar la cabeza y tantear con las manos, llegó a la conclusión de que aquel sonido debía de tener su origen en una especie de saliente con forma de bola, de alrededor de un brazo de ancho, que había en el interior del objeto. Y, sin arredrarse, Gilgamesh metió ambas manos a través de la abertura para agarrar aquella esfera y extraerla.

En un principio, no consiguió gran cosa, por mucho que tiró de la bola y la zarandeó intentando que cediera. Pero, de pronto, hubo un repentino destello de luz. Gilgamesh sintió que se le abrasaban las manos como si las hubiera puesto directamente en el fuego, y todo su cuerpo se estremeció. Pero, fuera lo que fuera aquella bola, había conseguido soltarla por fin, descubriendo en ella una especie de tapa que parecía proteger algo en su interior. Sacó la tapa, la dejó en el suelo y echó un vistazo al interior de la esfera. El zumbido era ahora más intenso, y procedía de un objeto que emitía un mortecino resplandor dorado. Al igual que el resto del artilugio, aquel objeto no se parecía a nada que hubiera visto Gilgamesh con anterioridad; ni siquiera había oído contar nada semejante en los relatos antiguos. Pero estaba convencido de que era un augurio de Anu para él, y aquella idea le dio el coraje necesario para seguir asumiendo riesgos ante lo desconocido.

—¿Qué ha encontrado, señor Gilgamesh? –preguntó el sacerdote al mando, ansioso por saber lo que estaba ocurriendo allí abajo, en el arroyo.

Al no obtener respuesta, repitió la pregunta, pero esta vez a voz en grito, por si Gilgamesh no hubiera podido escucharle en la primera ocasión.

—Es un enigma… En verdad que lo es –respondió Gilgamesh.

Y, acto seguido, metió las dos manos y, pronunciando una plegaria para Anu, agarró aquella cosa resplandeciente que daba vueltas. Para su sorpresa, no le costó nada soltarla; y, aunque parecía metálica, pesaba muy poco. Pero en cuanto la soltó, el resplandor se desvaneció al tiempo que cesaba el zumbido. La sacó fuera y, bajo la luz de la luna, constató que se trataba de un disco, plano por la parte de arriba, pero ligeramente convexo en la base. Y sin pensárselo dos veces, se guardó el disco en el bolsillo interior de la túnica.

Tan pronto sacó la mano, escuchó tras él los pasos de los sacerdotes que, vencidos finalmente por la curiosidad, habían reunido el valor suficiente como para bajar y ver aquel objeto más de cerca.

—¡Maravilla de maravillas! –exclamó Gilgamesh–. ¡En verdad es obra de Anu!

Los sacerdotes contemplaron el objeto incrustado en la tierra, y pudieron ver también los fragmentos que estaban esparcidos por el suelo.

—Es una abertura dentro de una abertura –dijo Gilgamesh–, pero no hay nada dentro. He tanteado con las manos y no hay nada ahí.

Y mostró las palmas de las manos para que los sacerdotes vieran que no guardaba nada. Pero sintió de pronto una sacudida en su mano derecha.

—Es un augurio, un augurio de Anu –dijo el sacerdote al mando.

—Si hay algún augurio, yo no lo he encontrado –respondió Gilgamesh–. Quizás sea un secreto que deba desvelar un sacerdote… Adelante, búscalo.

Y le hizo un gesto para que se acercara, al tiempo que él daba un paso atrás. El sacerdote aceptó el reto y, poco después, todo el grupo se encontraba alrededor del objeto, mientras Gilgamesh, ignorado por los sacerdotes, trepaba por el ribazo del arroyo.

La gente, al no verse retenida por los soldados y deseando enterarse de lo que los sacerdotes pudieran descubrir, volvió a aglomerarse sobre el puente y en las riberas del arroyo, momento que aprovechó Gilgamesh para escabullirse inadvertidamente de la escena.

Siguiendo una calle curva, se distanció con rapidez de la zona del palacio y del acaudalado barrio adyacente. Siguiendo un sinuoso sendero a través de estrechas calles y callejuelas, deteniéndose para ocultarse entre las sombras cada vez que escuchaba pasos, se dirigió hacia el barrio de los Artesanos, la zona donde vivían, trabajaban y vendían sus creaciones los artesanos de la ciudad.

Siendo una diosa, Ninsun tenía su propia capilla y sus propias dependencias en el gran templo del Irigal, dentro del Recinto Sagrado; pero, tras la muerte de su último marido, el sumo sacerdote que había engendrado a Gilgamesh, la diosa había comenzado a pasar cada vez más tiempo, incluso por las noches, en su lugar preferido: la casa de Resucitación, en el barrio de los Artesanos. Siendo por formación una sanadora, había dedicado su vida, tras el desastre del Diluvio, a conjurar las enfermedades que se habían difundido entre los terrestres, provocadas por las aguas contaminadas del Diluvio y por la posterior proliferación de insectos y reptiles. Y era precisamente a la casa de Resucitación hacia donde Gilgamesh se dirigía apresuradamente. Sin embargo, cuando llegó, no quiso entrar por la puerta principal, optando por buscar la entrada secreta al recinto, que se abría en una callejuela lateral. Tanteó con la mano en una zona del muro, hasta que encontró un ladrillo muy concreto y lo presionó. Y, como por arte de magia, toda una sección de la pared se desplazó, dejando al descubierto una entrada de reducidas dimensiones.

Era la puerta secreta que utilizaba Ninsun para entrar y salir sin verse agobiada por la multitud que llenaba a rebosar el patio día y noche. Gilgamesh se agachó y entró, pulsando de nuevo el ladrillo una vez en el interior. El muro se cerró de nuevo y no quedó ni rastro de la entrada.

El muro del complejo circundaba un área rectangular, la mayor parte de la cual estaba ocupada por un gran patio, donde acampaban todas aquellas personas que habían venido en busca de curación, esperando su turno para ser tratadas. Una gran casa, dividida en varias habitaciones, hacía las veces de hospital y de clínica, en tanto que varias construcciones más pequeñas servían para almacenar cereales, agua y cerveza, habiendo una dependencia dedicada exclusivamente a los cadáveres de los fallecidos. Había también dos casas pequeñas, que era donde vivían los trabajadores de la casa de Resucitación. Y luego había una casa de excelente construcción y pulcramente enjalbegada, que era la residencia privada de Ninsun, en la que conservaba sus mágicos instrumentos con los cuales hacía los diagnósticos y curaba.

Cuando llegó Gilgamesh, había una sirvienta dormida sobre una estera en la puerta de entrada, de tal modo que no había manera alguna de entrar a menos que la despertara. Tapándole la boca con la mano para prevenir un grito, Gilgamesh le dio un golpecito con el codo para despertarla, y aunque la mujer se sobresaltó en un principio, no tardó en reconocerle.

—¿Está aquí la diosa, mi madre? –le preguntó en un susurro.

La mujer asintió.

—Despiértala –dijo, y añadió al ver que vacilaba en seguir sus órdenes–. ¡Se trata de un asunto muy urgente!

La mujer le dejó entrar y se fue a despertar a la diosa.

Pasaron algunos minutos hasta que Ninsun apareció en la puerta de su cámara privada; y cuando Gilgamesh la vio bajo la luz de la luna, que se introducía a través de los tragaluces del techo, se fue rápidamente hacia ella, se arrodilló y le besó la mano; una mano de la cual se había extirpado quirúrgicamente el sexto dedo poco después de nacer.

—Querido hijo –dijo Ninsun–, ¿qué te trae por aquí a estas horas de la noche?

—Es un asunto de vida o muerte –respondió Gilgamesh.

Ninsun tiró de su mano para indicarle que podía levantarse, le hizo un ademán a la sirvienta para que se marchara y luego llevó a Gilgamesh hasta un diván, mientras ella se sentaba en su sillón preferido, delante de él.

Gilgamesh miró con gesto grave a su madre.

—¡Oh, madre –dijo al fin, forzando una sonrisa–, qué hermosa y joven te ves! ¡Pareces mi hermana pequeña, y no mi madre!

Ninsun alargó la mano y acarició la mejilla de su hijo.

—Mi aspecto es engañoso, hijo mío –respondió–, pues parezco joven sólo para los terrestres. Habiendo nacido yo misma en la Tierra, he envejecido más rápido que aquellos que nacieron en Nibiru. Trasladarse a Nibiru es el tratamiento recomendado…, pero no abandonaré la Tierra en tanto Ishtar no recurra a su poder para concederte la eterna juventud. ¿Has hablado con ella de eso?

—Claro que he hablado con ella, madre, durante toda la noche de nupcias. Pero ella ignoró mis súplicas.

—¿Es ése el asunto de vida o muerte que te trae aquí esta noche?

—No. Se trata de un asunto mucho más importante.

—¿El augurio de Enkullab?

—Me ha amenazado con la muerte que debería dársele a un pecador…

—Sí –respondió Ninsun–. Todo el mundo escuchó sus perversas palabras. Para eso tenía que hablar desde el podio, donde las palabras divinas se escuchan con más intensidad. No le hagas caso, Gilgamesh. La divina Ishtar ha dado su propia interpretación, y eso es lo único que cuenta hasta la próxima festividad de Año Nuevo.

—No es eso, madre –dijo Gilgamesh–. Lo que quería hablar contigo guarda relación con el augurio que Anu me ha enviado.

Ninsun le miró sin entender.

—¿Anu te ha enviado un augurio?

—Aquí está –dijo Gilgamesh, mientras sacaba del bolsillo de la túnica el disco que había extraído del objeto celeste.

Puso el disco a los pies de su madre, mientras la mano derecha le daba una nueva sacudida.

Ninsun se fijó en el espasmo de la mano, y luego miró el disco.

—¡Por los grandes anunnaki! –exclamó–. ¿De dónde has sacado esta tablilla sagrada?

—Madre, esta noche no podía dormir, de modo que salí de palacio. Durante la noche, hubo muchos augurios en los cielos, hasta que una estrella se fue haciendo cada vez más grande en el firmamento. ¡La obra de Anu descendió hacia mí!

Gilgamesh le contó a Ninsun todo lo sucedido, su apresurado recorrido hasta el lugar donde había caído el objeto, la multitud, la conmoción, su bajada al arroyo para observar el objeto celeste incrustado en la tierra, e incluso los intentos realizados por extraerlo del suelo.

—Intenté levantarlo, pero era demasiado pesado para mí. Intenté remecerlo, pero no pude moverlo ni soltarlo…

Luego le habló de la milagrosa manera en que la parte superior con forma de hongo había saltado y de sus manipulaciones en el interior del objeto, hasta que se produjo aquel destello, que era como un fuego destructor.

—Metí las manos allí dentro… y tomé el disco que te he traído –terminó el relato, mientras la mano le daba otra sacudida.

—¡Oh, hijo mío –dijo Ninsun–, has tocado el fuego divino! De no ser por tu sangre divina, tu alma se habría convertido en vapor.

Ninsun dejó a un lado el disco y se puso a examinar la mano de Gilgamesh. No había en ella cicatrices, ni tampoco señal externa del accidente.

—No hay nada que pueda hacer yo –le dijo–. El daño debería remitir por sí solo.

E inclinándose sobre él, le dio un beso en la frente.

—Madre –dijo Gilgamesh–, no es la mano lo que me importa. ¡Es el augurio de Anu lo que es un asunto de vida o muerte!

—¿Por qué? –preguntó ella.

—¿Acaso el augurio de los cielos no supone el cumplimiento del oráculo sagrado? –preguntó él con un estremecimiento en la voz producto de la excitación–. ¿No eran ésas las palabras, «Mis palabras están inscritas, mi mensaje está en las alturas, las puertas se abrirán, quien venga tendrá la vida»?

—Sí, ésas fueron las palabras que trasmitió el sumo sacerdote.

—¿Es que no te das cuenta? ¡El oráculo se ha hecho realidad! El mensaje inscrito de Anu... «Las puertas del cielo están abiertas, quien venga tendrá la Vida»... ¡He sido invitado, madre, como un dios! ¡He sido invitado a Nibiru, para tener la Vida Eterna!

Ninsun, versada en múltiples conocimientos, escuchó atentamente los agitados razonamientos de su hijo, y guardó silencio durante unos instantes, reflexionando sobre todo ello.

—Lo que has traído y has puesto a mis pies es, ciertamente, una Tablilla de los Destinos –dijo finalmente–, un disco que porta conocimientos secretos, órdenes mudas, quizás incluso dibujos de los caminos de los cielos. Pero todo eso, Gilgamesh, es sólo para los dioses, para los anunnaki. El hombre mortal, hijo mío, está atado a la Tierra.

—¡Pero yo soy dos tercios divino! –gritó Gilgamesh–. Y otros como yo, sólo en parte mortales, fueron llevados a los cielos; como Adapa, que fue hijo de Enki; y Enmeduranki, el primer sacerdote; y Etana, el antiguo rey... ¡Y, ahora, ha llegado mi turno!

Otro espasmo agarrotó su mano, y Gilgamesh se la agarró con fuerza con la otra mano para aliviar el dolor.

—Ellos nacieron de madres mortales, pero sus padres fueron dioses –respondió Ninsun–. Tu padre era un hombre mortal...

La diosa hizo una pausa, pero siguió acariciando la mano de Gilgamesh.

—Pero vamos a ver qué mensajes hay en la tablilla –añadió después.

—El disco está vació, no hay nada escrito en él –dijo Gilgamesh–. El augurio es el disco en sí.

—La Escritura del Cielo no se puede ver como los textos de un escriba sobre una tablilla de arcilla –le explicó Ninsun–. Ven conmigo y te lo mostraré.

La diosa llevó a Gilgamesh a las dependencias interiores, y al llegar a la última cámara, Ninsun se percató de la daga que su hijo portaba en el cinto.

—Quítatela y déjala ahí, pues es de metal –le dijo.

En cuanto cruzaron el umbral, la habitación, anteriormente oscura, se iluminó con un resplandor azulado, aunque Gilgamesh no pudo detectar el origen de aquella luz. Había un altar de piedra en el centro de la cámara, con su superficie esculpida. Ninsun puso el disco con la base convexa sobre una cavidad curva, y de pronto se escuchó un zumbido. De inmediato, el disco comenzó a irradiar un resplandor dorado, como el que Gilgamesh había visto cuando lo descubrió.

—Mira la tablilla celeste –le dijo ella.

Gilgamesh se acercó y miró en el disco.

—La tablilla está brillando –dijo él–, y se ven extrañas marcas.

Ninsun tocó un punto del altar y una losa blanca y fina, con el aspecto del alabastro pero fina como una brizna de hierba, apareció por uno de los lados del altar y se deslizó lentamente hasta cubrir toda su superficie. Lo que aparecía en el disco se veía ahora, sobre la superficie blanca, mucho más grande y claro.

—Esos símbolos son muy extraños. Nunca antes había visto nada así –dijo Gilgamesh–. ¿Es ésta la Escritura del Cielo?

Ninsun examinó los símbolos.

—Sí, es la escritura de Nibiru –dijo–, y la tablilla es de hecho una Tablilla de los Destinos.

La diosa tomó una pequeña varilla de marfil que había junto al altar y la utilizó como puntero.

—Te explicaré el mensaje oculto –le dijo–. La tablilla tiene ocho segmentos, en los que se encuentran todas las instrucciones para viajar de Nibiru a la Tierra y volver. En el primer segmento, se representan los cielos más lejanos, la ruta desde Nibiru a la Tierra, que recibe el nombre de «el Viaje de Enlil por los Siete Planetas». La nave espacial, dice la tablilla, tiene que llegar a los cielos septentrionales de la Tierra, a la zona llamada el Camino de Enlil. La línea de demarcación del Camino de Enlil circunda la Tierra allá donde se elevan las tres montañas artificiales.

Ninsun señaló con el puntero las tres pirámides mientras decía esto.

—Hay instrucciones técnicas para los pilotos en cada segmento, que los orientan para aterrizar en una de las tres pistas del espaciopuerto. Éste es el Lugar de los Cohetes. Desde aquí parten después hacia el cielo, hacia las plataformas orbitales tripuladas por los igigi, que es la primera fase del viaje de regreso a Nibiru.

—¿Son sólo instrucciones técnicas? –preguntó Gilgamesh–. ¿No hay ningún mensaje, no hay palabras divinas?

—En el último segmento, que habla del despegue, hay una orden… Dice, «¡Vuelve!».

—¡Lo sabía, lo sabía! –gritó Gilgamesh dándole un abrazo a su madre–. ¡Es mi augurio, la llamada de Anu!

Ninsun le dio un beso a su hijo en la frente.

—Hay que ser muy cauteloso en cuestiones divinas –le advirtió–. Hay que considerar con mucho detenimiento tanto la tablilla como su significado, hijo.

—¡Pero yo no puedo esperar, madre! –protestó Gilgamesh–. Ishtar se ha vuelto contra mí. El augurio viene de Anu, Señor de Señores. ¡Tengo que ir de inmediato al Lugar de los Cohetes!

Una nueva sacudida convulsionó su brazo, y Ninsun posó su mano sobre la de él intentando aliviarle el dolor.

—Hijo mío, sin duda es una llamada de Anu pero, por desgracia, no es para ti –dijo ella con una mirada triste.

La conmoción se reflejó en los ojos de Gilgamesh.

—¿No es para mí? Entonces, ¿para quién es?

—Es para la señora Ishtar. Lo dice aquí –añadió, señalando con el puntero de marfil un punto de la tablilla–. Es a Ishtar a quien ha llamado Anu.

—¡Grandes señores! –gritó Gilgamesh–. ¡Me he llevado una tablilla sagrada que iba dirigida a la diosa!

En su desesperación, Gilgamesh cayó de rodillas.

—Oh, madre, ¿qué voy a hacer? Esta noche me he llevado el augurio de Ishtar, y la noche anterior abandoné el lecho antes del amanecer… ¡En vez de la vida, he encontrado la muerte!

—¿Abandonaste a Ishtar en la noche del Matrimonio Sagrado? ¡¿Es que has perdido la cabeza?!

—Ella ignoró todas mis súplicas. Y, además, estaba como loca esa noche, viendo en mí a sus amantes del pasado… Quería huir…, pero volví a su lado antes de que despertara.

—¿Te vio alguien fuera de la habitación?

—Los sacerdotes guardianes de la puerta lateral…

Ninsun apoyó la cabeza de Gilgamesh en su regazo y le acarició los rizados cabellos.

—Hijo mío –dijo ella dulcemente–, la noticia de tu trasgresión llegará a Ishtar, sin duda alguna, y descubrirán que falta la tablilla en el proyectil celestial. Ciertamente, es una cuestión de vida o muerte.

—¿Qué puedo hacer, sabia madre?

Ninsun reflexionó durante unos instantes.

—Debes abandonar Erek, escapar de los dominios de Ishtar y de su cólera –dijo–. Busca la protección de Nannar en Ur, o ve a Shuruppak, donde mi madre es la señora.

—¿Y terminar mis días en el exilio, un cadáver más que enterrar junto a las murallas? –dijo Gilgamesh enfurecido mientras se levantaba–. ¡Yo soy tu hijo, madre divina, y soy descendiente del gran señor Shamash! ¡Si no puedo subir a los cielos, deja que me dé muerte con mi propia daga, sentado en mi trono!

—Sólo los impacientes se precipitan y desafían al destino por su propia mano –dijo Ninsun.

—¡Entonces, deja que vaya al Lugar de los Cohetes y que enfrente mi destino en terreno sagrado!

La diosa contempló a su hijo mientras reflexionaba.

—Ese lugar, Gilgamesh, está muy lejos, en la región prohibida de los anunnaki. Ningún mortal puede entrar allí –dijo al fin, y añadió en tono reflexivo–. Pero hay otro sitio, el Lugar de Aterrizaje. Está en las montañas de los Cedros. Si Utu aceptara tu entrada allí, sus anunnaki podrían trasportarte.

—No sé nada de ese lugar, ni conozco tampoco el camino a Sippar, donde se encuentra mi padrino, Shamash –dijo Gilgamesh.

—Ven, deja que te muestre –dijo ella.

Ninsun tocó un punto en el altar y la losa frontal de éste se deslizó hacia abajo ocultándose en el suelo. Dentro del altar había una serie de estantes, y en ellos había almacenados multitud de discos.

—Éstas son mis tablillas *Me,* que guardan todo el conocimiento. El señor Enki, señor de la sabiduría, las diseñó.

La diosa tomó la Tablilla de los Destinos que se hallaba aún sobre el altar y la puso en uno de los estantes interiores, reemplazándola por otro disco. Pulsó un punto en el altar y la losa frontal volvió a su lugar, sin dejar rastro de aquel habitáculo oculto; y luego volvió a desplegar la fina losa blanca que había extendido antes sobre el altar.

—Mira aquí –dijo a Gilgamesh.

Era un mapa.

—Ésta es la Tierra Entre los Ríos –dijo Ninsun–, y la Tierra Occidental está más allá, que llega hasta las orillas del mar Superior. Éstos son los dos grandes ríos, el Éufrates y el Tigris, que nacen en las tierras montañosas del señor Adad y desembocan en el mar Inferior. Sippar está aquí, donde los dos ríos se acercan hasta casi tocarse entre sí –dijo indicando el punto exacto con el puntero de marfil–. Ahí es donde comienza el Edin, el lugar divino de la abundancia, que se extiende hasta el mar Inferior.

—¿Y dónde está Erek? ¿Dónde estamos nosotros?

—Aquí –dijo ella, señalando con el puntero–, justo al lado del Éufrates. Al sur están Larsa y Ur, y más allá está Eridú, que ha sido la morada del señor Enki desde que llegó a la Tierra. Al norte hay un largo tramo del río donde no existen ciudades, pues el desierto llega hasta el río. Pero más allá se encuentran Borsippa, Babilonia, Kish y, luego, Sippar.

—Borsippa es devota del señor Nabu, Babilonia rinde culto a su padre, el señor Marduk –dijo Gilgamesh–, y Kish ha luchado contra Erek desde que se le trasfirió la realeza a mis antepasados… Es un camino peligroso. ¿Y qué hay del Lugar de Aterrizaje? ¿Dónde se encuentra?

—En la Tierra Occidental. Las caravanas de mercaderes siguen el Éufrates casi hasta su nacimiento y luego cruzan unas tierras desoladas, hasta que llegan a un río que fluye entre dos cadenas montañosas. Allí crecen los cedros más altos, en lo que llamamos el bosque de los

Cedros. En el bosque está el Lugar de Aterrizaje, un emplazamiento que es anterior al Diluvio.

—Las montañas se extienden a lo largo de muchas leguas –dijo Gilgamesh estudiando el mapa–. ¿Dónde se encuentra exactamente ese lugar?

—Es un lugar oculto –dijo ella–, desconocido para todo el mundo salvo para las Águilas. Pero Utu, o Shamash, como se le conoce también, es su comandante. Si pudieras llegar a Sippar y plantearle a él tus súplicas…

Pero Ninsun se detuvo en mitad de la frase.

—¿Qué ocurre, madre?

—Que Ishtar es su querida hermana gemela –dijo Ninsun–. Y, en su cólera, lanzará una maldición sobre tu cabeza… No creo que Utu pueda ayudarte.

Gilgamesh se arrodilló delante de su madre y le tomó la mano.

—He suscitado la cólera de la señora de Erek –dijo–. ¿Esperaré sumisamente mi sino, o asumiré audazmente la peligrosa búsqueda de mi destino? ¡Si tengo que morir, que se me recuerde como aquel que murió intentando alcanzar las estrellas!

Ninsun le acarició el cabello, y luego le dio un beso en la frente.

—Ve –dijo–. Yo suplicaré a los grandes anunnaki por tu seguridad.

La diosa se sacó del cuello un colgante, del cual pendía un objeto negro verduzco. Parecía una cuchilla de comadrona, de las utilizadas para cortar el cordón umbilical. Ninsun se la puso a Gilgamesh en torno al cuello.

—Es una piedra que susurra –le dijo–. Vuélvela del revés y frótala, y tus palabras llegarán hasta mí… Pero utilízala con moderación, hijo mío; sólo cuando estés en verdadero peligro.

Gilgamesh le besó la mano a su madre y se puso en pie.

—Deja que me lleve la Tablilla de los Destinos como talismán, como prueba de mi augurio.

—No –dijo Ninsun–. Quienquiera que sea capaz de leer lo que dice en ella sabrá que se la has robado a Ishtar. La guardaré conmigo, a buen recaudo, hasta que regreses sano y salvo.

—Así sea pues –respondió Gilgamesh.

Le hizo una reverencia a su madre y se dio la vuelta para marcharse; pero se detuvo y se volvió de nuevo hacia ella.

—¿Qué camino deberé tomar para ir a Sippar, madre? –preguntó–. Nunca he emprendido un viaje tan largo ni tan lejos.

—Lleva contigo a Enkidu –dijo Ninsun–. Él te guiará.

—¿Enkidu?

—Sí, Enkidu. El señor Enki, su creador, no sólo le dotó de inmensos poderes, sino también con el conocimiento de muchos misterios. Sea él tu compañero y protector, y que te muestre el camino.

—Encontraré a Enkidu y lo llevaré conmigo –dijo Gilgamesh, mientras se adelantaba para darle un abrazo a su madre–. ¿Volveré a verte, santa madre? ¿Me volveré a sentar en el trono de Erek?

Dos lágrimas brotaron de los ojos de Gilgamesh.

—Ve, hijo mío –dijo ella dulcemente–, y que los grandes dioses te acompañen.

6

Tras salir por la puerta secreta por la que había accedido al recinto, Gilgamesh se dirigió al puerto con la mayor rapidez que la cautela le permitía. El barrio del puerto era la zona más cosmopolita de la ciudad, donde descargaban sus mercancías caravanas procedentes de todos los lugares, cercanos y lejanos, y donde atracaban los barcos que surcaban el Éufrates y los mares lejanos. Pero también era la zona más sórdida de la ciudad, con tabernas y burdeles por doquier; un lugar poblado día y noche por mercaderes, caravaneros y marinos.

Gilgamesh intentó sortear las calles más anchas, buscando más bien la discreción de las callejuelas y callejones que caracterizaban la topografía de la ciudad. Caminaba apresuradamente, procurando evitar no sólo a los rufianes que merodeaban los rincones oscuros, sino también a las patrullas de soldados, no fueran a reconocerle y pudieran dar cuenta de su paradero posteriormente. Acelerando el paso hasta casi correr, Gilgamesh giró finalmente por un callejón, en el que consiguió localizar la casa que iba buscando. Era una de las pocas casas de dos plantas del barrio, y tenía las jambas de las puertas pintadas de rojo. Sin embargo, el rey no necesitaba de aquellas señales para reconocer el lugar, pues había estado allí antes, y más de una vez, en las ocasiones en que sus incursiones nocturnas por la ciudad en busca de recién casados habían terminado sin novia alguna a la que iniciar.

Gilgamesh llamó a la puerta con los nudillos, intentando no hacer demasiado ruido; pero no obtuvo respuesta, de modo que golpeó con más fuerza. Finalmente, escuchó la voz de una mujer desde el otro lado de la puerta.

—¡Vete, vuelve mañana! Todas mis chicas están durmiendo ahora.

De pronto, Gilgamesh escuchó unos pasos aproximándose a la callejuela, un sonido que se le antojó ciertamente ominoso en medio del silencio de la noche.

—¡Abre, mujer! –ordenó impaciente– ¡Estoy buscando a Enkidu!

—Todo el mundo está durmiendo… –comenzó a decir la mujer detrás de la puerta.

—¡Abre! ¡Rápido! ¡Soy el rey!

Finalmente, la mujer obedeció. Apenas había terminado de descorrer el cerrojo cuando Gilgamesh se abalanzó en el interior de la casa para cerrar la puerta inmediatamente tras él. La mujer llevaba en la mano una lámpara de aceite, y reconociendo al rey, se postró ante él hasta tocar con la frente el suelo.

—¿Está aquí Enkidu? –preguntó Gilgamesh con un tono exigente–. Dado que nadie le ha visto en palacio ni en ninguna otra parte, tiene que estar aquí…

La mujer se levantó del suelo, pero su cuerpo seguía medio encorvado en señal de reverencia, aunque mostraba una amplia sonrisa en su hermoso rostro.

—¡Salgigti! ¡Eras tú, bruja! –dijo Gilgamesh riendo–. Desde que le conociste en la estepa y le dejaste probar los muslos de una mujer, Enkidu no ha dejado de venir aquí, como si fuera su casa. ¿Está aquí ese insaciable?

—Está arriba –respondió Salgigti.

Al igual que la mayoría de las casas de dos plantas, aquélla estaba dividida en una serie de habitaciones que daban a un patio central cuadrado, dedicándose las dependencias de la planta baja a las funciones domésticas y las habitaciones superiores a dormitorios y espacios de ocio.

Al piso superior se accedía a través de una escalera que desembocaba en una balconada de madera, que discurría a lo largo del perímetro interior del patio central. Un tejado de madera, cubierto con ramas de palmera, daba sombra a la balconada, en tanto que el patio central quedaba abierto al cielo.

Gilgamesh tomó la lámpara de aceite de Salgigti y subió rápidamente las escaleras. Los vanos del piso superior no disponían de puertas, y guardaban la escasa intimidad de sus habitaciones con cortinas de cuentas, de modo que Gilgamesh no tuvo más que ir abriendo ligeramente las cortinas con la mano para echar un vistazo al interior, a medida que iba pasando ante los vanos de las distintas habitaciones. En los primeros dormitorios sólo vio a mujeres dormidas, pero encontró a Enkidu en la habitación grande de la esquina, tumbado sobre un gran colchón entre dos mujeres. Resultaba divertido ver su corto y recio cuerpo entre las dos mujeres, grandes y robustas, que había elegido por compañeras para pasar la noche. Estaba profundamente dormido, con sus largos rizos ocultando en parte su rostro.

—Despierta, Enkidu –dijo Gilgamesh sacudiendo con la mano a su amigo.

Enkidu despertó de inmediato, reconociendo a Gilgamesh sin gran esfuerzo. Se volvió sobre la espalda y levantó la mano para saludarle, pero sus movimientos despertaron a las dos mujeres, que Enkidu abrazó con fuerza para que no se movieran de su lado.

—Esto forma parte de mi instrucción –dijo bromeando–. Los Ancianos de la ciudad creen que durmiendo con rameras fortaleceré lo que de humano hay en mí…

—No tenemos tiempo para bromas, Enkidu –dijo Gilgamesh–. Tenemos que hablar.

Enkidu soltó a las mujeres.

—Os podéis ir –les dijo.

Y las mujeres se apresuraron a salir de la habitación.

—Tu aparición a estas horas de la noche tiene todo el aspecto de un mal presagio –dijo Enkidu mientras se sentaba.

—Lo es –dijo el rey–. ¡Tenemos que irnos de Erek de inmediato!

—¿Irnos de Erek? ¿En mitad de la noche? No entiendo…

—Es una cuestión de vida o muerte –dijo Gilgamesh, y le hizo a su camarada un resumen de todo lo sucedido en los últimos días–. «Ve a Sippar, y lleva a Enkidu contigo», me ha dicho mi madre, Ninsun. «¡Busca la protección de Utu, ponte fuera del alcance de Ishtar; y pídele a tu padrino que te ayude a llegar al Lugar de Aterrizaje en el bosque de los Cedros!».

Enkidu sacudió incrédulo la cabeza, agitando sus largos rizos.

—Todo esto parece más una pesadilla que un hecho real –dijo–, y huir de Erek tampoco es la mejor solución. ¡«Ve a Sippar», dice tu madre! ¡Viajar sin escolta es de por sí una aventura muy peligrosa, y entrar en el bosque de los Cedros supone sin duda la muerte, Gilgamesh!

Enkidu se levantó finalmente y posó su pesado brazo sobre los hombros del rey.

—¿Es el miedo de tu corazón el que te impulsa? Ven, vayamos juntos al templo, pues no falta mucho para que amanezca. Póstrate ante la puerta de la reina del cielo, la divina Ishtar, ofrécele la Tablilla de los Destinos en sacrificio, reza y dile que te corregirás. Y luego no busques su juicio, sino el juicio de los Siete que Juzgan. ¡Y créeme, te perdonarán!

—No siendo mortal, no comprendes lo que hay en mi corazón, Enkidu –dijo Gilgamesh–. ¡Mi destino ha sido pronunciado, y tengo que responder a su llamada! La suerte está echada, Enkidu. Alcanzar el cielo o morir en el intento, ésa es mi única elección… ¿Vas a venir conmigo o prefieres quedarte atrás como un cobarde?

—Gilgamesh, sabes bien que no tengo miedo a la muerte de los mortales –dijo Enkidu–. El que me creó, el señor Enki, me hizo hombre en apariencia, pero dios en resistencia. Mis huesos son como el bronce, mis tendones como el cobre, y sangre no tengo. ¡Aunque bajo de estatura, tengo la fuerza de diez hombres! Con la mano, puedo hacer añicos las jambas de las puertas; con el pie, puedo derribar paredes; y con la rodilla, puedo someter a un toro. No, Gilgamesh, no temo por mí, ¡temo por ti! Pues aquello que pretendes alcanzar es incierto, pero lo que perderías no obstante es indudablemente seguro.

—Buen discurso –respondió Gilgamesh–, pero sin conclusión. ¿Vas a venir conmigo o tendré que hacer el viaje solo?

Enkidu se quedó mirando a su amigo, el rey, sacudiendo la cabeza incrédulo.

—Sin duda, el destino te ha abrumado –respondió–, y no hay forma de persuadirte… Iré contigo, amigo mío.

—¡Sabía que podía confiar en ti! –dijo Gilgamesh al tiempo que le daba un abrazo–. Ahora, ¿qué camino hemos de tomar para alcanzar nuestro destino, y cómo llegaremos allí?

—Conozco el camino, lo que habrá que averiguar es cómo llegaremos allí –dijo Enkidu–. Ven, hagamos los preparativos.

Cerciorándose de no haber despertado al resto de las mujeres, los dos camaradas bajaron al patio, donde apareció de pronto Salgigti, antes incluso de que Enkidu tuviera tiempo de llamarla.

—Salgigti –dijo Enkidu–, en los últimos días, ¿tus chicas no habrán tenido relación con extranjeros venidos de muy lejos?

—Sí –respondió Salgigti–. Sin poder abandonar la ciudad hasta el día de hoy debido a las celebraciones, muchos han empleado su tiempo y su dinero aquí.

—Bien, bien –dijo Enkidu–. ¿Eran marinos o disponían de asnos, o bien había entre ellos algún mercader o jefe de caravanas?

—Unos lo eran y otros no… Nosotras no hacemos preguntas.

—Oh, no seas tan virtuosa, Salgigti –dijo Enkidu dándole una palmadita en la espalda–. Por ventura, ¿hubo alguien que pagara mejor que los demás?

—El más espléndido ha sido Adadel, el mercader amorreo. Ha traído a Erek miel y vino de dátiles de la Tierra Occidental, y se lleva de vuelta a Mari lana y cereales.

—¿Tiene caravana?

—No, es capitán de un barco, un barco de vela… estuvo alardeando de ello con las chicas… ¡Un cliente muy generoso, sí señor! –exclamó Salgigti con cierto pesar–. Partirá cuando en cuanto llegue la mañana.

—¡Un destino perfecto! –le dijo Enkidu a Gilgamesh en un susurro, mientras atisbaba entre las sombras a las dos mujeres con las que se había acostado, que intentaban escuchar la conversación–. Que las dos mujeres que estuvieron conmigo preparen dos odres de agua –le dijo a Salgigti–, y dos bolsas de tela llenas de pan y queso, y algunos dátiles.

Salgigti llamó a las mujeres y, mientras se acercaban, les dio las órdenes pertinentes para que hicieran lo que había pedido Enkidu.

—¿Dónde guardáis la ropa que nadie usa? –preguntó Enkidu a Salgigti–. ¿La ropa que se olvidan los hombres que vienen por aquí?

Salgigti les llevó a una de las habitaciones de la planta baja, donde había una pila de ropa en un rincón.

—Nos vestiremos con algunas de estas prendas –le dijo Enkidu a Gilgamesh.

—¡Pero si es ropa vieja, y sucia! –protestó Gilgamesh.

—Precisamente por eso es la más adecuada –replicó Enkidu mientras empezaba a desnudarse.

Al verle, Gilgamesh le imitó, asegurándose de ocultar la daga que siempre había llevado consigo en su nuevo atuendo.

—¿Cómo es el barco de Adadel? –preguntó Enkidu a Salgigti.

Pero ella no pudo aportar demasiada información, aparte del hecho de que tenía velas.

—Lo encontraremos –le aseguró Enkidu a Gilgamesh.

Enkidu sacó un monedero, que había puesto a buen resguardo mientras se cambiaba de ropa; de él sacó un siclo de plata y se lo entregó a Salgigti, quien, viendo el brillo del metal a la luz de la lámpara de aceite que portaba, inclinó la cabeza agradecida.

—Estoy al servicio del rey –dijo ella.

—Además –prosiguió Enkidu–, si no hemos regresado para las Celebraciones de Primavera, puedes vender también nuestra ropa. Pero, hasta entonces, ni una palabra de todo esto, ni tú ni tus chicas, o el señor Enki, mi creador, ¡os aplastará dondequiera que estéis!

Salgigti asintió con la cabeza.

—Así sea, señor Enkidu.

Enkidu la abrazó y la beso en la boca.

—¡Cuida de mis chicas! –le dijo.

Y, pensándoselo mejor, se fue hacia las dos mujeres y las abrazó también.

—¡Os daré un siclo de plata a cada una de vosotras cuando vuelva! –les prometió.

—¡Venga, Enkidu! ¡Vamos! –dijo Gilgamesh impaciente–. Todavía tengo que hablar con Niglugal y despedirme de mi hijo…

—¿Y tener a toda la ciudad despierta para cuando estés listo para partir? –objetó Enkidu–. Si regresas a palacio, ya nunca saldrás de allí, porque para entonces habrá corrido la noticia de lo sucedido con la obra de Anu.

—Adadel zarpará poco después del amanecer –añadió Salgigti haciendo una reverencia.

Gilgamesh echó un vistazo a su alrededor. La oscuridad de la noche estaba dando paso ya al alba, Enkidu llevaba las bolsas con las provisiones, y Salgigti guardaba silencio mientras mantenía la cabeza ligeramente inclinada en señal de respeto. Vio también a las dos mujeres que les habían ayudado con las provisiones acurrucadas en un rincón del patio. Y, luego, miró al piso superior. Dentro de poco, el resto de las chicas estaría ya en pie, y la casa se convertiría en una colmena, inundada con el zumbido de los chismorreos femeninos.

Gilgamesh se echó a reír con una risa nerviosa.

—¡Parece una broma! ¡La broma más divertida y amarga de mi vida! –dijo–. Aquí estoy, como un ladrón en medio de la noche, en un prostíbulo, intentando aclarar mis ideas… sumido en un dilema entre la realeza y la vida, entre el pasado y el futuro… ¿Es así como todo ha sido dispuesto, Enkidu?

Enkidu no respondió.

—Abre la puerta, mujer del placer –dijo Gilgamesh a Salgigti–, y deja que me enfrente a mi destino.

* * *

Un sacerdote sirviente entró en el dormitorio de Enkullab, el sumo sacerdote, para despertarle. Había tenido una noche agitada, plagada de sueños, y se despertó sobresaltado y furioso.

—El jefe de los sacerdotes guardianes tiene que hablar con vos de inmediato –dijo el sirviente–. Dice que es un asunto muy urgente.

—¿Y no podía esperar al amanecer?

—Dice que el sumo sacerdote debía ser informado de inmediato.

—Pues dame la túnica y hazle pasar –respondió Enkullab.

Instantes después, el sirviente volvió a entrar con una gran lámpara de aceite en la mano, haciendo pasar al jefe de los sacerdotes guardianes, un hombre alto y robusto, con el distintivo cinturón de cuero con que ceñían sus túnicas los de su grado.

—¿Qué es lo que considerabas tan importante como para robarme mi precioso sueño? –preguntó Enkullab severamente, aunque sin ira.

—Santo padre, un augurio, obra de Anu, ha caído de los cielos… –dijo, y guardó silencio mientras se inclinaba ante él.

—¡Sí, sí, no te detengas! –gritó Enkullab.

—Apareció en los cielos como una estrella fugaz, resplandeciente. Es un objeto negro y alargado, con la piel lisa como la de una serpiente, la cabeza como la de un pez, con aletas, y sisea como una serpiente…

—¿Obra de Anu?

—Ha venido de los cielos, y no es obra de mortales, santo padre.

—¡Los dioses sean alabados! –exclamó Enkullab–. ¡Mis oraciones han sido escuchadas! ¡Sigue contándome!

—Apareció, como digo, como una estrella fugaz… Conforme se acercaba, dio la impresión de que se dirigía hacia el Recinto Sagrado. Pero, entonces… entonces pareció cambiar su curso en dirección al palacio del rey.

—¡Era yo quién había rezado por un augurio! –gritó Enkullab.

—Santo padre, la obra de Anu alcanzó el suelo al norte, incrustándose en la ribera del viejo canal.

—Continúa –le dijo Enkullab.

—Los sacerdotes la vieron pasar como una exhalación sobre las murallas del recinto. Un grupo de sacerdotes fue de inmediato hacia el lugar donde había caído y, cuando llegaron, había ya una multitud, y soldados… y también estaba el rey.

—¿El rey Gilgamesh ya estaba allí?

—Sí, santo padre. La obra de Anu cambiaba de color, siseaba y daba vueltas como una serpiente celestial. Gilgamesh, el rey, fue el único que tuvo el coraje suficiente como para tocarla y luchar con ella. Luego, los sacerdotes, recitando los himnos apropiados para la protección divina, bajaron la ribera del canal y se hicieron cargo del objeto. Está profundamente incrustado en el lodo, sin vida ahora, pues perdió la cabeza cuando el rey estaba con ella.

—¿Estaba?

—Para cuando los sacerdotes rodearon el objeto celestial, el rey se había ido.

Enkullab se puso de pie, nervioso, y se puso a dar vueltas por la habitación.

—Un augurio del cielo, la obra de Anu, un objeto único y sagrado, ha sido profanado por mi hermanastro, el rey… ¡Tenemos que despertar la cólera de los dioses!

—¡Es la voluntad de los dioses! –dijo el jefe de los sacerdotes guardianes–. ¿Desea vestirse el santo padre y venir conmigo al lugar?

—Sí, claro… ¡Ese sitio debe ser consagrado como un lugar donde el cielo tocó la Tierra! –dijo Enkullab–. Pero cuéntame de nuevo lo de la caída del objeto. ¿Al principio parecía que venía al Recinto Sagrado y luego se fue hacia el palacio?

—Sí, santo padre.

—Y el sitio en el que cayó, ¿dónde está exactamente?

—Al norte del palacio.

—Y, cuando el rey se fue, ¿los soldados se fueron con él?

—No, un pelotón permaneció allí.

—¡Entonces, no perdamos más el tiempo! –dijo el sumo sacerdo-te–. ¡Toma tantos sacerdotes como necesites, y un carro, y traeros el augurio al Recinto Sagrado lo antes posible!

—¿No sea que los hombres del rey hagan lo mismo?

—Lo has entendido. ¡Ahora, ve, de prisa! En cuanto me vista, te sigo.

—¿Y si los soldados se niegan a que nos lo llevemos?

—Invoca la cólera de los dioses…, tú eres un sacerdote, ¿no?

* * *

La inminencia del amanecer había llenado las calles de la zona del puerto de todo tipo de golfillos, que competían entre sí por conseguir los mejores sitios para cuando comenzaran a llegar los mercaderes con sus asnos cargados. Algunos de aquellos pilluelos intentaron abordar a su paso a Enkidu y al rey, centrando su atención principal-mente en Enkidu, cuya baja estatura solía llevar a engaño; pero no tardaron en desistir de sus intenciones al salir despedidos, tambaleán-dose, tras recibir un tortazo o un puntapié del fornido amigo del rey. Los camaradas aceleraron el paso, pues sabían bien que el cercano amanecer podría traer consigo las brisas necesarias para que los ma-rinos izaran sus velas, siendo además aquél el primer día en que se les permitiría zarpar, tras las celebraciones del Año Nuevo.

Llegaron al puerto por su extremo norte, que llevaba al canal del Éufrates, comenzaron de inmediato a preguntar por el paradero del barco de Adadel, y fueron dirigidos finalmente hasta una gran embarcación de carga, provista con varias hileras de remos y un alto mástil. La actividad era frenética en el muelle en el que se hallaba amarrado el barco, y todos a bordo parecían estar plenamente des-piertos y activos.

Los dos compañeros examinaron la situación.

—Podemos ofrecerle dinero al patrón del barco para que nos oculte bajo cubierta, entre las mercancías –dijo Gilgamesh.

—La ocultación invita a la traición –respondió Enkidu–. Mejor será que nos ofrezcamos como marineros.

—No parece que necesiten de más manos –objetó Gilgamesh–, y están listos para soltar amarras.

Con unas cuantas zancadas, sorprendentemente largas para su estatura, Enkidu se introdujo en lo más activo del muelle y abordó a uno de los hombres que estaba subiendo mercancías al barco; instantes después, el hombre se derrumbaba en el suelo, y Enkidu lo sacaba de escena a rastras. No mucho más tarde, otro hombre, que estaba soltando las amarras que ligaban al barco al muelle, desapareció también discretamente tras un fugaz encuentro con el amigo del rey. Enkidu hizo una señal a Gilgamesh, que fue hasta él apresuradamente para, una vez juntos, subir a bordo del barco y preguntar por Adadel.

El patrón era un hombre de mediana edad, de barba apuntada al estilo de los occidentales, que cubría su cabeza con una tela a modo de pañuelo y su cuerpo con unas ajadas pieles de oveja.

—No necesito más hombres –dijo Adadel–. Bajad de mi barco, pues estamos a punto de zarpar.

—Sí que necesitáis más hombres –dijo Enkidu–, pues dos de los vuestros han desaparecido.

Adadel miró a Enkidu desconcertado, inspeccionando a continuación el muelle y comprobando que, efectivamente, faltaban dos hombres de su tripulación. Les llamó a gritos por sus nombres, pero no obtuvo respuesta. Luego, miró detenidamente a Enkidu y a Gilgamesh en su desaliñada apariencia, valorando la corta estatura de aquél y preguntándose qué habría podido ocurrir con sus dos hombres.

—¿Duda de nuestras habilidades? –preguntó Enkidu.

Y sin mediar palabra se dirigió a la borda, y de un tirón soltó una de las maromas que sujetaban el barco al muelle.

—Ya veo –dijo Adadel–. Pero, ¿qué hay de tu compañero?

Gilgamesh no abrió la boca. Se fue a la borda también y, empujando fuertemente con la pierna, separó el barco del muelle.

Adadel les observó gravemente durante algunos segundos.

—La paga es de dos siclos, cuando lleguemos a la ciudad de Mari –dijo al fin–. El contramaestre os asignará vuestros trabajos.

—¿Y las raciones diarias? –preguntó Enkidu.

—Sí, también os asignará las raciones diarias –respondió Adadel.

Una vez libre de sus amarraderos, el barco empezó a separarse del muelle. Pero en aquel momento llegó hasta ellos un rumor de alboroto y conmoción procedente de las calles que, desde la zona del puerto, ascendían hasta el Recinto Sagrado. Gilgamesh miró a Enkidu en silencio, con un gesto de preocupación.

—Dado que ya hemos sido contratados, hagámosle ver al patrón que bien valemos los siclos que va a pagarnos –dijo Enkidu, mientras agarraba un remo e impulsaba el barco a través del laberinto de embarcaciones atracadas y fondeadas.

Gilgamesh, por su parte, tomó otro remo e hizo lo mismo desde la borda opuesta y, al cabo de unos segundos, el barco se hallaba en el centro del ancho canal del puerto.

—¡Empuñad los remos! –gritó el contramaestre.

Y los hombres se apresuraron a tomar sus posiciones en las bancadas de los remos. Dando órdenes a los remeros, y con la ayuda de Enkidu y de Gilgamesh en ambos lados del barco, Adadel dirigió con destreza su embarcación por entre el confuso tráfico del canal, pues daba la impresión de que todos habían decidido zarpar al mismo tiempo. Los capitanes intercambiaban gritos y maldiciones entre sí, levantando los puños iracundos; pero aquello no era más que parte de la rutina diaria y, salvo accidente o grave contratiempo, nadie se tomaba demasiado en serio los insultos ni los aspavientos.

Lentamente, el barco abandonó la zona del puerto y entró en el canal del Éufrates, el curso artificial de agua que conectaba el puerto de Erek con el gran río y, a través de él, con otras vías fluviales y con el resto del mundo conocido más allá de los ríos. La muralla oriental de la ciudad se extendía ahora a su derecha, en tanto que sus distintos barrios se iban desplegando sucesivamente a la izquierda de la embarcación; y, aunque la mayor parte del tráfico se dirigía hacia el exterior, también había embarcaciones y balsas que se encaminaban hacia el puerto, situación que Enkidu no desaprovechó para hacer una exhibición de habilidad y fuerza, apartando con su largo remo a cualquier otra embarcación que corriera el riesgo de colisionar con ellos. Se estaban aproximando a las esclusas que guardaban la entrada del canal, donde venían a confluir las murallas de la ciudad y donde había apostada una guarnición permanente, tratándose de un punto de vital importancia militar. Rápidamente, Gilgamesh abandonó su puesto en la borda y se sentó entre los remeros, intentando pasar desapercibido.

Pero su rápido movimiento no pasó inadvertido para Adadel, que captó también las miradas furtivas de Enkidu entre el puesto de guardia y Gilgamesh.

—¿Adónde vais? –gritó el capitán de la guarnición al barco.

—A Mari –respondió Adadel.

—Que los dioses os acompañen –respondió el capitán saludándolos con la mano.

Pasaron bajo el arco de la muralla, flanqueado por dos torres de vigilancia, y de pronto el canal se ensanchó. Se hallaban por fin en campo abierto.

—Hemos salido de la ciudad sanos y salvos –le dijo Enkidu a Gilgamesh en voz baja, mientras se sentaba detrás de él.

El sol se había levantado ya sobre el horizonte para cuando llegaron al amplio y majestuoso río, a lo largo del cual soplaba una agradable brisa otoñal. Adadel dio órdenes para que se izara la vela en el mástil, y el barco no tardó mucho en surcar suavemente el río corriente arriba, hacia el norte, impulsado tanto por la rítmica boga de la tripulación como por el viento.

Gilgamesh se volvió hacia Enkidu.

—La cólera de Ishtar viene tras de mí –le dijo en un susurro–. ¡He iniciado el camino hacia la Vida Eterna!

—El viaje no ha hecho más que empezar, y los verdaderos peligros aún no se nos han presentado –respondió entre murmullos Enkidu.

Pero, desde la cubierta superior a la cubierta de la tripulación, Adadel los observaba.

—Estos dos no son dos marineros normales –le dijo en voz baja a su contramaestre–. Convendrá que averigüemos algo más de ellos esta noche…

7

Aunque lo intentó, Ninsun ya no pudo conciliar el sueño tras la partida de Gilgamesh; de modo que, finalmente, se sentó en su sillón y se puso a evaluar la situación. No tenía la menor duda de que, una vez se descubriera la desaparición del rey y llegara a Ishtar la noticia de la misiva celeste, se iba a levantar un gran revuelo. ¿Y qué haría Ishtar cuando desatara su cólera? ¿Qué haría Enkullab?

Ninsun subió a la terraza de la casa, como solía hacer cuando se sentía abrumada por las preocupaciones. Al noroeste, podía ver el promontorio truncado que formaba la inmensa plataforma sobre la que se asentaba el Recinto Sagrado, con el zigurat del Eanna elevándose por encima de la imponente muralla que rodeaba el recinto. Mirando hacia el este, Ninsun contempló también el promontorio, más pequeño, sobre el que se elevaba el palacio del rey. «Sí –pensó–, hubo un tiempo feliz en que el templo y el palacio eran una sola cosa, cuando los anunnaki, aunque más elevados que los terrestres, eran menos autoritarios con ellos».

En la lejanía, más allá del palacio y de lo que podía alcanzar la vista, se hallaba Shuruppak, el hogar de su madre. Casi sin darse cuenta, por mero hábito, Ninsun se llevó la mano a la garganta para frotar la Piedra Susurrante, para que su madre pudiera escuchar sus palabras; pero, al tocarse la piel desnuda, recordó que le había dado la piedra a su hijo. A pesar de todo, volvió su rostro hacia Shuruppak y dio voz a sus pensamientos.

—Oh, madre, ¿he aconsejado bien a Gilgamesh? ¿Habrá podido salir de Erek? ¿Cuándo? ¿Cómo? ¿Y cómo haré para enfrentarme a la cólera de Ishtar?

Ninsun no pudo escuchar respuesta alguna. La luna, que había iluminado con sus plateados rayos sus dependencias durante la noche, se había puesto ya por el oeste. La oscuridad lo dominaba todo, esa oscuridad que se cierne sobre el mundo entre el final de la noche y la llegada de la aurora, un mal momento para todos aquellos que están obligados a velar. Una brisa fría y desagradable la hizo retraerse y, poco después, abandonó la terraza y llamó a su sirvienta.

—Despierta a los asistentes, pues deseo lavarme y vestirme, y quiero irme antes de que salga el sol –dijo–. Vuelvo al Recinto Sagrado.

—Sí, gran dama –dijo la sirvienta–. ¿Debo avisar a los aurigas o a los porteadores de la litera?

—No, no se lo digas a nadie –respondió Ninsun–. Guarda la máxima discreción. Iré a lomos del asno. Pero ve a palacio y dile al chambelán que venga a verme.

Estaba a punto de amanecer cuando Ninsun salió de la casa de Resucitación a través de la puerta secreta, con un asistente llevando de las bridas al asno y otros dos asistentes de ágil paso tras ella. Les dio instrucciones para que entraran en el Recinto Sagrado a través de la puerta lateral del Gipar.

—No creo que Ishtar se haya pasado la noche allí en esta ocasión –dijo con un punto de sarcasmo en la voz.

Los sacerdotes guardianes, aunque sorprendidos, la reconocieron y la dejaron entrar, mientras ella despedía a los asistentes y se encaminaba rápidamente hacia el Irigal, el gran templo en el que se encontraban las residencias divinas. En el gran patio frontal del templo había una considerable conmoción, pues los sacerdotes asistentes estaban preparando la partida de los dioses no residentes. Los carros iban llegando y se iban disponiendo para la procesión, mientras se iban enjaezando los asnos, criados específicamente para ese cometido. Gritos y rebuznos sonaban por doquier; y, en medio de toda aquella conmoción, la llegada de Ninsun, a pie, pasó casi inadvertida. Rápidamente, entró en el Irigal y se dirigió a sus dependencias.

Poco después, los dioses visitantes, portando cada uno de ellos sus colores distintivos y sus tocados cónicos con cuernos, comenzaron a abandonar el templo y a subir a los carros que se les habían asignado. Todos los dioses eran jóvenes, pertenecientes a la tercera y la cuarta generación de los Dioses Antiguos, aquellos que habían venido desde Nibiru, y su buen humor dejaba patente el ansia que sentían por abandonar los confines reglamentados y ceremoniosos del Recinto Sagrado para volver a sus moradas en las pequeñas poblaciones rurales, donde podían moverse a su antojo.

Pero el buen humor de los jóvenes dioses se desvaneció de repente, cuando un gran alboroto recorrió el patio.

—¡La gran dama Ishtar viene hacia aquí! –se escuchaba entre el griterío.

Anunciándose así su llegada, Ishtar, señora de Erek, entró en el patio sobre su propio carro de oro con incrustaciones. Iba de pie, sujetando las riendas de los dos fieros leones que tiraban del carro, ataviada con su atuendo de caza –las pieles de dos leopardos– y armada con un arco largo y un carcaj de flechas sujetos al hombro. Un grupo de sacerdotes asistentes iban a paso ligero por delante de la biga, en tanto que otro grupo corría detrás de ella.

—¡La gran dama encabezará la procesión, para acompañar hasta las puertas de la ciudad a los dioses que hoy parten! –anunció el sacerdote principal de su séquito.

—Dispondré las carrozas para ello –respondió el jefe de los carros.

Y, luego, volviéndose hacia uno de sus ayudantes, murmuró:

—Me compadezco de la gente de la ciudad… Ishtar va vestida de caza… Bajará el promontorio como una exhalación, arrasando las calles de Erek a su paso, sembrando el pánico y causando estragos… Y luego se adentrará como un rayo en la estepa para cazar gacelas o, con suerte, animales feroces.

Las carrozas se habían alineado ya y la procesión de los dioses comenzaba a moverse cuando llegó hasta ellos un rumor desde la puerta principal del recinto. En una extraña procesión, vieron entrar un carro tirado por dos toros, seguidos por el sumo sacerdote y su séquito. Llegaron hasta el centro del patio y se detuvieron. Sobre el carro se podía ver un gran objeto cilíndrico de color negro.

—¿De qué va todo esto? –exigió saber Ishtar.

El sumo sacerdote se adelantó.

—Gran dama, reina del cielo, reina de la Tierra –dijo, inclinándose ante ella–, nos ha llegado una señal de los cielos.

—¡Habla! ¡Rápido! –le ordenó Ishtar–. ¿Qué es lo que llevas en el carro?

—Gran dama, grandes dioses –dijo Enkullab–, es la obra de Anu, y vino del cielo a la Tierra. ¡Es una señal celestial, digna de vuestro poder!

Enkullab se postró ante la diosa, en tanto que el resto de los sacerdotes caían sobre sus rodillas. Ishtar bajó de su carro, entregándoles las riendas a dos de sus asistentes e indicándoles con un gesto que se la llevaran, y después se acercó al carro de los toros para echar un vistazo al extraño objeto. Le dio la vuelta para contemplarlo desde todos los ángulos, y luego lo tocó. La parte superior del ingenio, que se había separado del cuerpo principal, estaba también en el carro. Ishtar vio la abertura en la sección cilíndrica y metió la mano, pero no encontró nada en su interior.

—Cuéntamelo todo –le dijo a Enkullab.

El sumo sacerdote se puso en pie y le contó a Ishtar cuanto sabía, hablando en voz alta para que el resto de los dioses, y todos los congregados en el gran patio, pudieran escucharle también. Dijo que los sacerdotes apostados en las murallas habían visto estrellas fugaces cruzando los cielos; y que, de pronto, una de ellas comenzó a aumentar de tamaño, dando la impresión de que se iba a precipitar sobre el Recinto Sagrado; si bien, finalmente, pasó de largo y cayó en la zona norte de la ciudad. Enkullab contó que un grupo de sacerdotes se había desplazado rápidamente hasta el lugar, y que habían encontrado allí al rey, explorando el objeto. Dijo que los sacerdotes habían asumido el mando, ordenándole al rey que se apartara; y que, tras ser informado en mitad de la noche del milagroso suceso, él mismo había ordenado que extrajeran el objeto celestial del lecho del canal y que fuera llevado hasta el Recinto Sagrado en un carro tirado por toros, para presentarlo ante Ishtar, la reina del cielo y de la Tierra.

—Es un augurio, el cumplimiento del oráculo –concluyó Enkullab–. ¡Se avecinan grandes acontecimientos! ¡El mal será sojuzgado, y la justicia prevalecerá por la palabra de Anu!

—El augurio es para los dioses, no para los mortales –replicó Ishtar–. Si lleva un mensaje, sólo atañe a los dioses comprenderlo. Pero, dime, ¿dónde está el rey?

Enkullab explicó que los sacerdotes que habían estado en el lugar de los acontecimientos admitieron que, absortos en la contemplación del objeto, habían perdido de vista al rey, y que no sabían su paradero.

—Habrá vuelto al palacio –sugirió Enkullab.

—¡Llevad la obra de Anu a mi templo y convocad al rey! –ordenó Ishtar.

Medio oculta, Ninsun estaba observando y escuchando todo lo que acontecía desde una ventana del gran templo, el Irigal. Pero, tras escuchar las órdenes de Ishtar, se llevó las manos a la boca para sofocar un grito, pues en aquel preciso instante vio a Niglugal entrando en el patio a través de la puerta principal. Evidentemente, Niglugal no esperaba encontrarse con aquello y, cuando se percató de lo que estaba sucediendo, se detuvo en seco y comenzó a desandar sus pasos. Pero Enkullab ya le había visto.

—¡Ah, el chambelán del rey ha venido a reunirse con nosotros! –dijo el sumo sacerdote levantando la voz–. Las órdenes de Ishtar deben de haberse escuchado en el palacio.

Niglugal cayó sobre sus rodillas y se postró en el suelo.

—Gran dama, divinos dioses –dijo–, me postro humildemente ante vosotros. Soy Niglugal, vuestro siervo.

—¿Qué se trae el rey entre manos para que hayáis venido al Recinto Sagrado? –preguntó Enkullab.

Niglugal permaneció postrado.

—¡Levántate y habla! –ordenó Ishtar.

—He venido a hablar con la gran dama Ninsun –dijo mientras se ponía de pie.

—¿Te ha convocado? ¿Con qué propósito?

—Tiene que ver con el rey… –comenzó a decir Niglugal.

Pero se detuvo de pronto y miró a su alrededor con evidente incomodidad.

—El rey ha abandonado el palacio en mitad de la noche, y no ha regresado –dijo al fin.

—Los sacerdotes han visto al rey en el lugar donde cayó la obra de Anu –dijo Ishtar, señalando con su látigo el objeto del carro.

Niglugal miró hacia donde ella apuntaba y cayó de nuevo sobre sus rodillas.

—Bendito sea Anu –dijo–. Seamos benditos todos por este augurio.

—¡Es una señal del cielo! –gritó Enkullab–. ¡El destino del rey está sellado!

—¡Contén tu lengua! –le replicó Ishtar enfurecida–. Deja que escuche al chambelán… Bien, háblanos del rey.

—Los soldados que fueron al lugar donde cayó la estrella vieron al rey allí –dijo Niglugal–, pero nadie le ha visto después de eso. Los guardias del palacio estaban a punto de iniciar una búsqueda por la ciudad cuando recibí el mensaje de la gran dama Ninsun para que viniera aquí de inmediato…

—¿Habéis oído eso? –gritó Ishtar dirigiéndose a los dioses congregados–. ¡El rey ha desaparecido, y Ninsun está al corriente de ello! ¡La madre conspira con el hijo!

—Me temo lo peor, oh, reina del cielo –dijo Niglugal–. Dejad que mis soldados busquen al rey por toda la ciudad…

—¡Lo peor está por venir… si no aparece tu rey! –le espetó Ishtar– ¡Id, buscad por toda la ciudad, en cada rincón, y traedme a Gilgamesh antes de que caiga la noche, vivo o muerto!

—Sois misericordiosa, gran dama –dijo Niglugal poniéndose en pie.

Se inclinó ante el resto de los dioses, dio un paso atrás y partió rápidamente, seguido por sus guardias.

—¡El oráculo está resultando cierto! ¡A Gilgamesh no se le concedió un nuevo año! –dijo el sumo sacerdote.

Y, avanzando un paso, se arrodilló delante de Ishtar.

—¡Oh, Señora de Erek, proclama el fin del reinado de Gilgamesh en el día de hoy! –Y añadió, señalando a los perplejos dioses–: ¡Los testigos divinos están todos aquí!

Ishtar observó a los dioses congregados.

—No veo a Ninsun. Sin ella, no hay doce testigos…

—Poned fin al reinado del pecador –le rogó Enkullab–. ¡Es el deseo del gran Anu!

Se escucharon murmullos de aprobación entre los dioses, pero ninguno se pronunció en voz alta.

—¡Bien, escuchad esto! –dijo Ishtar levantando la voz para que todos, dioses y sacerdotes por igual, pudieran escucharla–. Esperaremos hasta que llegue la noche. Si no se encuentra al rey o se le encuentra muerto, con la bendición del señor Enlil, el señor de la realeza, ¡un nuevo rey ascenderá al trono de Erek!

—¿Y quién será el nuevo rey? –preguntó Enkullab con un fingido tono de humildad en su voz.

—Que los dioses que nos acompañan permanezcan en sus dependencias –dijo Ishtar dirigiéndose a los dioses–. Si tengo que coronar a un nuevo rey, quiero discutir mi decisión con vosotros.

Y luego, dirigiéndose a Enkullab, añadió:

—Convoca a Ninsun en mi templo. Quiero saber qué está tramando su hijo.

—De tal palo, tal astilla –dijo Enkullab–. La encontraré y os la traeré.

Tanto dioses como sacerdotes, los últimos postrados en el suelo, esperaron a que Ishtar abandonara el patio antes de dispersarse. Pero Ishtar aún no había dado ni cien pasos cuando una voz resonó en todo el recinto.

—¡El rey está vivo! ¡Los augurios son bendiciones! ¡Gilgamesh es el rey!

Todos en el patio se sobresaltaron con aquellas palabras, tan repentinas que, por un momento, nadie supo de dónde venían. Pero no tardaron en darse cuenta de que procedían del montículo sagrado de Anu. Cuando levantaron la vista hacia el templo Blanco, pudieron ver con claridad la silueta de una diosa, reconocible por el tocado con cuernos que portaba. Se hallaba de pie, desafiante, sobre el podio.

A Ishtar no le costó mucho reconocerla.

—¡Gran Anu! –exclamó–. ¡Es Ninsun! ¡Cómo se atreve a ascender al montículo sagrado cuando no se están celebrando ritos, cuando no ha sido convocado el gran Anu!

Ishtar tomó su arco y sacó una flecha del carcaj; y, encolerizada, retrocedió hasta un punto desde el cual pudiera tener una visión clara del templo Blanco. Puso la flecha en el arco y apuntó a la silueta.

—¡No! –gritó uno de los dioses acercándose a ella–. ¡Si la matas, te enterrarán viva, al igual que hicieron con Marduk!

Ishtar vaciló durante unos instantes, y luego bajó el arco y disparó hacia el suelo. La flecha impactó con un sonido seco, incrustándose hasta la mitad de su longitud en la tierra.

—Existen otros medios para tratar con el sacrilegio –dijo Ishtar colgándose de nuevo el arco al hombro–. ¡Y ahora marchaos…, marchaos tal y como se os ha ordenado! –gritó a todos en el patio.

Pero el sumo sacerdote no se movió.

—Sacrilegio… pero también traición –dijo sin levantar la cabeza.

—¿Traición? –repitió Ishtar–. Sí, he estado ciega. ¡Esta hija de Ninharsag, a quien yo reemplacé en el Círculo Celestial, ha estado urdiendo un complot para reemplazarme a mí como diosa de Erek! Por Anu que tienes razón, Enkullab.

—Ella y su hijo, mi hermanastro… –añadió Enkullab.

—¡A fe mía, Enkullab –dijo Ishtar en voz alta–, que si un rey ha de ser elegido, ése serás tú!

Y, antes de que el sumo sacerdote pudiera darle las gracias, Ishtar partió apresuradamente hacia el Eanna. A duras penas pudieron seguirla los sacerdotes y las sacerdotisas asistentes, mientras la diosa ascendía la escalinata del zigurat. Al llegar a la segunda plataforma, empujó un ladrillo y una sección del muro giró sobre sus goznes, dejando al descubierto una gran abertura.

—¡Sacad mi nave celeste! ¡De prisa! –ordenó.

Los sacerdotes que se hallaban de servicio se apresuraron a sacar del interior del zigurat una plataforma de madera, sobre la cual descansaba un ingenio de forma esférica sustentado sobre tres patas extensibles. Una sacerdotisa le trajo a Ishtar su casco de piloto, y la diosa se lo puso y se lo ajustó con rapidez y destreza. Luego, tirando de una pequeña palanca en una de las patas, se abrió una puerta en la superficie de la esfera, de la cual descendió silenciosamente una escalerilla. Ishtar subió con cautela por los peldaños y entró en el ingenio; e, instantes después, la escalerilla desaparecía como si fuera engullida por la esfera. La puerta se cerró sin dejar ni el más mínimo rastro de la abertura, como una herida que hubiera sido curada por los sanadores, que no dejaba cicatriz.

Casi de inmediato se escuchó un zumbido, al tiempo que se iluminaba una protuberancia en forma de bulbo en la base de la esfera. Aparecieron de pronto unas líneas brillantes blanquecinas circundando la esfera en dos hileras, aumentando por momentos la intensidad de su resplandor hasta emitir una luz rojiza la hilera superior y azulada la inferior. Dos ojos de buey, como dos grandes ojos, se abrieron en la mitad superior de la esfera y, mientras los sacerdotes se alejaban precipitadamente, la nave celeste de Ishtar se elevó de la plataforma. Se cernió en el aire durante unos segundos, mientras las patas retráctiles se plegaban y desaparecían en la base del ingenio, y acto seguido se elevó en el cielo y se alejó.

* * *

En cuanto Ishtar abandonó el patio, al sumo sacerdote le faltó tiempo para dar cuenta a los sacerdotes más cercanos de las palabras de la diosa, prometiéndole que ocuparía el trono de Gilgamesh. La noticia se difundió por todo el Recinto Sagrado como un incendio entre la maleza seca del verano, primero entre susurros, y luego en voz alta para, finalmente, divulgarse a gritos entre los sacerdotes de las murallas. Al cabo de unos minutos, en todo el recinto se escucharan voces proclamando, «¡Enkullab va a ser coronado rey!».

Los gritos llegaron hasta los oídos de Ninsun en su elevada atalaya. Primero, la ominosa noticia le llegó desde una dirección, y luego desde otra, «¡Enkullab va a ser coronado rey! ¡Enkullab va a ser coronado rey!».

Ninsun observó con atención el Recinto Sagrado. Ya no veía a Ishtar, y tampoco pudo distinguir a ninguno de los otros dioses. Sólo veía a sacerdotes, ataviados con sus distintos ropajes, pululando y escabulléndose por aquí y por allí como repugnantes roedores, preparándose para devorarla en cuanto diera la orden su perverso jefe.

Miró a su alrededor, y el templo le pareció aún más imponente que el día anterior, durante la ceremonia. El templo Blanco, silencioso y vacío ahora, sin aquellos sacerdotes ataviados para infundir temor, se le antojaba majestuoso en su inmaculada serenidad. El viento silbaba en su cautiverio a través de las múltiples aberturas de los templos y, cerrando los ojos, a Ninsun le pareció escuchar una melodía divina, como los silbidos que emitían las Tablillas de los Destinos cuando los discos se comunicaban entre sí.

Nadie osaba entrar en el templo Blanco, a menos que un ritual o una celebración lo exigiesen. Pero ahora, completamente sola en aquel terreno sagrado en el que su abuelo, el señor Anu, le había dado su bendición a la Tierra y a sus gentes, Ninsun tuvo la sensación de haber sido invitada…

Entró en el templo por la puerta que se abría tras el árbol sagrado, asombrándose por los extraños diseños que los rayos del sol, atravesando las lucernas del techo, dibujaban en el suelo y en los muros. Tras atravesar las dos cámaras exteriores, llegó al amplio y alargado salón delantero, en cuyo extremo occidental se elevaba el asiento de Anu, una estructura de piedra parecida a un trono. Ninsun se dirigió hacia él y, al llegar, se arrodilló y se postró tres veces, tocando después la piedra del asiento con la mano al levantarse. La idea de que, mil años terrestres atrás, el gran señor Anu había estado sentado sobre aquel imponente trono le hizo sentir que un tenue calor emanaba de él, algo así como una radiación interior.

El trono dividía el salón en dos secciones; una delantera, que ocupaba dos tercios de la longitud total del salón, y una posterior, que ocupaba el tercio restante. La sección posterior formaba un cuadrado perfecto, flanqueado por cámaras y celdas, en tanto que un vano en el muro más alejado llevaba a las escaleras que daban acceso al tejado del templo, a un lugar específicamente preparado para la observación del cielo nocturno y las estrellas. A su derecha, Ninsun vio el Velo Sagrado, hecho de un material muy singular, que colgaba desde el techo hasta el suelo, cubriendo el vano que daba acceso al sanctasanctórum. Ésta era una cámara sin techo, que hubiera quedado expuesta a la intemperie de no ser por la cubierta de pieles de carnero a modo de toldo que se extendían sobre unas largas vigas de madera.

Sólo al sumo sacerdote se le permitía, una vez al año, entrar en el sanctasanctórum. Allí, según la tradición, el único objeto que se guardaba era un arca de madera chapada en oro, que había sido colocada allí durante la visita de Anu a la Tierra. Le llamaban el Parlante Divino, y era el origen del enigmático oráculo que escuchaba el sumo sacerdote durante el día de la Determinación de los Destinos. Éste era el lugar del que sólo el sumo sacerdote podía salir vivo, pues sólo él podía llevar el pectoral con las piedras celestiales que le daban protección. Y, ahora, Ninsun estaba allí, ante la entrada del sanctasanctórum, separada del Parlante Divino por un misterioso velo. ¿Qué podía hacer? –se preguntó–. ¿Debía quebrar la prohibición sagrada y entrar para suplicarle al Señor de Señores, y enfrentarse después a las consecuencias de aquella profanación, o tendría que asumir lo que sin duda le iba a suceder a su hijo si no daba aquel paso?

Haciendo acopio de todo su coraje, Ninsun apartó el velo con mano temblorosa. La oscuridad era absoluta en el interior. Dio un paso, y luego otro, dentro ya del santuario interior; y percibió un resplandor a cierta altura que, aunque débil, le permitía ver el arca sagrada, posada sobre una litera que había olvidado ya las manos de sus antiguos porteadores.

Ninsun cayó sobre sus rodillas y se postró tres veces, y luego se aproximó al arca. Dos extensiones curvas surgían de sus lados a modo de cuernos con alas, que se curvaban por encima del arca casi hasta tocarse. El resplandor que había en la cámara surgía del espacio que había entre las puntas de las alas. Ninsun se arrodilló frente al arca, a la espera de que sucediera algo, bien que surgiera un rayo que la aniquilara o bien que escuchara la voz de Anu; pero el silencio era absoluto. Se cubrió el rostro con las manos, y sus sentimientos comenzaron a brotar. ¡Había entrado en el sanctasanctórum, y seguía con vida! Y sintió que, sólo eso, era ya una señal de que su oración había sido aceptada.

Extendió las manos y, con una voz firme, pronunció su oración:

¡Gran Anu, señor del cielo y de todo cuanto existe en la Tierra,
escucha la oración de tu descendiente,
una madre angustiada!
Es por mi hijo por quien te imploro,
por el rey, el valiente Gilgamesh,
dos tercios de él divinos.
¡Oh, Anu, gran señor, dueño de todo!
¿Por qué, habiéndome concedido a Gilgamesh como hijo,
por qué le diste un corazón tan inquieto?
Buscando la Vida, un largo viaje ha emprendido,
hacia Utu, señor de las Águilas, ha puesto su rumbo;
¡para recorrer un sendero incierto, para buscar el elevado pórtico!
¡Cuida de él en este viaje, oh, antepasado mío;
aparta el mal de su camino, Señor de Señores;
concédele la Vida y que regrese sano y salvo!

Al terminar su oración, Ninsun se sumió en un profundo silencio, tan insondable como el silencio que lo inundaba todo a su alrededor. ¿Habría sido escuchada su oración, trasmitida a través de las miríadas de leguas que la separaban de la morada celestial de Anu? ¿Aceptaría él sus súplicas? ¿Respondería a su llamada?

Siguió arrodillada durante un tiempo, abrumada por la emoción, con los ojos arrasados en lágrimas. Luego, se levantó y se enjugó las lágrimas con el dobladillo de su vestidura, y retrocedió de espaldas haciendo repetidas reverencias. Y, cuando atravesó de nuevo el velo, el resplandor sobre el arca se desvaneció. ¡Le había hablado a Anu y no había sido aniquilada!

Plena de coraje, Ninsun se sentía dispuesta ahora para enfrentarse a la cólera de Ishtar. Regresó a la sección más amplia del templo y se sentó en el trono de Anu. ¡La suerte estaba echada! ¡Había desafiado al destino!

Pero acababa de sentarse cuando, en el exterior, Ishtar, con un descenso súbito, se disponía a aterrizar sobre la gran plataforma. Cerniéndose en el aire, emergieron del globo las patas extensibles, en tanto que la protuberancia bulbosa menguaba su rojizo resplandor. En cuanto la nave tocó el suelo, se abrió la puerta y la escalerilla se desplegó en silencio; y la diosa, con un ceñido atuendo y el casco de piloto cubriéndole la cabeza, descendió por los peldaños con rapidez, esgrimiendo en la mano algo parecido a un palo grueso y corto, la terrible Arma del Resplandor.

Ishtar no vio a nadie en el podio desde el cual Ninsun había lanzado sus provocadoras palabras. Miró a su alrededor en la plataforma, pero no encontró a Ninsun. ¿Habría huido del templo Blanco, se preguntó la temida Ishtar, al ver venir la nave celeste? La diosa se dirigió al extremo de la plataforma y miró hacia abajo, a la escalinata procesional. Había un grupo de sacerdotes a sus pies, e Ishtar les preguntó a voces si habían visto a Ninsun, pero éstos negaron con la cabeza.

Ishtar recordó entonces que el montículo tenía una estrecha escalera posterior, que se había hecho bastante antes de que la monumental escalinata fuera construida, y fue rápidamente hacia allí. Un solitario sacerdote, ignorante de lo que estaba sucediendo, subía las escaleras.

—¿Has visto a la dama Ninsun? –le gritó Ishtar.

Confuso ante el repentino encuentro con la gran diosa, el sacerdote no respondió, sino que dio media vuelta y echó a correr aterrorizado escaleras abajo.

Furiosa, Ishtar apuntó su arma sobre él. Hubo un brillante resplandor y, un instante después, el sacerdote se había vaporizado sin dejar rastro alguno.

«¿Habrá entrado Ninsun en el templo?», se preguntó Ishtar. Levantando su arma, la gran diosa se precipitó hacia la entrada del templo. Iba casi corriendo cuando atravesó el pórtico, pero se detuvo en seco una vez dentro, sobrecogida por la sobriedad del lugar, por el silencio, por la oscuridad que lo envolvía todo, aliviada sólo por los rayos de sol que se introducían por las lucernas.

Ninsun vio la silueta de Ishtar a contraluz, y vio también que portaba aquella ominosa arma en su mano derecha. Ishtar siguió avanzando cautelosamente, mirando aquí y allá, a su alrededor; avanzó lentamente hasta que llegó a un lugar iluminado por el sol de las lucernas. Fue entonces cuando Ninsun habló.

—¡Te estaba esperando, señora de Erek! –dijo con una profunda calma, reverberando sus palabras en las paredes del templo.

Ishtar se sobresaltó y, con un movimiento instintivo, levantó su arma. Sus ojos, que no se habían habituado aún a la tenue luz del interior del templo, no podían discernir la procedencia de las palabras. Pero entonces, de repente, tomó conciencia de que aquella voz era la de Ninsun, y que estaba justo enfrente de ella, sentada en el trono sagrado.

Tras unos instantes de estupefacción, Ishtar recobró la furia que la había traído hasta allí. Apuntó su arma sobre Ninsun y gritó:

—¡Has profanado el sagrado trono de Anu, y por ello tendrás que morir!

Ninsun se puso en pie.

—¡Estoy bajo la protección de Anu, nuestro gran padre! –anunció–. ¡Si me matas, te enterrarán viva!

—¡No, será a ti a quien cuelguen de una estaca, por tu traición! –replicó Ishtar– ¡Estoy al tanto de tus intrigas, hija de Ninharsag! ¡Lo que pretendes es arrebatarme mi posición como señora de Erek!

—Tu acusación es tan infundada como extraña –respondió Ninsun–. Pertenezco a los sanadores y, por tanto, no siento deseo alguno por gobernar una ciudad.

—¿De veras? ¿He olvidado lo que sucedió cuando los grandes dioses decidieron conceder la ciudad nueva a uno de los nietos de los dioses antiguos? Enki la reclamaba para su nieto Nabu, Enlil me eligió a mí, y tu madre, tan amante de la paz, tan astuta, dijo, «¡Para que haya paz entre las dos casas enfrentadas, que sea mi hija Ninsun!».

—Se tomó una decisión, y Erek se le concedió a la casa de Enlil –dijo Ninsun.

—¡Pero todavía hay quien la reclama para Nabu, el primogénito de Marduk!

—Marduk es anatema para todos los que pertenecemos a la casa de Enlil –replicó Ninsun.

—Sí, sí –dijo Ishtar sarcástica–. Pero, ¿acaso *eres tú,* hija de Ninharsag, de la casa de Enlil? ¿No fue el viejo zorro de Enki tu padre? ¡Los relatos de tu madre, siendo cortejada por los dos hermanos, son un secreto a voces!

—¡Eso son palabrerías, difundidas por lenguas perversas! –gritó Ninsun–. Buscando un heredero legal con su hermanastra, los dos hermanos compitieron por su amor… pero, por mucho que intentes distorsionar las cosas, ¡soy nieta del Señor de Señores, Anu!

—¡Pero Marduk también es su nieto…, tu hermanastro, si lo que se dice por ahí es cierto!

—No voy a traicionar el secreto de mi madre para complacerte –dijo Ninsun–, pero no puedes hacerme daño, ni a mí ni a mi hijo.

—Sí, tu ascendencia te protege de mi cólera –respondió Ishtar bajando el arma–, pero los Siete que Juzgan pueden dictaminar tu castigo…, ¡y te voy a acusar de traición!

—Tu acusación, lo repito, es infundada –replicó Ninsun bajando del podio del trono para dirigirse hacia Ishtar–. Mi madre no alberga en su corazón anhelo de venganza alguno contra ti; pues, al igual que el resto de los Dioses Antiguos, espera su turno para volver a casa. En cuanto a mí, mi vocación es sanar, y te reconozco como señora de Erek, gran dama.

Y, diciendo esto, se aproximó a Ishtar, inclinó la cabeza y extendió la mano para tocar el hombro de ésta, pero Ishtar retrocedió para evitar el contacto.

—Palabras tranquilizadoras las tuyas, pero no son más que palabras. Pues, si hay verdad en ellas, dime, ¿dónde está tu noble hijo y qué trama? –dijo la gran diosa que, esgrimiendo el arma amenazadoramente, añadió–: Que tenga cuidado porque, si es un trasgresor, ¡le daré muerte con mis propias manos!

—Cálmate –dijo Ninsun, mirando el Arma del Resplandor–. Mi hijo Gilgamesh, rey de Erek por tu gracia, no trama nada contra ti ni es un trasgresor. Ha partido en busca de la Vida Eterna, pues tú ignoraste sus súplicas, ¡e incluso le negaste la bendición debida!

—Es cierto –dijo Ishtar bajando el tono de su voz–. Mientras él suplicaba por la vida, yo sólo buscaba el gozo de la relación sexual. Pero yo también estoy buscando la vida, al punto de pedirle a Anu que me lleve al hogar antes del turno debido. La maldición de la Tierra ha caído sobre mí, y estoy envejeciendo más rápido que los demás...

Su voz se había ido apagando poco a poco, y el silencio se posó sobre ellas durante unos instantes.

—Yo comparto el mismo destino –dijo Ninsun suavemente–, por haber nacido también en este planeta.

—¡Pero naciste de padres venidos de Nibiru! –replicó Ishtar, iracunda de nuevo–. ¡Los míos son hijos de esta Tierra, y yo envejezco dos veces más rápido que tú, lejos de la longevidad de Nibiru!

—Tu hermano gemelo, Utu, comandante de las Águilas, ha declarado que permanecerá leal a la Tierra y a su gente, que a su bienestar consagrará su vida.

—¿Y qué tiene que ver mi hermano con los asuntos de Erek?

—Fue a Utu a quien insté a Gilgamesh que buscara, para pedirle su bendición.

—¿En su búsqueda de la Vida Eterna..., de la inmortalidad?

—Sí, para que Utu le dirigiera a la montaña de los Cedros, al Lugar de Aterrizaje. Ése es el viaje que ha emprendido Gilgamesh.

—¡Está loco! –gritó Ishtar–. Aquel lugar está custodiado por el terrible Huwawa, la máquina de cerco que Enlil instaló. ¡No hay mortal que pueda entrar en el bosque de los Cedros y salir con vida! ¡Enviaré un mensaje a Utu para que impida esa desgracia!

—¡No! –dijo Ninsun–. ¡La suerte está echada, no hay vuelta atrás con el destino!

—¡Has enviado a Gilgamesh a un viaje sin retorno! –dijo Ishtar–. ¡En vez de vida, encontrará la muerte!

Ninsun miró a Ishtar inquisitiva.

—Lo amas después de todo –afirmó en un susurro.

—¡No si ha conspirado contra mí!

Ninsun posó su mano sobre el hombro de Ishtar, que esta vez no rechazó el gesto.

—Gilgamesh se desposó contigo en el Matrimonio Sagrado –dijo Ninsun–. La investidura ha tenido lugar, y la realeza ha de seguir siendo suya un año más. Que nadie más ascienda a su trono en tanto el año no haya terminado, o en tanto no devuelvan su cuerpo sin vida a Erek.

Y, retirando la mano, inclinó la cabeza ante Ishtar.

—Así sea –dijo Ishtar–. Que Gilgamesh encuentre su destino… Ni le detendré ni le alentaré a ello. Pero, desde las alturas, desde mi nave celeste, seguiré su pista y observaré sus andanzas.

Las diosas estrecharon los brazos para sellar su pacto y, acto seguido, Ishtar dio media vuelta y se fue por donde había venido, dibujando su silueta contra la luz del sol en el exterior. Ninsun la siguió, a tiempo de verla despegar en su plateada nave celeste.

* * *

La jerarquía sacerdotal se había reunido en un ala del Gran Templo esperando el regreso del sumo sacerdote, que había sido convocado súbitamente para una audiencia con Ishtar.

Aquélla había sido una mañana jubilosa para todos ellos, debido a la llegada del augurio celestial, a la desaparición del rey y a la anunciada intención de Ishtar de nombrar a Enkullab como sucesor del rey, reunificando así el sacerdocio y la realeza. Pero ahora el ambiente era sombrío pues, tras el encuentro con Ninsun en el templo Blanco, Ishtar había informado a los dioses visitantes que no era necesario que se quedaran, para luego convocar al sumo sacerdote para una audiencia urgente.

Los once sacerdotes supremos, cada uno de los cuales dirigía una división del estamento sacerdotal responsable de determinados deberes en el Recinto Sagrado, seguían especulando acerca del significado de los últimos acontecimientos cuando el sumo sacerdote entró en la sala de la asamblea. La expresión de su rostro indicaba que algo no había ido bien. Tomó asiento en la cabecera de la mesa y miró gravemente durante unos segundos a los sacerdotes reunidos.

—La diosa ha cambiado de opinión –dijo al fin–. Gilgamesh seguirá ostentando la realeza durante todo este año… a menos que se le encuentre muerto antes.

Un silencio de estupefacción siguió a sus palabras, que se desvaneció finalmente con un murmullo de comentarios furiosos. Pero Enkullab levantó la mano para exigir silencio.

—De uno en uno —les dijo—. Y, por favor, ateneos al problema.

—¿Dónde *está* Gilgamesh? —preguntó uno de los sacerdotes.

—De eso no he sido informado —respondió Enkullab—. Lo único que se me ha dicho es que Ishtar ha dado su palabra a la dama Ninsun de que considerará a Gilgamesh rey durante todo un año a menos que se confirme su muerte.

—Da la impresión de que ni siquiera las diosas saben dónde se encuentra —dijo otro sacerdote.

—Sea como sea, es de lo más humillante —dijo Enkullab—. Se me ha hecho creer que iba a ser coronado rey mañana; de hecho, a los dioses se les dijo que permanecieran en el Recinto Sagrado. Incluso mandé un mensaje urgente a los Ancianos, para que estuvieran preparados… ¡y ahora me encuentro con las manos vacías, como un estúpido, deshonrado!

—Todos hemos sido deshonrados —dijo uno de ellos.

—Estamos hablando como adolescentes cuyos galanteos hubieran sido desdeñados, en vez de concentrarnos en el problema —dijo otro—. Lo que tenemos que saber es qué le ha ocurrido a Gilgamesh. ¿Ha dicho Niglugal la verdad? Quizás el rey esté oculto en el palacio, enfermo o trastornado por haber manipulado la obra de Anu.

—Maestros míos, yo sé algo que os puede disipar algunas dudas —dijo un joven sacerdote que acababa de entrar.

Todos se le quedaron mirando.

—Habla —dijo Enkullab.

—Soy Meshga, uno de los sacerdotes que realizan los ritos de penitencia. Hace un rato, en el patio de los altares, vino a mí una joven buscando el perdón, puesto que sólo podía ofrecer una paloma como sacrificio, cuando se le requería una oveja para expiar un grave pecado. Y cuando le pregunté cuán grande era su pecado, masculló algo sobre haber jurado, contra su voluntad, guardar un perverso secreto relacionado con el rey.

—Sigue —dijo el sumo sacerdote.

—Le dije que no habría perdón posible, a menos que me contara toda la verdad sobre aquel asunto, de modo que me confesó que era una de las chicas alegres del burdel que Enkidu, el camarada del rey, y a veces el mismo rey, suelen frecuentar. Y me dijo que, anoche, mientras dormía con Enkidu, apareció el rey y, despertándole, le contó algo en secreto; y que luego ambos se cambiaron de ropa, poniéndose unas prendas andrajosas, e hicieron acopio de provisiones. Siguiendo las indicaciones de su ama, Enkidu y el rey partieron en busca del barco de un mercader llamado Adadel, que estaba listo para zarpar en cuanto llegara el amanecer; pero que, tras su partida, su ama les hizo jurar a ella y a otra de las rameras que guardarían el secreto de todo lo sucedido.

—¿Es eso todo cuanto te ha dicho? –preguntó Enkullab.

—No, gran maestro –continuó el sacerdote–. Más tarde, mediada la mañana, los soldados del rey fueron al burdel y se llevaron al ama, una mujer llamada Salgigti, y dijo que amenazaron a todas las jóvenes si no guardaban silencio sobre lo sucedido. Y entonces la chica supo que algo malo estaba sucediendo, y que su juramento era un pecado, de modo que se apresuró a venir al templo para hacer su penitencia.

—¿Y sabía adónde se dirigía el barco?

—A Mari, que es lo que el patrón del barco, llamado Adadel, les decía a las prostitutas cuando disfrutaba de su compañía.

—Si los hombres del rey han ido a la casa de la Alegría para interrogar a la dueña, eso significa que Gilgamesh no está en palacio –dijo uno de los sacerdotes supremos–. El rey debe de haber zarpado en el barco de Adadel, que es lo que él y Enkidu debían de tener planeado.

—Pero, ¿para qué querría ir a Mari, y tan de repente? –se preguntó en voz alta otro sacerdote.

—Jefe de los sacerdotes guardianes –dijo Enkullab volviéndose hacia él–. Ése es tu trabajo. Averígualo.

—Así lo haremos –respondió el aludido–. Pero si las cosas son tal como parecen, Gilgamesh sigue vivo y en buen estado, ¡y no será reemplazado en el trono!

Enkullab le miró fijamente.

—Me ha parecido oír algo más que decepción en tus palabras –dijo al fin–. Si Gilgamesh ha zarpado –continuó–, ya no está al alcance de nuestras lanzas. Ve, averigua lo que puedas, y luego nos reuniremos de nuevo para discutir el asunto de nuestra humillación.

*　*　*

Después, aquella misma tarde, una vez se confirmó que el barco de Adadel había zarpado por la mañana con dos extraños a bordo, y que dos de los marinos habían sido encontrados inconscientes en el muelle, Enkullab tuvo una inesperada visita en sus dependencias privadas.

Estaba solo, en su dormitorio, preocupado y furioso, cuando percibió un movimiento tras las cortinas que separaban la zona de reposo del resto de la cámara.

—¿Quién va ahí? –gritó el sumo sacerdote, alarmado.

Un hombre, con el atuendo sacerdotal, salió de detrás de las cortinas.

—Soy Anubani, el encargado del granero –dijo.

Enkullab lo reconoció. Aunque no pertenecía al más alto rango de la jerarquía, su cargo tenía una relativa importancia. Pero le recordaba sobre todo porque, en el pasado, aquel hombre había intentado llamar la atención del sumo sacerdote de distintas maneras. Enkullab había preguntado por él, y le habían dicho que Anubani era especialmente diestro en el trato con los mercaderes que abastecían a Erek y sus templos.

—¿Qué haces aquí, sin haber sido invitado, como un ladrón? –exigió saber Enkullab.

—Sólo deseo hablar con vos, maestro –respondió Anubani en voz baja–. Se trata de un secreto.

—¿Un secreto? Estoy demasiado preocupado como para escuchar nimiedades. Habla con el jefe de los almacenes.

—Se trata del rey, Gilgamesh.

—Gilgamesh ha zarpado, está fuera de nuestro alcance –respondió Enkullab.

—No. *Aún* está a nuestro alcance, si el maestro se digna a escucharme.

—Nos lleva casi una singladura. Ningún hombre, ni montado sobre una bestia ni en barco, puede alcanzarle ya.

—Cierto es que ningún hombre puede hacerlo…, ¡pero los dioses sí pueden!

Enkullab se le quedó mirando, perplejo.

—¡Di lo que tengas que decir… tu secreto!

—Un Barco del Cielo –respondió Anubani–. Un Barco del Cielo puede darle alcance y garantizar su fallecimiento.

—¡Un Barco del Cielo! –dijo Enkullab echándose a reír–. ¡Sólo los dioses los tienen, e Ishtar ha hecho un pacto con la dama Ninsun para esperar todo un año!

—Efectivamente –convino Anubani con una mirada sospechosa–, no podréis encontrar ayuda en Erek. Pero, en los dominios del señor Marduk... ¡ah, eso sería otro cantar!

—¡Cómo te atreves a pronunciar el nombre del adversario de nuestra dama, aquel que provocó la muerte de su esposo en el propio templo sagrado de nuestra diosa! –le gritó Enkullab.

—Maestro –dijo Anubani inclinando la cabeza–. El señor Marduk, siguiendo las antiguas costumbres, reuniría en vuestras manos la realeza con el sacerdocio.

—¿Y cómo sabes tú todo eso?

—Maestro, reverendísimo sumo sacerdote –dijo Anubani–, soy un emisario secreto del señor Marduk, un adorador del gran señor Enki.

Enkullab le observó detenidamente.

—Podrías ser ejecutado por ello –dijo al fin.

Anubani inclinó la cabeza y extendió las manos en un gesto de sumisión.

—Habla. Te escucho –respondió Enkullab.

—Cualquier barco que remonte el Éufrates se enfrenta a graves peligros –dijo Anubani–. Durante tres días, el desierto invade las riberas del río, un largo y adecuado trecho para los salteadores del desierto. Y luego, la primera zona habitada que se alcanza es Borsippa, una ciudad consagrada el señor Nabu...

—Una espina clavada en el costado de los enlilitas –exclamó Enkullab.

—Una espina muy necesaria en este caso..., pues al sur de Erek se encuentra Eridú, en los dominios del señor Enki, adonde un veloz jinete podría llegar pasado mañana...

—Continúa.

—En cuanto el mensaje llegara a Eridú, las naves celestes de Marduk podrían remontarse en el cielo, y el barco podría ser interceptado, si se trasmite el mensaje a Borsippa..., ¿y quién puede predecir el destino que le espera a un fugitivo? –preguntó Anubani elevando los ojos al cielo–. Muchos han desaparecido ya en viajes tan peligrosos como ése...

Enkullab guardó silencio.

—Una interesante posibilidad –dijo finalmente–. Pero, ¿por qué iba a prestar Marduk su ayuda?

—Para enderezar un entuerto. Los dioses tenían prevista para Ishtar la lejana tierra de Aratta, no la ciudad de Erek. Erek era para Nabu, el hijo de Marduk. Pero ella se tendió en el lecho ante el señor Anu, desnudó sus pechos y le sedujo.

—Ya veo –dijo Enkullab–. Eliminar a Gilgamesh sería el paso previo para quitar de en medio a Ishtar.

—Vos sois un sacerdote del señor Anu, y jurasteis preservar la justicia. Pero Gilgamesh es un pecador, un violador de jóvenes desposadas. ¡El augurio de Anu debería dirigir vuestros pasos!

Anubani hizo una pausa para mirar fijamente al sumo sacerdote, tras la cual añadió:

—El señor Marduk, tal como he dicho, pondría la realeza en vuestras manos.

—¿Y cuál es el precio? –exigió saber Enkullab.

—Sólo un mensaje, un mensaje vuestro a la ciudad de Eridú –respondió Anubani sacando de entre los pliegues de su túnica una tablilla de arcilla, envuelta en unas telas húmedas para mantenerla fresca–. Todo está aquí escrito –añadió mientras le entregaba la tablilla a Enkullab–, lo relativo a Gilgamesh y sus pecados, vuestros derechos a la sucesión, y una llamada a los dioses para que intervengan.

Enkullab tomó la tablilla y, acercándose a la antorcha para examinarla mejor, leyó la inscripción. La tablilla todavía estaba húmeda.

—Sí –dijo finalmente–. Está todo aquí, y todo es cierto.

—Rubricadla con vuestro sello y regresará a Eridú –le incitó Anubani.

Enkullab observó con detenimiento a su visitante.

—¿Cómo sé yo que eres quien dices ser?

—Ésa es una pregunta fácil de responder –dijo Anubani.

De un bolsillo interior de su vestimenta extrajo una pequeña bolsa de cuero, y de ella sacó un sello cilíndrico. Hizo rodar el sello sobre el dorso de la tablilla, y en la impresión que dejó se veía al dios Marduk con su emblema, el báculo con cabeza de carnero, en la mano derecha; así como el emblema de la Tierra, los siete puntos, delante de él, con la inscripción «Anubani, siervo del divino Marduk, el Legítimo Sucesor».

—El destino no hace distinciones –dijo Enkullab pensativo–, ni siquiera entre los dioses; lo que para uno es legítimo para el otro no lo es.

—¡Rubricad la tablilla con vuestro sello privado, y la realeza de Erek será vuestra!

—Así sea –dijo Enkullab sacando el sello que colgaba de un cordón de cuero en torno a su cuello, para hacerlo rodar a continuación sobre la tablilla–. He puesto mi destino en manos de tus dioses –añadió mientras le devolvía la tablilla a Anubani–, que ellos apoyen mis legítimas reclamaciones.

—Así será, sacerdote de sacerdotes –respondió Anubani mientras le hacía una reverencia.

8

Remontando el gran Éufrates hacia el norte, el barco de Adadel recorrió un largo trecho en la misma mañana en que había zarpado de Erek. El viento siguió soplando durante varias horas, y los marinos, frescos tras el descanso forzoso de los días de la festividad de Año Nuevo, remaban con vigor y entusiasmo ante la idea de regresar a casa. Los dos recién llegados de la tripulación, Enkidu y Gilgamesh, fueron el centro de atención durante un buen rato; pero, después de poner todo de su parte aplicándose a los remos, no tardaron en ser aceptados como parte de la tripulación.

Por su parte, Adadel, el mercader y capitán del barco, seguía lanzándoles miradas inquisitivas, sin menguar en modo alguno sus recelos. Pero, pasado el mediodía, el viento amainó y los remeros no tardaron en cansarse, y Adadel tuvo que poner toda su atención en los problemas que podrían acaecer mientras se aproximaban a un tramo estrecho del río, en el que tendrían que compartir las aguas con otras embarcaciones.

Posteriormente, al atardecer, alcanzaron una sección del río en la que las riberas se distanciaban tanto que parecían navegar por un gran lago. Adadel parecía satisfecho, a pesar de jurar y blasfemar profusamente. La tripulación lo había hecho bien, y ya era hora de comer y dejarles descansar, una vez se decidiera el lugar donde fondear y pasar la noche. Amarrar en las riberas hubiera expuesto al barco y a la tripulación al peligro de los salteadores nocturnos; pero, fondeando en medio del río, se corría también el riesgo de una colisión con cualquier otra embarcación que pudiera surcar sus aguas en la oscuridad.

—El tráfico fluvial es denso en esta época –dijo el contramaestre–. ¿Amarraremos en la ribera?

—No. Lo haremos en mitad del río –dijo Adadel que, señalando con un movimiento de cabeza en la dirección de Enkidu y Gilgamesh, añadió–, por si acaso tenemos que liberarnos de ellos.

Después de elegir un lugar adecuado, Adadel dio rienda suelta a la tripulación hasta el día siguiente. Algunos se lanzaron al agua para refrescarse y nadar, pero Gilgamesh, cansado tras las largas horas de boga, se buscó un lugar apartado entre unas balas de pieles y unas grandes tinajas repletas de grano, y se puso a dormir. Enkidu, que no parecía cansarse nunca, se mantuvo vigilante ante todo lo que sucedía en el barco y fuera de él; pero, más tarde, cuando casi todo el mundo se había acostado ya, buscó a Gilgamesh para echarse a su lado. Sin embargo, para su consternación, no encontró espacio donde tumbarse, pues otros hombres de la tripulación se habían echado junto al rey, rodeándole con sus cuerpos. Lo único que pudo hacer fue agenciarse un lugar cercano en el que sólo pudo sentarse, apoyando la espalda contra una de las tinajas. Estuvo allí sentado durante un buen rato, con los ojos entrecerrados, velando por la seguridad de su camarada. El silencio de la noche sólo se veía interrumpido de cuando en cuando por los gritos procedentes de otros barcos al pasar junto a ellos. Por lo demás, todo estaba en calma. Pero, con el paso de las horas, el sueño terminó por vencer a Enkidu.

Se despertó con un sobresalto, al darse cuenta de que alguien le aferraba las manos por detrás y se las ataba con una soga. Le arrojaron al suelo y le sujetaron entre varios hombres de la tripulación, con las dagas apuntando a su garganta. Desde el suelo, pudo ver que también habían apresado a Gilgamesh.

Adadel estaba allí, entre ellos dos, supervisando el asalto. Tenía una daga en una mano y una fusta en la otra.

—¡Registradle! –ordenó señalando a Enkidu.

No tardaron en encontrar la bolsa escondida con los siclos de plata.

—¿Quién eres? –le gritó Adadel a Enkidu–. ¿Y quién es tu compañero?

Enkidu no respondió, y Adadel le azotó con la fusta, una y otra vez.

—¡Registrad al otro! –ordenó.

Pero, con una potente torsión muscular, Enkidu partió las sogas que le sujetaban las manos, proyectó a sus captores a ambos lados y arremetió contra Adadel que, lanzándole una cuchillada con la daga, consiguió hacerle un profundo corte en un brazo. Enkidu golpeó a Adadel y le derribó, mientras uno de los hombres que sujetaban a Gilgamesh se abalanzaba sobre él con otra daga; pero Enkidu lo levantó por encima de su cabeza y lo arrojó por la borda.

—¡Alejaos de nosotros u os arrojaré *a todos* del barco! –gritó Enkidu.

Acobardados ante tan inesperada exhibición de fuerza, los marinos se mantuvieron a distancia. De un solo tirón, Enkidu rompió las sogas con las que habían maniatado a Gilgamesh, quien, poniéndose en pie, preguntó:

—¿Por qué nos atacáis?

—No pretendíamos haceros daño –dijo Adadel–. De lo contrario, os habríamos matado directamente. Pero es evidente que no sois unos marineros ordinarios… y teníamos curiosidad…

—De modo que sois curiosos –dijo Gilgamesh–. Está en la naturaleza humana ser curioso. ¿Habéis averiguado lo suficiente o deseáis saber algo más?

—Prosigamos el viaje en paz –respondió Adadel levantando la mano derecha, con la palma abierta hacia Gilgamesh.

—Así sea –dijo Gilgamesh, mientras devolvía el gesto de Adadel y estrechaba la mano con él.

—¿Cómo os llamáis? –le preguntó Adadel.

—Yo soy Kiagda, y mi compañero es Ursag –dijo Gilgamesh–. En nuestra lengua, significan «descendiente de Kiag» y «héroe».

—Mi nombre es Adadel –dijo el capitán–, que significa «Adad es mi Dios»… Y, ahora, que todo el mundo descanse pues, en cuanto amanezca, habrá que ponerse a remar de nuevo.

Adadel regresó al puente, donde ya le esperaba el contramaestre.

—¿Has visto eso? –le dijo Adadel en un susurro–. ¡Le he hecho un corte en el brazo al más bajo, y ni siquiera ha sangrado!

—Como usted dijo, señor, estos dos no son dos marineros corrientes –respondió el contramaestre–. Habrá que buscar otro modo de averiguar quiénes son y por qué se han unido a nosotros.

* * *

Aparte de los problemas y los peligros de la navegación fluvial –casi colisionan con otra embarcación, una ráfaga de viento derribó el mástil con la vela, un remo quedó atrapado entre los matorrales de juncos de las riberas, unos cuervos les robaron los peces recién pescados–, el viaje prosiguió sin otros contratiempos durante el segundo día de navegación. El canto de los remeros, sonoro y prolongado durante el primer día, era ahora más esporádico, y todos esperaban a que las reparaciones del mástil y la vela pudieran aliviar el trabajo de los remeros. A Gilgamesh y Enkidu les dejaron en paz, y sólo el capitán intercambió unas palabras con ellos. Había un desconcierto generalizado entre la tripulación ante el hecho de que Enkidu, conocido ahora como Ursag, no hubiera sangrado ni hubiera precisado de atención alguna tras la cuchillada de Adadel, pero nadie hablaba de ello en voz alta.

En la segunda noche, arrojaron el ancla y amarraron el barco en la ribera oriental del río, estableciendo un turno de vigilancia, pero la noche trascurrió tranquila.

Durante el tercer día de navegación, a últimas horas de la tarde, comenzaron a observar extraños sucesos en el cielo. Las nubes se abrieron para dejar paso a la luz del sol, y luego volvieron a ocultarlo, arrojando sus lúgubres sombras sobre el río y sus viajeros. Y más tarde, desde el sur, aparecieron en el cielo unos puntos oscuros moviéndose de aquí para allá a una velocidad endiablada, y aumentando de tamaño a medida que se aproximaban. Todos a bordo abandonaron sus faenas para observar asombrados aquella extraña visión celestial. Después, los puntos oscuros se separaron, y uno de ellos se lanzó en picado en el más absoluto silencio en dirección al río, llegando casi a tocar la superficie del agua.

—¡Es una nave celeste de los dioses! –gritó Gilgamesh.

El objeto se elevó ligeramente, rociando el barco con el agua que levantaba del río, para ascender después trazando un elegante arco y unirse a los otros dos puntos oscuros en las nubes. Por un momento, los tres puntos desaparecieron de vista, y luego volvieron a aparecer, en formación, y descendieron siguiendo el curso del río. Entonces pudieron ver que se trataba de tres naves celestes divinas; y cuando alcanzaron al barco de Adadel, se detuvieron y se cernieron sobre él durante unos instantes. Luego, elevándose casi verticalmente, desaparecieron definitivamente en los cielos.

—¡Es un augurio de los dioses! –gritó el contramaestre, postrándose en la cubierta del barco.

El resto de la tripulación hizo lo mismo.

—¡Había oído hablar de las naves celestes, pero nunca antes había visto una! –exclamó Adadel–. Sin duda es un augurio, cuyo significado tendremos que averiguar antes de que los acontecimientos nos hallen desprevenidos. ¡Levantaos y poneos a remar! ¡Borsippa, la ciudad del señor Nabu, está cerca! ¡Nos detendremos allí y haremos ofrendas en sus templos!

Al oír esto, Gilgamesh agarró a Enkidu por el brazo, sin poder ocultar el gesto de preocupación que contraía su rostro.

—He leído tus pensamientos, camarada –dijo Enkidu–. Las naves celestes, de color negro, son de la facción de Enki, de Marduk y Nabu.

—Tenemos que llegar a Sippar –dijo Gilgamesh.

—Y no conviene que anclemos en Borsippa, en el nido de nuestro enemigo –añadió Enkidu.

Mientras algunos marinos reanudaban la boga, otros siguieron intentando, bajo la supervisión del contramaestre, reparar el mástil e izar la vela de nuevo. Enkidu se ofreció para aguantar y mantener juntas las secciones rotas del mástil, mientras los demás intentaban recomponerlo con sogas. Pero, una y otra vez, los gruesos troncos se le escapaban a Enkidu de las manos, rompiendo las cuerdas que los mantenían unidos. Después de varios intentos, el contramaestre se rindió a la evidencia.

—Tendremos que seguir remando contracorriente –dijo.

Pero la boga de los remeros no les permitió avanzar demasiado, pues el tiempo se tornó tormentoso y el frío viento levantaba olas que hacían aún más difícil navegar contracorriente. Además, era la última hora del día, y los cielos nubosos estaban acelerando la llegada de las tinieblas.

—Será mejor que nos detengamos para pasar la noche y que encontremos un resguardo seguro en las riberas –dijo el contramaestre.

—Sí. No vamos a poder llegar a Borsippa antes de que caiga la noche –coincidió Adadel–. Pero a lo largo del día he visto caravanas en la orilla oriental, así como un grupo de jinetes con asnos. ¿Quién sabe las maldades que puedan estar tramando? Será mejor que anclemos de nuevo en mitad del río.

—¿Y si fondeamos en la orilla occidental, donde comienza el desierto? –preguntó el contramaestre.

—Podría ser peor. ¿No has oído hablar de los shagaz, los salteadores que cabalgan sobre esos animales con joroba?

Así pues, echaron el ancla en mitad del río.

Fue una noche oscura, pues unas nubes espesas cubrieron la luna. Pero, aún así, la noche trascurrió sin incidentes. Con la relativa seguridad del cercano amanecer, incluso los marinos del último turno de vigilancia se quedaron dormidos. Todo seguía en silencio cuando las primeras luces de la aurora comenzaron a despertar a algunos en el barco, momento en el cual descubrieron que, sin saber cómo, el barco se había desprendido del ancla e iba a la deriva, aproximándose a la orilla occidental.

Despertaron a Adadel, que fue de inmediato a comprobar las sogas del ancla. No se habían roto, ¡las habían cortado!

Mientras Adadel hacía sonar la voz de alarma para despertar a todo el mundo, se escuchó un grito aterrador, seguido por el vocerío de unos hombres que, ocultos hasta entonces bajo la borda de popa, se encaramaban a bordo desatando el caos por toda la cubierta.

Para entonces, el barco había alcanzado la arenosa orilla occidental del río y, desde detrás de las dunas, otros atacantes se precipitaron sobre la embarcación. Aunque iban armados hasta los dientes con dagas y espadas y superaban en número a la tripulación del barco, pronto se hizo evidente que no pretendían matar a nadie, sino que intentaban capturarlos vivos.

En medio del alboroto, la lámpara de aceite que proporcionaba fuego permanentemente en el barco cayó sobre unas balas de pieles secas, y las llamas comenzaron a extenderse por el barco.

—¡Rápido, al agua! –gritó Enkidu a Gilgamesh, noqueando a dos salteadores que intentaban reducir al rey.

Sin esperar su respuesta, Enkidu agarró a Gilgamesh, se lanzó con él al río y se distanció del barco con poderosas brazadas, nadando bajo el agua para que no los detectaran. Y aunque Enkidu no necesitaba respirar, levantaba a su compañero de cuando en cuando, lo suficiente para que sacara la cabeza y pudiera dar una bocanada de aire. Finalmente, él mismo sacó la cabeza para echar un vistazo. Se habían distanciado lo suficiente del barco en llamas, y los gritos que aún se escuchaban no procedían ya del barco, sino de la orilla del río. Enkidu miró a su alrededor entre las aguas y vio un macizo de juncos y cañas sobresaliendo de la superficie; y sujetando fuertemente a Gilgamesh, se impulsó con el brazo libre en aquella dirección. Al llegar a la vegetación, Enkidu comprobó que se trataba de un banco de arena, de una minúscula isla que emergía en mitad del río. Nadó hasta el extremo más lejano del islote y, sacando a Gilgamesh del agua, le ayudó a tenderse en el suelo, exhausto, en medio del cañaveral; y luego volvió nadando al otro lado de la isla, manteniendo sólo la cabeza fuera del agua.

Ocultándose entre las cañas, Enkidu pudo ver a los cautivos tripulantes del barco. Los habían maniatado y se los llevaban tierra adentro, mientras los salteadores descargaban frenéticamente el cargamento del barco, compitiendo con las llamas, y cargando lo que podían salvar en los camellos que les iban trayendo hasta la orilla desde detrás de las dunas. Enkidu escuchó gritos en una lengua que no reconoció, y vio al dueño del barco, Adadel, mientras le llevaban de vuelta a la orilla. Alguien que parecía estar al mando le estaba gritando, señalando en dirección al barco mientras le abofeteaba el rostro. Algunos de los salteadores se esparcieron a lo largo de la orilla, como si buscaran algo o a alguien.

Enkidu volvió a ocultarse tras el banco de arena y se sumergió por completo en el agua.

Cuando sacó la cabeza, al cabo de algún tiempo, todo estaba en silencio. Los salteadores y sus cautivos habían desaparecido, de modo que regresó hasta donde se encontraba Gilgamesh para ponerle al corriente.

—¿Qué ha ocurrido? –preguntó éste, ya recuperado.

—Los shagaz –dijo Enkidu–. Normalmente matan a todo el mundo y no hacen cautivos; pues, como nómadas que son, no tienen necesidad de esclavos. Sólo les interesa el botín. Pero esta vez querían a todo el mundo vivo.

—¿Por qué?

—Una buena pregunta. Quizás encontremos la respuesta en el barco.

Esperaron un poco más hasta asegurarse de que ya no había nadie en las inmediaciones, y luego volvieron nadando hasta el barco. Estaba medio hundido en el agua, muy dañado por el fuego. Por todas partes había tinajas rotas, pues todas las que pudieran haber quedado intactas, junto con las balas de pieles del cargamento, se las habían llevado los salteadores.

Buceando en las claras aguas del Éufrates, Enkidu encontró algunos odres de agua, una bolsa con harina empapada y los restos del cordero que habían asado el día anterior; quedaba algo de carne adherida a los huesos. Lo sacó todo del agua y luego subió a bordo del barco. En medio del caos en que había quedado la embarcación encontró varias dagas, aunque no hubiera sabido decir si eran de la tripulación o de los salteadores.

—Tenemos comida y tenemos armas –dijo Enkidu–. Vamos a buscar un escondrijo donde comer y descansar. Después decidiremos qué curso tomamos.

Se pusieron a caminar por la orilla del río. El sol brillaba con fuerza, y Gilgamesh levantó la mano para protegerse los ojos. Un buen surtido de aves carroñeras y rapaces trazaba círculos en el cielo, lanzando repulsivos graznidos. Finalmente, encontraron un lugar con sombra entre las arenosas colinas que flanqueaban el río, y se detuvieron allí.

—Tengo hambre –dijo Gilgamesh.

—Tengo listo el festín del rey –respondió Enkidu abriendo el paquete que había hecho con un trozo de la desgarrada vela y esparciendo su contenido delante de Gilgamesh–. Yo lo único que necesito es agua. Come tú –añadió levantando en alto los restos del cordero–. Parte de la carne aún se puede comer.

Pero antes de que pudiera acabar la frase, una de las aves, quizás un águila gigante, se precipitó sobre él y le arrebató el cordero.

Con una agilidad insospechada en un hombre de su corpulencia, Enkidu dio un salto y se aferró al cordero; y, por unos instantes, el enorme pájaro siguió volando, sin querer soltar su presa y llevándose con ella a Enkidu. Pero, finalmente, éste lanzó un terrible alarido y el pájaro dejó caer su trofeo. Enkidu, con el despojo del cordero entre las manos, se precipitó contra el suelo con un sonoro golpetazo.

Gilgamesh echó a correr hasta donde su amigo había caído. Sabía perfectamente que un hombre normal no habría podido sobrevivir a una caída así. Pero cuando llegó al lugar, vio a Enkidu sentado, con el cordero aún entre las manos. Y cuando Enkidu vio el rostro asustado del rey, estalló en una sonora carcajada.

Y por vez primera desde la noche del Matrimonio Sagrado, Gilgamesh se dejó vencer por una risa incontrolable.

—Ahora tendrás tu festín –dijo al fin Enkidu.

Sacó harina húmeda de la bolsa y, haciendo con ella unas tortas redondas, puso la masa sobre una roca.

—El sol nos servirá de horno –dijo.

Mientras las tortas de cebada se iban cociendo, bajó hasta el río y lavó bien los restos del cordero. Finalmente, distribuyó la carne, el pan y un odre de agua sobre el trozo de vela a modo de improvisado mantel, y dijo satisfecho:

—Aquí lo tienes.

—Bien –dijo Gilgamesh mientras saciaba su hambre–, ¿qué hacemos? ¿Cruzamos el río a nado y nos unimos a una caravana, o buscamos una aldea para pasar la noche?

—Estamos muy cerca de Borsippa –respondió Enkidu–, y no me ha gustado lo que he visto… Los shagaz se han comportado de un modo muy extraño, y su ataque ha llegado después de que viéramos las naves celestes negras…, el color de las naves de Marduk y de Nabu.

—Entonces, no es Ishtar la que me está buscando…

—Sospecho que existe una conexión entre la inspección del barco que llevaron a cabo las naves celestes y el extraño ataque de los shagaz –dijo Enkidu–. Siendo nómadas, yendo constantemente de aquí para allá, ellos nunca hacen prisioneros. Y, sin embargo, esta vez era lo único que les interesaba. Y vi cómo interrogaban a Adadel, y parecían buscar algo que no habían encontrado. ¡Nos están buscando a *nosotros!* ¡Te lo digo yo!

—Tiene sentido, pero no es lógico –dijo Gilgamesh–. ¿Por qué motivo iba a querer buscarnos el señor Nabu de Borsippa, en lugar de Ishtar o Shamash?

—No lo sé. Pero creo que correríamos peligro si cruzáramos a la orilla donde se extienden los dominios de Borsippa. Yo continuaría por esta desolada ribera durante un día o dos, hasta que lleguemos a los dominios de Sippar.

Mientras Enkidu rellenaba los odres de agua, Gilgamesh envolvió el resto de sus escasas pertenencias con la lona de la vela; tras lo cual, los dos camaradas emprendieron la caminata en dirección norte.

Ante la insistencia de Enkidu de no dejarse ver desde el río, trazaron su recorrido por detrás de las dunas pero, debido a la arena suelta por la que caminaban, la marcha se le estaba haciendo a Gilgamesh demasiado enojosa, y al cabo de un par de horas, tenía las sandalias rotas. La ardiente arena le estaba abrasando los pies, y no tardó mucho en no poder seguir el paso de Enkidu. Le llamó a gritos pidiéndole un descanso, pero Enkidu respondió que tenían que seguir caminando.

Llegada la tarde, unas negras nubes comenzaron a oscurecer el cielo y, poco después, los rayos comenzaron a desgarrar los cielos y los truenos a sacudir la tierra. Tras ellos llegó la lluvia, ligera al principio, pero luego arreció y los dos camaradas tuvieron que buscar refugio entre unos peñascos. Para cuando aquella tormenta de otoño cesó, ambos estaban empapados, así como sus escasas pertenencias. La arena mojada se convirtió en lodo pero, con todo, reanudaron la marcha, hundiendo los pies en el barro con cada zancada.

A pesar de sus resquemores, Enkidu accedió finalmente a caminar por la orilla del río, donde el suelo era más duro y llano. Pero, aun con todo, Gilgamesh apenas podía caminar.

—Creo que me están sangrando los pies –dijo.

Buscaron un lugar donde sentarse y Enkidu limpió la arena húmeda que cubría los pies de su camarada. Los tenía hinchados, enrojecidos por la sangre. Ayudó a Gilgamesh a llegar hasta el río y le dijo que metiera los pies en el agua fresca.

—Me alivia –dijo Gilgamesh–. Pero estoy cansado, y tengo sueño.

—Vamos entonces a las dunas –respondió Enkidu–. Descansaremos allí.

Casi habían llegado a las dunas cuando, súbitamente, Enkidu arrojó a Gilgamesh al suelo y, frenéticamente, se puso a cubrir sus cuerpos de arena.

—¿Qué es lo que te pasa? –gritó Gilgamesh.

—¡Las naves celestes negras! ¡Han vuelto! –dijo Enkidu nervioso, señalando al cielo.

Las naves celestes parecían estar reconociendo el río. Seguían su curso en dirección norte, descendiendo de cuando en cuando sobre su superficie y volviendo a elevarse.

—¿Nos han visto? –preguntó Gilgamesh.

—Si no nos han visto, volverán para continuar la búsqueda –dijo Enkidu–. Tenemos que darnos prisa.

—Yo no creo que pueda seguir, Enkidu –le dijo Gilgamesh.

—Yo te llevaré –dijo Enkidu.

—Antes pediré ayuda –respondió Gilgamesh sacándose el cordón que llevaba en torno al cuello y mostrándole a Enkidu la piedra que llevaba sujeta–. Es una Piedra Susurrante. Un regalo de mi madre. Me dijo que la utilizara si realmente necesitaba ayuda.

Gilgamesh volvió boca abajo aquel talismán verde casi negro, y lo frotó entre sus manos. Y luego, acercándoselo a los labios, gritó:

—¡Oh, madre! Nuestro barco fue atacado y ardió en llamas, nos hemos quedado sin comida, y estamos perdidos en el desierto. ¡Ayúdanos, oh, madre, ayúdanos!

Enkidu le arrebató la piedra y la frotó entre sus manos.

—Soy Enkidu. Estoy con Gilgamesh, el rey de Erek –gritó–. Estamos en la orilla desértica del río, cerca de Borsippa, caminando en dirección a Sippar. Las naves celestes negras nos están buscando. ¡Necesitamos ayuda rápido! ¡Rápido!

Luego, le devolvió la piedra a Gilgamesh.

—Bien –dijo–. Ahora, después de haberle hablado a una piedra, tendré que confiar en mis propias capacidades.

Enkidu ayudó a Gilgamesh a levantarse y se lo cargó sobre los hombros.

—Te llevaré hasta que no pueda más –dijo–, y que los buenos dioses nos acompañen.

* * *

Cuando cayó la noche, los dos camaradas encontraron refugio entre unos peñascos. Exhausto, Gilgamesh no tardó en quedarse dormido, con la cabeza apoyada sobre el hombro de su compañero; y, poco después, Enkidu también se quedó dormido.

En torno a la medianoche, Gilgamesh se despertó de pronto sobresaltado, tirando de su camarada.

—¿Por qué me has despertado? –preguntó Gilgamesh a Enkidu.

—¿Cómo iba a despertarte yo, si estaba dormido? *Eres tú* el que me ha despertado.

—Pues… si no me has despertado tú, ¿quién lo ha hecho? –preguntó Gilgamesh–. Estoy seguro de que alguien ha pronunciado mi nombre.

—Debe de haber sido un sueño –dijo Enkidu–. Duérmete.

Alrededor de dos horas más tarde, Gilgamesh se despertó de nuevo y zarandeó a Enkidu.

—¿Qué pasa ahora? –preguntó éste.

—He tenido otro sueño –le dijo Gilgamesh–. He visto que caía una roca, y de pronto se ha detenido y han salido de ella unas patas. El viento soplaba en mi frente, ¡y han pronunciado mi nombre!

Enkidu estaba escuchando pacientemente a Gilgamesh cuando, de repente, con un rápido movimiento, le tapó la boca con la mano.

—¡Silencio! –dijo en un susurro–. ¡Tu visión no era un sueño!

Enkidu le indicó con un movimiento de cabeza una masa negra de gran tamaño, apenas discernible en la oscuridad, que descansaba sobre unas patas a cierta distancia, cerca de la orilla del río. El resplandor rojizo que irradiaba como un latido desde una protuberancia bulbosa que había entre las patas le indicó a Enkidu que se trataba de una nave celeste, una nave de color negro.

Petrificados, vieron cómo uno de los ojos de la nave se iluminaba súbitamente, proyectando un potente rayo de luz que iba barriendo el suelo a su alrededor. Los dos compañeros, encogidos de miedo, empujaron con las piernas hacia atrás, como intentando huir, pero la roca a sus espaldas no les ofrecía escapatoria. Finalmente, el rayo se posó sobre ellos, con una luz deslumbrante que les llevó a cubrirse instintivamente los ojos, paralizados de terror.

De pronto, el rayo de luz atenuó su intensidad, aunque sin llegar a apagarse, y a continuación se abrió una compuerta en la nave celeste. Vieron una silueta sobre el fondo iluminado del interior de la nave. Parecía un hombre, con un atuendo muy ajustado, pero sin casco. Mirando en dirección a ellos, levantó la mano y les hizo un gesto.

—¡Gilgamesh! –oyeron el nombre del rey, pero no estaban seguros de si la voz procedía del hombre que estaban viendo o surgía de la misma nave.

Enkidu volvió a taparle la boca a su camarada.

—¡Ni se te ocurra responder! –dijo.

Entonces vieron descender una escalerilla desde la nave y, cuando alcanzó el suelo, una segunda silueta apareció por la puerta, y ambas figuras comenzaron a descender.

Agarrando a Enkidu por el brazo, Gilgamesh le susurró a su amigo:

—¡Mi fin está cerca!

Las dos figuras de la nave, que parecían portar armas, se encaminaron hacia el lugar donde se encontraban los dos compañeros. Enkidu empujó a Gilgamesh como pudo hasta ponerlo a su espalda, intentando protegerle y preparándose para el inevitable encuentro. Pero de repente se materializó otra nave sobre el río, como si hubiera aparecido de la nada. Ésta no era esférica, como la otra; era mucho más grande y aplanada, con una forma parecida a la de un plato, y no emitía sonido alguno; tampoco tenía luces. De hecho, fue la luz de la luna, al emerger desde detrás de las nubes, la que les reveló su presencia. Entonces, de improviso, cientos de ojos se iluminaron en torno a la circunferencia de la nave, y los ojos comenzaron a girar hasta convertirse en un deslumbrante rayo de luz, que barrió el terreno hasta localizar a los dos tripulantes de la nave celeste negra. Y en el instante en que el rayo de luz los alcanzó, los dos se quedaron inmóviles, como dos estatuas, en mitad de la zancada.

Otro rayo, esta vez de color azul, surgió después de la nave más grande, mientras una potente voz, procedente del ingenio, hacía estremecerse el suelo delante de ellos.

—¡Gilgamesh, Enkidu, acercaos!

Hipnotizados por la visión, ninguno de los dos movió ni uno solo de sus músculos. La poderosa voz volvió a llamarlos, atronadora, remeciendo la tierra; a tal punto que una roca que se hallaba en la duna por encima de ellos se desprendió con las vibraciones de la voz y se vino abajo entre una avalancha de arena que casi entierra a los dos camaradas.

—¡Al igual que en mi sueño! –susurró Gilgamesh estremeciéndose.

El rayo de luz se acercó a ellos y, ante sus incrédulos ojos, se materializó en él una figura masculina. Llevaba algo parecido a un casco, similar al que se ponía Ishtar en sus vuelos, y tenía el cuerpo completamente cubierto con un atuendo ajustado, plateado y brillante. Se quitó el casco y se acercó a ellos, y entonces pudieron ver que tenía un hermoso cabello dorado. El hombre les tendió la mano.

—Venid –dijo–. Hemos venido a rescataros.

—¿Quiénes sois? –se atrevió a preguntar Enkidu–. ¿Y cómo sabéis nuestros nombres?

—No tengáis miedo –respondió el hombre del cabello dorado–. El gran señor Utu, nuestro comandante, escuchó vuestra llamada de auxilio. Venid; entrad conmigo en el rayo de luz.

Se volvió a poner el casco y agarró a los dos camaradas, enlazando sus brazos con los de ellos. Y, así unidos, se sumergieron los tres en el rayo de luz. Un instante después, Gilgamesh y Enkidu sintieron como si una mano gigante tirara de ellos por sus cabellos. Sintieron que ascendían, cada vez más, hasta el origen del rayo azul, en las entrañas de la gran nave celeste.

Todo acabó de repente. La luz azul se desvaneció, en tanto que una luz rojiza inundaba la cámara a la que habían ido a parar. Se abrió una puerta delante de ellos, en el más absoluto silencio, y el hombre del cabello dorado, que todavía los sujetaba por los brazos, los llevó a través de un corredor hasta una cámara más grande, bañada también por aquella luz rojiza.

Otro hombre de hermosos cabellos, aunque de más edad que el que les había acompañado, se hallaba sentado en un sillón parecido a un trono, aunque no era de madera, ni de piedra, ni de metal. Para su sorpresa, vieron que el trono giraba como las bisagras de una puerta.

El hombre levantó la mano derecha a modo de saludo.

—Bienvenidos a bordo, Gilgamesh, rey de Erek, y Enkidu el valiente –dijo–. Nos alegra haber llegado justo a tiempo. Me llamo Abgal, y soy el comandante de la nave.

—Habéis llegado en el último momento –dijo Enkidu–. Os estamos muy agradecidos –añadió mientras le daba un codazo a Gilgamesh para que hablara.

—¿Es esto un Barco del Cielo? –preguntó Gilgamesh mirando a su alrededor.

—Sí, lo es –respondió el comandante.

—¡Alabado sea el Señor del Cielo! –gritó Gilgamesh cayendo sobre sus rodillas–. ¡El augurio era cierto! ¡He sido llevado a las alturas, como Etana de Kish, como Adapa de Eridú!

Abgal se le quedó mirando, desconcertado.

—¿De qué estás hablando?

—¡El augurio se ha hecho realidad! –dijo Gilgamesh, casi gritando–. ¡Anu ha enviado su Barco del Cielo para llevarme a Nibiru! ¡Alabado sea el Señor de Señores!

—Gilgamesh –dijo Abgal–, este Barco del Cielo, como tú lo llamas, es uno de los que sólo recorre los cielos de la Tierra. No es un Gir, capaz de elevarse hasta más allá del cielo de este planeta. Y no es a los Cielos Supremos adonde el señor Utu, nuestro comandante, nos ha ordenado que os llevemos, sino a vuestro destino, el bosque de los Cedros.

—Pero, ¿acaso no está allí el Lugar de Aterrizaje? –preguntó Gilgamesh.

—No está en mi mano darte esa información –dijo Abgal–. Se os curará y se os dará de comer antes de que os dejemos en el bosque de los Cedros.

Y añadió mirando a los pies descalzos de Gilgamesh:

—Y te daremos unas sandalias nuevas.

—¡Señor, mostradnos las maravillas del barco! –dijo Enkidu.

—Nadie, salvo las Águilas asignadas a él, puede conocer sus mecanismos –respondió Abgal que, levantando la mano derecha, añadió–: ¡Que los grandes señores sean con vosotros!

El hombre de cabello dorado que les había llevado hasta allí los tomó de nuevo por los brazos con la intención de hacerles salir, pero Gilgamesh se demoró por un instante.

—¿Está a bordo el señor Utu para que pueda darle las gracias? –preguntó el rey.

Abgal sonrió.

—Ya me habían dicho que tenías un espíritu curioso e insistente, Gilgamesh. Yo mismo le trasmitiré tu gratitud al señor Utu.

—Venid conmigo –dijo el del cabello dorado dirigiéndolos hacia la puerta.

—¡La caja! –dijo Abgal de repente.

Gilgamesh volvió la cabeza.

—¿Un regalo de despedida?

Un miembro de la tripulación se acercó a ellos con una pequeña caja, de la cual emergió un rayo de luz que incidió directamente en los ojos de los dos camaradas.

—Todo recuerdo de cuanto hayáis visto quedará borrado de vuestra memoria –les dijo.

9

Utu siempre se estremecía al ver el Lugar de Aterrizaje desde los cielos, pero en esta ocasión se quedó absorto ante la imponente visión, con un sentimiento de orgullo y satisfacción; pues allí, la naturaleza y los anunnaki se habían aliado para crear una de las visiones más hermosas de la Tierra.

Por todas partes, salvo delante de ellos, la Tierra era de un color amarillo pardo. Pero desde la nave de mando, cuando se llegaba desde el este, había un momento en que emergían ante la vista las dos cadenas montañosas paralelas, que se elevaban hacia el cielo como una verde muralla; para, instantes después, vislumbrar más allá de ellas el mar Superior, extendiéndose con su azul profundo hasta el horizonte. Los rayos del sol, rojizos con el amanecer, realzaban los colores que la naturaleza daba al desierto, al bosque de cedros y a las aguas del mar.

Mientras la nave trazaba un elegante arco hacia el sur para iniciar el descenso, su vista se detuvo sobre un inmenso campo blanco que destacaba en mitad de las grandes extensiones boscosas. ¡Era el Lugar de Aterrizaje, la inmensa plataforma de piedra que no sólo había soportado el paso del tiempo, sino también los estragos del Diluvio!

—¡Qué visión! ¡Qué lugar! –dijo Utu al comandante de la nave.

—Sin duda –convino Abgal.

La nave se alineó en la trayectoria de aterrizaje sur-norte entre las dos cadenas montañosas. Habían construido la plataforma sobre la ladera interior de la cadena montañosa oriental, con una sección rectangular que se extendía de sur a norte. Y mientras descendían para el aterrizaje, la nave pasó ante el podio que se elevaba a horcajadas sobre el campo de aterrizaje. Era una plataforma más pequeña, aunque gigantesca, que descansaba sobre unos gigantescos bloques de piedra alineados en filas y encajados a la perfección entre sí. Un cohete se levantaba enhiesto sobre él, apoyado en una estructura de vigas trasversales, listo para su lanzamiento.

La nave se deslizó hasta más allá del podio, hacia la zona septentrional de la plataforma de aterrizaje, se cernió en el aire para ajustar su posición sobre una señal circular, extendió sus cuatro patas y aterrizó.

La alegría era obvia entre las Águilas que habían subido a la plataforma para recibir a su comandante. Los de mayor rango estrecharon los brazos con él, y él les mostró la mejor y más sincera de sus sonrisas, mientras entraban en el conducto que los llevaría a las dependencias y al centro de operaciones subterráneos.

—¿Hay algún mensaje? –preguntó Utu quitándose el casco.

—Dos –dijo uno de los oficiales de alto rango–. Uno de la dama Ishtar. «Voy a llegar, pero tendrás que buscarme», decía.

—No ha cambiado, siempre de broma y poniéndote a prueba –dijo Utu–. ¿Y el otro?

—Es más inquietante. Del señor Nabu.

—¿Del mismo señor Nabu? Quiero oírlo –dijo Utu.

Le llevaron al Dirga, al centro secreto de comunicaciones desde el cual se mantenía contacto permanente con las naves celestes, con el espaciopuerto y con el centro de control de misiones. Su abovedada cámara estaba inmersa en una tenue luz rojiza, que se mezclaba con el resplandor ámbar que emitían los equipos y con el zumbido de los discos. Aquel lugar siempre le había recordado a Utu los tiempos en que, junto a su hermana gemela, Ishtar, le habían llevado a las alturas para visitar la nave espacial de Anu.

Cuando Utu entró en el Dirga, el oficial al mando llamó la atención de las Águilas que atendían a los controles.

—¡Salve, señor Utu! –gritaron al unísono los anunnaki, uniformados todos con sus ceñidos monos plateados.

—¡Descansad, descansad! –dijo Utu impaciente–. Dejadme escuchar el mensaje del señor Nabu.

Un instante después, el resplandor de uno de los discos cambió de color, y la voz de Nabu quebró el silencio.

«¡Al gran señor Utu, ilustre hijo del gran señor Sin, comandante de las Águilas, saludos del señor Nabu, primogénito del gran señor Marduk y señor de Borsippa! Una de vuestras naves ha interferido con mis patrullas sin mediar provocación, entrando ilegalmente en el territorio de mi padre. Explique estos hechos o convocaré al Gran Consejo para que se le juzgue».

La grabación terminó abruptamente y la sala se sumió de nuevo en el silencio.

—¿Qué conclusión extraes tú, Uranshan? –preguntó Utu al comandante de la base.

—Nosotros sabemos lo que hemos hecho, pero el señor Nabu no sabe por qué lo hemos hecho. Por otra parte, él sabe por qué *ellos* intentaban capturar a Gilgamesh y Enkidu, pero *nosotros* no lo sabemos. Lo que quiere es que ofrezcamos explicaciones para enterarse de lo que nosotros sabemos. Ésa es la conclusión que extraigo, mi señor.

—Un análisis muy acertado –murmuró Utu–. Lo que sabemos hasta el momento procede de la intercepción de la oración de la dama Ninsun al gran señor Anu y de la llamada de Gilgamesh solicitando auxilio. Lo que tenemos que averiguar es de qué va todo esto y por qué los mardukitas han intervenido.

—¿Podría tener que ver con el lanzamiento de mañana? –preguntó Uranshan–. O quizás…

—Ven a mi cámara –le interrumpió Utu mirándole fijamente.

—¿Qué piensas tú, Uranshan? –le preguntó Utu cuando estuvieron a solas.

—Las naves negras… –dijo Uranshan–. Había tres de ellas. No podían proceder de una base pequeña como la de Borsippa. Debían de venir de una base más grande.

—¿Como la de Marduk en las tierras de los shagaz?

—Exactamente… y, si es así, ¿por qué Marduk iba a molestarse por un mortal? ¿Y por qué iba a lanzar un desafío, a través de su hijo, Nabu, con ese mensaje?

—Se dice entre los grandes dioses que Marduk está presionando para que se cambien los términos de su destierro, Uranshan. Dice que ya ha recibido suficiente castigo por la muerte accidental de Dumuzi, y ahora insiste en su derecho a realizar visitas periódicas a la ciudad de Babilonia. Me pregunto si eso tiene que ver con esta acusación de haber entrado ilegalmente en sus dominios.

—Nuestra nave de mando está autorizada para moverse libremente en esa zona –dijo Uranshan.

—Claro, claro…, pero no para lanzar un rayo paralizador a los tripulantes de una nave mardukita. Habrá que satisfacer la exigencia de Nabu de una explicación, Uranshan… pero no aún. Esperemos a que llegue la dama Ishtar. Tengo la impresión de que en Erek encontraremos una pista para todo este acertijo.

* * *

Ya era de día cuando los camaradas despertaron en un campo sembrado de rocas, en una zona de colinas. El Éufrates y las dunas de arena que lo flanqueaban habían desaparecido.

—¿Hemos estado caminando toda la noche –preguntó Gilgamesh–, huyendo de la nave negra?

—¿No recuerdas nada? –le dijo Enkidu riendo.

—¿Recordar…? ¿Qué tengo que recordar?

—¿No recuerdas que nos rescataron? –respondió Enkidu–. Nos lanzaron un rayo a los ojos para hacernos olvidar lo que habíamos visto y oído a bordo de su nave, pero la mía no es una memoria mortal.

—No sé de lo que estás hablando –dijo Gilgamesh–. Lo único que recuerdo es aquella horrible nave junto al río que venía a por nosotros. Y ahora debemos de estar a bastante distancia del río.

—Sin duda, estamos lejos. Estamos en el país de las colinas. Nos dejaron aquí las Águilas de Utu.

—Me acordaría de algo, por exhausto que estuviera, si hubiera algo de verdad en esa broma de mal gusto –dijo Gilgamesh.

—¿Sí? Pues mírate los pies entonces –le dijo Enkidu.

Gilgamesh se miró los pies y, en vez de sandalias, se encontró con unas extrañas botas. Las suelas sólo eran lisas en la parte de delante, a diferencia del resto de botas que conocía, cuyas suelas eran completamente lisas para facilitar la marcha. Sin embargo, el talón de estas botas era más grueso, y la parte superior, en vez de tener las habituales tiras de cuero, era sólida, y no sólo cubría el pie, sino también la parte baja de la pierna. Y de la parte superior salían unas solapas, como las orejas de un asno, pero más cortas.

Gilgamesh se inclinó y tocó el material plateado de aquellas extrañas botas. Aunque parecía metálico, era suave y flexible, pero no era cuero, ni tampoco lona. Se quedó mirando a Enkidu; él también llevaba unas botas como las suyas.

—En el nombre de dios –dijo Gilgamesh–, ¿qué clase de calzado es éste?

—¡Salta! –respondió Enkidu.

Gilgamesh, desconcertado, hizo lo que le decía su camarada. Dio unas cuantas zancadas para tomar impulso y dio un brinco con la intención de aterrizar unos cuantos codos más allá; pero, inesperadamente, se elevó hasta más allá de lo que hubiera saltado nunca antes, y aterrizó muchos codos más allá. Sin poderse creer su hazaña, saltó de nuevo y, una vez más, se elevó a una altura desorbitada, para aterrizar aún más lejos; si bien, perdiendo el equilibrio, cayó de espaldas.

Enkidu rugía a carcajadas, mientras que con un gran salto llegaba hasta su compañero y le ayudaba a levantarse.

—Estas botas son mágicas –dijo–. Un regalo de los anunnaki del Barco del Cielo.

—No sé de lo que estás hablando –replicó Gilgamesh irritado.

—Déjalo –dijo Enkidu–. Se suponía que tenías que olvidarlo todo y lo has olvidado. Lo que sí *puedo* decir es que el señor Utu intervino, después de escuchar nuestra llamada de auxilio. Nos han traído a las inmediaciones de la montaña de los Cedros, y nos han dado estas botas mágicas para ayudarnos a alcanzar nuestro destino.

—*Mi* destino, como tú dices, es el Lugar de Aterrizaje. De modo que, ¿hacia dónde tenemos que ir?

—Está al oeste, de eso estoy seguro. De lo que no estoy seguro es de si deberíamos ir allí –le dijo Enkidu–. El Lugar de Aterrizaje está oculto en el bosque de los Cedros, que se extiende a lo largo de diez mil leguas. ¿Crees que habrá alguien allí que nos indique la entrada? Y la entrada, amigo mío, está custodiada por el terrible Huwawa.

—¿Huwawa?

—¡Sí, Huwawa! ¡Un monstruo! El señor Enlil le encargó que aterrorizara a los mortales. Su rugido es como el fragor de una tormenta, arroja fuego por la boca, ¡y puede darte muerte sólo con el aliento! ¡Ay de quien se atreva a desafiar a Huwawa! ¡Sería un combate desigual, una muerte segura!

Gilgamesh guardó silencio, mirando las colinas en la lejanía. Luego, dejó escapar un suspiro. Tenía los ojos empañados en lágrimas. De pronto, sintió una contracción en su mano derecha.

—¿Qué es eso? –preguntó Enkidu.

—Podría decirse que es un recordatorio –respondió Gilgamesh.

Se enjugó las lágrimas y se volvió hacia Enkidu.

—Oh, amigo mío –dijo–, ¿acaso debo temer a Huwawa, cuando mis días están contados? Todo cuanto haya podido conseguir no es más que una brizna de viento…

—Yo he dicho que debes tener cuidado, no que te detengas –le dijo Enkidu.

—No pronuncies ante mí palabras de temor, Enkidu –dijo Gilgamesh poniendo su mano sobre el hombro de su compañero–. Más bien, que tus labios me digan: «¡Adelante, Gilgamesh, no tengas miedo!». Pues, aunque fracase en mi objetivo, conseguiré a pesar de todo que mi nombre se recuerde eternamente. «Gilgamesh –dirán en un futuro–, cayó luchando con el fiero Huwawa. De entre todos los hombres, sólo él ascendió a la montaña de los Cedros». Esto, amigo mío, se dirá de Gilgamesh mucho después de que haya sucumbido. ¡Pero si gano la partida, sin duda alcanzaré los cielos!

Enkidu levantó su mano derecha, y ambos estrecharon sus brazos.

—Vayamos, entonces –dijo Enkidu–, y ojalá que Utu siga velando por nosotros.

Al principio, los dos compañeros se lo pasaron en grande caminando con aquellas mágicas botas. Era sin duda excitante que, con el impulso de un pequeño paso, pudieran salvar la distancia de cinco pasos, o que con una zancada trazaran un arco y aterrizaran cincuenta largos más allá. Como dos jovencitos –no, como dos niños pequeños aprendiendo a caminar–, Gilgamesh y Enkidu pusieron a prueba sus nuevas habilidades, dando diferentes tipos de zancadas, intentando acertar en el punto donde deseaban aterrizar o intentando no aterrizar con demasiado impulso. Pero, por mucho que lo intentaron, no pudieron evitar darse algunos revolcones, y cuando finalmente decidieron tomarse un descanso, Enkidu calculó que debían de haber recorrido alrededor de diez leguas.

—Tengo hambre –dijo Gilgamesh.

—Y yo tengo sed –respondió Enkidu.

Descansaron un rato, y luego reanudaron la marcha en dirección oeste. El terreno se iba haciendo cada vez más empinado, y los matorrales iban dando paso a arboledas. Cada vez les resultaba más difícil dar aquellas zancadas gigantes sin darse de frente contra un árbol;

por lo que Gilgamesh, decidiendo que ya se había hecho bastantes heridas y cardenales, optó por quitarse las botas.

—Será mejor que vaya descalzo y con menos prisas a que tenga una mala caída y me rompa algún hueso –dijo.

Durante un rato, Enkidu siguió avanzando a grandes zancadas, deteniéndose de vez en cuando para esperar a Gilgamesh, pero cada vez iba más despacio debido a la falta de agua, y cuando llevarían recorridas unas veinte leguas, se detuvieron para descansar. Enkidu también se quitó las botas.

—Los regalos de los dioses son como una flor que oculta una espina –dijo–. En la bendición siempre hay oculta una maldición.

—Cierto –dijo Gilgamesh–. Pero si el señor Utu vino en nuestro rescate, ¿por qué no nos dejó directamente en el bosque de los Cedros? ¿Por qué nos dejó a tantas leguas de distancia?

—Mi hacedor, el gran señor Enki, me enseñó esto –dijo Enkidu—: «Aunque los dioses tomen a un hombre bajo su protección, siempre le dejan retos suficientes como para que se esfuerce y triunfe, o bien para que se rinda y fracase». Los dioses, amigo mío, ayudan a aquellos que se ayudan a sí mismos.

—Estoy cansado, hambriento y sediento –le dijo Gilgamesh cambiando de tema.

—Y yo me estoy quedando sin fluidos –añadió Enkidu–. Cavaremos un pozo.

—No hay ningún río por aquí, ni siquiera una fuente.

—En el valle, allí donde se acumulan los matorrales, cavaremos un pozo –respondió Enkidu apuntando a un sitio que tenía en mente.

Cuando llegaron al lugar, Enkidu arrancó una rama de un matorral y se puso a sondear el terreno.

—Cuando llegan las lluvias y el agua cae de las colinas formando regueros –dijo–, este terreno blando absorbe una buena cantidad de agua. A veces, dependiendo de las rocas que haya bajo la superficie, quedan bolsas de agua. Y donde se acumulan los matorrales, aunque la superficie esté seca, es señal, amigo mío, de que se puede encontrar agua.

Y descubriendo un lugar adecuado con la rama, se puso a hurgar en el suelo.

—¡Aquí! –le dijo a Gilgamesh.

Con un poderoso tirón desarraigó un gran matorral, y luego le pidió a Gilgamesh que le ayudara a sacar piedras y tierra del agujero. No dándose por satisfecho con los progresos de la excavación, Enkidu desgajó las ramas del matorral y utilizó el tronco desnudo como cuña para soltar rocas y tierra, mientras Gilgamesh las sacaba rápidamente para seguir profundizando el agujero. El rey fue el primero en notar tierra húmeda allí donde habían llegado las raíces más profundas.

—¡Aquí *hay* agua! –gritó.

Empleando las manos, los dos compañeros extrajeron el último tomo de tierra y encontraron el agua. Enkidu se mojó los dedos y se llevó unas gotas a los labios, y Gilgamesh hizo lo mismo. Y siguieron humedeciéndose los labios, descansando de cuando en cuando, hasta que, poco a poco, sintieron que recuperaban las fuerzas. Más tarde, utilizando exclusivamente sus poderosas manos, Enkidu profundizó el agujero hasta que emergió agua suficiente como para recogerla formando un cuenco con las manos. Bebió hasta que se sació, y lo mismo hizo Gilgamesh.

—Si pudiera conseguir algo de comida –dijo Gilgamesh–, alabaría al señor Utu sin reservas.

—Prueba esas bayas que crecen en los matorrales –respondió Enkidu–. Prueba una o dos, y mira a ver cómo saben.

Tenían buen sabor, de modo que Gilgamesh comió bayas hasta hartarse, y luego miró a Enkidu con una sonrisa.

—Es cierto –dijo–. Los dioses ayudan a aquellos que se ayudan a sí mismos.

—Bien dicho –respondió Enkidu–. Pero seamos consecuentes con esas palabras. Todavía tenemos algunas horas de luz. ¡Pongámonos las botas mágicas y sigamos avanzando hacia el bosque de los Cedros!

Recuperada la energía, y más diestros ahora en el manejo de las botas, los compañeros avanzaron esta vez un buen trecho. El terreno iba cambiando a medida que seguían al sol en su camino hacia el oeste. Las colinas dieron paso a las montañas, y los matorrales dieron paso a los bosques. Aquí y allí se iban encontrando con animales y escuchaban más cantos de pájaros en los alrededores. Poco después, el camino se hizo muy empinado, y entonces comprendieron que les habría resultado imposible ascender sin la ayuda de las botas mágicas.

Hasta que, finalmente, tras coronar la cima de uno de los picos, pudieron ver las montañas de los Cedros elevándose como una muralla verde entre ellos y el sol poniente.

Permanecieron allí durante un rato, contemplando el paisaje, casi sin aliento, sin pronunciar ni una sola palabra. Al cabo, Gilgamesh soltó un grito, inarticulado, simplemente un grito, como el rugido de un león, y dando saltos y elevándose por encima de los arbustos, se lanzó a un descenso enloquecido por la ladera en dirección al siguiente pico. Eufórico, Enkidu le siguió.

Llegaron corriendo a la cima de la montaña. Los verdes cedros crecían en su ladera oeste, y los camaradas se detuvieron de nuevo para contemplar el paisaje a su alrededor. Allá donde pusieran la vista se encontraban una espesa cubierta verde de cedros cubriendo una montaña tras otra, cubriendo toda la cordillera. Altos árboles de exuberante follaje se elevaban hasta el cielo, perdiéndose sus ápices entre las nubes en las montañas más lejanas.

No pudieron articular palabra alguna durante un buen rato, contemplando simplemente aquel maravilloso espectáculo. Pero, después, el aire frío los devolvió a la realidad e iniciaron el descenso hasta el valle que se abría más abajo. Pasarían la noche allí, para ascender una nueva montaña al día siguiente.

El frío les llevó a abrazarse para darse calor cuando se echaron en el suelo para descansar, y el sueño les sobrevino poco tiempo después de caer sobre ellos la oscuridad. A medianoche, Gilgamesh se despertó intensamente alterado a causa de un sueño, y despertó a Enkidu.

—Amigo mío –le dijo–, he tenido un sueño. He visto una montaña con árboles muy altos, y he visto dos pequeñas cañas que crecían entre los árboles. De pronto, llegó una tormenta, tan poderosa que la montaña se vino abajo, y no quedó nada, salvo las dos cañas.

—Es un sueño favorable –le dijo Enkidu–. Los árboles altos son los árboles del bosque de los Cedros. La montaña es la montaña de los Cedros. La tormenta es Huwawa, el poderoso guardián del bosque. Y las dos cañas somos tú y yo. Tu sueño, Gilgamesh, es un buen augurio. Llegaremos al bosque de los Cedros, venceremos a Huwawa y, cuando haya terminado la batalla con el monstruo, estaremos los dos ilesos.

Satisfecho con la interpretación que había hecho del sueño, Enkidu se volvió a dormir y, poco después, Gilgamesh se dejaba vencer también por el sueño. El rey se volvió a despertar al alba con una fría llovizna; pero, para su sorpresa, las gotas de agua eran blancas. Era como si estuviera cayendo cebada del cielo. Atemorizado por la visión, Gilgamesh se encogió sobre sí mismo, ocultando su rostro entre las rodillas. Pero aquellas motas blancas seguían cayendo del cielo y, poco después, tanto Enkidu como todo lo que había a su alrededor estaban cubiertos por algo parecido a unas suaves plumas blancas. Gilgamesh intentó recoger en sus manos aquella cosa pero, tan pronto como tocaba su piel, se convertía en agua. Una vez más, despertó a Enkidu, que no había sentido las motas blancas sobre su cuerpo.

—Eso es nieve –dijo Enkidu–. El frío hace que las gotas de agua se vuelvan blancas.

Gilgamesh se le quedó mirando, atónito.

—Nunca había visto nada así en Erek –dijo.

—Sólo sucede en las altas montañas –añadió Enkidu echándose un puñado de nieve a la boca y bebiéndose el agua derretida.

Gilgamesh hizo lo mismo.

—Es verdad, la nieve se convierte en agua –dijo sonriendo–. Pero ahora tengo hambre –añadió frunciendo el ceño.

—Cuando salga el sol buscaremos bayas –le dijo Enkidu–. Mientras tanto, ¿podría dormir un poco más sin que me molestes?

* * *

—Se acerca una nave. La piloto se identifica como la dama Ishtar –anunciaron los altavoces en la cámara de Utu.

Hacía ya más de dos horas que había salido el sol.

—¡Ya era hora! –le dijo Utu a Uranshan–. ¡Vamos, quiero recibirla en la plataforma!

Otros comandantes se apresuraron a seguir a Utu, y todos juntos ascendieron hasta la plataforma. Llegaron justo a tiempo de ver el globo plateado de Ishtar descendiendo rápidamente sobre el punto de aterrizaje. Pero, para su sorpresa, la nave no redujo la velocidad para cernerse sobre la plataforma antes de aterrizar, sino que se precipitó por encima de sus cabezas, obligándolos a echarse al suelo.

—¡Está violando el reglamento! –gritó el director de plataforma dentro de su casco.

La nave trazó un círculo cerrado en el cielo y se precipitó de nuevo sobre el grupo liderado por Utu.

—La dama Ishtar tiene un mensaje para mi señor –le dijo el director de la plataforma a Utu–. «Aquel que me espera, que venga a buscarme».

—¡Sigue siendo tan juguetona como un cachorro de león! –exclamó Utu mientras el grupo recuperaba el aliento–. ¡Pásame tu casco! –le ordenó al director de plataforma.

Utu se puso el casco, trepó rápidamente a una de las naves estacionadas en la plataforma y puso los motores en marcha. Al cabo de unos instantes, la nave se elevaba y se cernía estacionaria sobre la plataforma para, dos segundos después, sin plegar siquiera las patas, salir a toda velocidad con un agudo ángulo ascendente en la dirección en la que había desaparecido Ishtar.

Maniobrando su nave en el ascenso, Utu oteó los cielos en busca de la nave de Ishtar hasta que, finalmente, frustrado, gritó ante la Piedra Susurrante del casco:

—¡Hola, hermana! ¿Dónde te has metido?

No hubo respuesta, por lo que siguió trazando círculos en el cielo, elevándose hasta las nubes y descendiendo hasta casi rozar las copas de los árboles. Hasta que, de pronto, escuchó las risas de su hermana, mientras su globo plateado aparecía quién sabe de dónde y le hacía una rapidísima pasada por encima de su nave. A continuación, le dio una vuelta alrededor y desapareció de nuevo entre las nubes. Por unos instantes, mientras ella pasaba, Utu había levantado la vista sorprendido y había llegado a vislumbrar el rostro de su hermana a través de la portilla de su nave, mientras escuchaba su encantadora risa a través de los auriculares.

—¡Ven a pillarme, Shamash! –le gritó ella, llamándole por su apodo.

—¡Bruja! –replicó él, maniobrando su nave para emprender su persecución.

Utu avistó un punto plateado sobre el fondo de unas nubes oscuras e, instantes después, situaba su nave junto a la de Ishtar.

—¡Ala con ala! –gritó Utu triunfante.

—¡Atrápame si te atreves! –le gritó Ishtar–. ¡Mi cuerpo tiene hambre!

—Bajemos entonces –dijo él, extendiendo las patas de su nave para instarla a descender.

Ishtar se echó a reír y, con una rápida maniobra, situó su nave entre las patas del ingenio de Utu.

—Ven conmigo a nuestro lago favorito –dijo ella–. ¡Volvamos a hacer travesuras, Shamash, como cuando éramos jóvenes!

—Entonces no teníamos responsabilidades –le contestó él–. Ahora, tenemos una misión que cumplir.

Y, cortando el contacto, Utu dirigió su nave de nuevo hacia la plataforma de aterrizaje.

En cuanto aterrizó vio que Ishtar también estaba descendiendo sobre la plataforma y, una vez fuera, fue a esperarla a los pies de la escalerilla. En cuanto apareció por la puerta de la nave, Ishtar se echó sobre él. Se abrazaron y se besaron, mientras Ishtar contenía a duras penas su pasión.

—Te acompañaré para que te laves y descanses –dijo Utu.

—No estoy cansada en absoluto. Vamos a tus dependencias –sugirió ella.

Y él accedió.

Una vez solos, se volvieron a abrazar, sin que Ishtar contuviera ya la pasión que ardía en su interior.

—¡Oh, hermano mío, cuánto te he echado de menos, como cuando éramos jóvenes! –le dijo entre susurros, besándole una y otra vez.

Pero la diosa se dio cuenta de inmediato de que Shamash no mostraba la misma pasión.

—¡Tan hermosa como siempre! –dijo él echando la cabeza atrás para mirarla de arriba abajo.

Y, ciertamente, estaba hermosa; aunque, viéndola de cerca, constató que había envejecido desde la última vez que la había visto.

Por vez primera desde su reencuentro, Ishtar contempló con detenimiento a su hermano, el valiente y joven dios, comandante de las instalaciones espaciales, el apuesto piloto, su compañero de juegos desde el día en que nacieron, su pareja cuando probaron los frutos prohibidos del Conocimiento, cuando descubrieron y compartieron los gozos de las caricias y los abrazos.

Ishtar vio a un Shamash diferente. En lugar de un joven atrevido y desafiante, vio en sus ojos una mirada de sabiduría –una serena sabiduría–; y llevaba ahora una larga barba que, al parecer, debía de haberse dejado crecer a partir del momento en que ya no le fue necesario ponerse el casco del espacio profundo. «¡Oh, cuánto ha envejecido!», pensó Ishtar estremeciéndose. Pero no dijo nada. En lugar de eso, tentó sus músculos y, con una risita, le dijo:

—¡Sigues estando muy fuerte, mi valiente hermano!

Pero él había captado en su mirada que aquél era un cumplido forzado, como si la verdad fuera diametralmente opuesta. Utu la tomó de la mano y la sentó a su lado.

—La maldición de nuestro nacimiento en la Tierra pende sobre nosotros, hermana mía –le dijo dulcemente–. Aunque la esencia de Nibiru esté en nuestro interior, el destino de la Tierra está acortando nuestra esperanza de vida.

Ella le acarició la mano, ahora ya sin pasión.

—Yo también me he dado cuenta, Shamash…, en mi propio cuerpo –admitió Ishtar–. Nuestro padre, que nació en la Tierra, parece ya tan anciano como los más ancianos de los anunnaki que vinieron de Nibiru… Y nosotros, la segunda generación nacida en la Tierra, aunque somos más jóvenes, ¡pronto pareceremos tan viejos como ellos!

Ishtar miró a Utu a los ojos con una profunda tristeza.

—Espero que el Proyecto Rejuvenecimiento vaya bien…

Utu se sobresaltó al escucharle hablar de aquel proyecto secreto. Le puso un dedo en los labios y, acto seguido, movió la mano en círculo, señalando a las paredes que los rodeaban.

—No se ha guardado bien el secreto, hermano mío –dijo ella ignorando sus precauciones–. Todos los dioses congregados en Erek para las festividades del Año Nuevo, habiendo nacido en la Tierra, estaban hablando del nuevo proyecto en el que está involucrado el abuelo Enlil. Decían que no sólo implicaba la búsqueda de nuevos yacimientos de oro en las tierras que se extienden más allá de los mares, sino también la construcción de un nuevo espaciopuerto…, un espaciopuerto que no sólo nos permita embarcar el oro en dirección a Nibiru, sino también enviar a algunos de nosotros allí… ¡para nuestro rejuvenecimiento!

—¡Esto me alarma! –exclamó Utu–. ¿Quién ha podido saber tanto de lo que se supone que es un secreto?

—Ninsun, la hija de Ninharsag, parece que es la que más conoce el tema.

—¡La madre de Gilgamesh! ¡No me extraña que instara a su hijo a buscar la Vida Eterna en el Lugar de Aterrizaje!

—¿Y qué tiene que ver Gilgamesh con nosotros? –dijo Ishtar–. Los asuntos de los dioses son para la consideración exclusiva de los dioses.

—¡No cuando Nabu y Marduk se han involucrado en el asunto! –respondió Utu con una mirada de preocupación–. Hermana mía, ¿qué está pasando en Erek?

—Traición, quizás… Ninsun y su hijo se han confabulado contra mí.

—Cuéntamelo todo –dijo él.

Ishtar le contó lo sucedido en el templo Blanco de Anu, durante la Determinación de los Destinos; le habló de la obra de Anu que había caído a la Tierra, de la desaparición de Gilgamesh y de su enfrentamiento con Ninsun.

—Deja que te cuente lo que sé yo –le dijo Utu a su vez.

Y él le habló de la intercepción de la oración de Ninsun a Anu, del rescate de Gilgamesh y Enkidu, tras escuchar su llamada de auxilio, y del amenazador mensaje de Nabu.

—Todo lo cual nos lleva a dos preguntas –concluyó él—: ¿cómo se han enterado los mardukitas del paradero de Gilgamesh? Y, ¿por qué los muy bribones están intentando capturarle?

—Quizás escucharon la súplica de Ninsun, interceptando la llamada, al igual que hiciste tú.

—Quizás –dijo él–. Establecer una red de escucha paralela a la red oficial podría formar parte de una nueva estrategia. Pero Ninsun no hacía mención alguna en su súplica sobre cómo ni cuándo iba a partir Gilgamesh.

—Cierto –respondió Ishtar–. Ninsun no lo sabía cuando me enfrenté a ella en el templo Blanco. Fue después, a lo largo del día, cuando el sumo sacerdote descubrió que Gilgamesh había partido de Erek en un barco con dirección a Mari.

—¿El sumo sacerdote? ¿En qué anda metido el sumo sacerdote?

—Parece que una prostituta fue a confesar sus pecados al templo…

—Ahórrame los detalles –dijo Utu levantando la mano para detener a su hermana–. La segunda pregunta es mucho más intrigante.

¿Por qué los mardukitas tienen tanto interés en localizar a Gilgamesh, en atraparle y hacerle cautivo?

—¿Tienes alguna teoría?

—Todavía no, hermana mía. Pero están tramando algo… Deja que te enumere unos cuantos hechos. Cuando comenzó el Proyecto Tierra, fue nuestro genio científico, el señor Enki, el que dirigió la expedición, el que estableció las operaciones mineras para la extracción de oro y el que planeó y erigió los asentamientos, el centro de control de misiones y el espaciopuerto. Más tarde, tras el Diluvio, cuando hubo que reconstruirlo todo otra vez, fueron de nuevo Enki y sus hijos los que planearon y construyeron las pirámides, el espaciopuerto y el centro de control de misiones. Pero ahora es Enlil, y su primogénito, Ninurta, quienes controlan las nuevas instalaciones.

—Ellos las construyeron, y nosotros, los enlilitas, las operamos y controlamos –resumió Ishtar.

—Pero, ¿hasta cuándo lo haremos? Ésa es la pregunta –prosiguió Utu–. Marduk ha convertido una sencilla pista de aterrizaje en las tierras de los shagaz en una importante base para sus naves. Por otra parte, Nabu y sus misioneros están reclutando conversos entre los occidentales, y están construyendo templos, graneros y murallas en Borsippa. Y, ahora, Marduk exige el derecho de paso a Babilonia para poder acceder directamente al propio Edin. ¡Créeme, hermana, Marduk está tramando algo gordo!

—¿Otra guerra? ¡Creía que habría aprendido algo tras su ignominiosa derrota en las Guerras de las Pirámides!

—No –dijo Utu–. Sigue deslizándose sigilosamente, como la serpiente que es. El incidente con Gilgamesh me convence de ello.

—Tendrás que explicármelo –dijo Ishtar.

—Te has dejado llevar por la suposición de que Ninsun y Gilgamesh han estado tramando algo contra ti. Pero, ¿qué pasaría si el complot no lo estuvieran tramando *ellos,* sino que se hubiera tramado *contra ellos?* ¿Qué pasaría si el derrocamiento de Gilgamesh formara parte de un complot más amplio y elaborado?

Ishtar se puso en pie, visiblemente turbada.

—¿Un complot para que le dé la realeza a un seguidor de Marduk?

—¿Por qué no? –respondió Utu– Las ciudades occidentales están en ebullición. Si Nabu se sale con la suya, todos los mortales que hay de aquí al espaciopuerto, en la Cuarta Región, se convertirán al culto de Marduk. Y, si pueden apoderarse de Erek, los dominios de nuestro padre en Ur se encontrarán en medio de una pinza, entre Erek y Eridú. En el norte, mi ciudad, Sippar, quedaría aislada, rodeada por las ciudades mardukitas de Borsippa y Babilonia, y por la adversaria Kish.

Y, con gesto grave, añadió:

—Ishtar, si se apoderan de Erek, todo el Edin quedará indefenso.

Utu calló, mientras Ishtar bajaba la cabeza reflexionando.

—El odio que sentí hacia Ninsun me cegó, y juzgué mal a Gilgamesh –dijo la diosa mirando a su hermano a los ojos.

—Bueno –respondió Utu tomándola de las manos–, mis conclusiones aún no son categóricas. Sólo es el esbozo de una teoría que podría explicar por qué los mardukitas están persiguiendo a Gilgamesh. Pero, cuando vuelvas a Erek, convendrá que lo investigues con la máxima discreción.

—Lo haré –dijo Ishtar sonriendo–. ¿Y dónde está ahora ese rey mío, ese que quiere convertirse en un dios?

—Pues viene hacia aquí. Está en las cercanías del bosque de los Cedros. Le he ayudado hasta donde debía, quizás incluso más de lo que nos permiten las reglas –le dijo a Ishtar guiñándole un ojo–. Después de todo, a su diosa debe gustarle Gilgamesh *de algún modo*, ¿no?

Ishtar dejó escapar una risa pícara.

—¿Y luego?

—Gilgamesh depende de sí mismo ahora. Si entra en el bosque, la victoria o la derrota dependerán exclusivamente de él. No estamos autorizados para intervenir.

—¡Está loco! –gritó Ishtar–. Si no lo consigue, perderá la vida, ¿no es así?

—Bueno…, están los rayos ocultos… y está Huwawa…, ¡pero no debes interferir!

Ishtar tomó de la mano a su hermano.

—Mi querido hermano –le dijo dulcemente–, de todos los amantes que he tenido desde la brutal muerte de mi esposo, Dumuzi, nadie ha habido para mí más querido que Gilgamesh. ¿Podría tener esto en cuenta aquel que marca las reglas?

Utu miró fijamente a su hermana a los ojos, y vio que brillaban con una mezcla de pesar y de deseo.

—Sin duda –respondió Utu–. Tú necesitas un compañero, y no sólo en la noche del Matrimonio Sagrado.

Utu extrajo su mano de entre las manos de ella.

—Mientras tanto, tengo que inventarme una respuesta para Nabu y prepararme para el lanzamiento del cohete.

—¿Qué respuesta le vas a dar?

—Algo que le desconcierte –dijo Utu echándose a reír–. Algunos lo llamarían evasiva… ¡o doble discurso!

10

·

Cuando se hizo de día, Gilgamesh volvió a despertar a Enkidu, pero esta vez fue el hambre, y no un sueño, lo que había interrumpido el sueño del rey.

Enkidu se echó nieve a la boca para beber, y luego se frotó la cara y las manos con copos de nieve, y Gilgamesh le imitó, sintiéndose renovado por momentos.

—Ven –le dijo Enkidu–, recogeremos bayas para ti, mientras buscamos la entrada del bosque.

Las botas mágicas no resultaban de mucha utilidad entre la densa vegetación, de modo que ascendieron lentamente la nueva ladera, recogiendo bayas hasta que Gilgamesh sintió que había comido suficiente. El panorama que se abrió ante ellos en la cima era sobrecogedor; el blanco de la nieve le daba un aspecto imponente a las interminables montañas verdes pobladas de cedros. Con la excepción del graznido de alguna rapaz, la serenidad era absoluta en las alturas.

—¡Por los grandes dioses! –exclamó Gilgamesh sin poder reprimir la emoción–. ¡Sin duda, la Tierra alcanza aquí al cielo!

Pero entonces, súbitamente, escucharon un estruendo, un estrépito que no sólo retumbó en el aire, sino también en el suelo. Era como si los cielos se fueran a desplomar y la tierra fuera a hundirse bajo sus pies. Asustados, sin saber a qué atenerse, los dos camaradas se estrecharon entre sí. Miraron al cielo y a su alrededor, mientras un griterío de voces de animales, ocultos para ellos instantes antes, se extendía entre los bosques. Desde detrás de la montaña que tenían enfrente, vieron elevarse una oscura y gigantesca columna de humo que no tardó en ocultar la luz del sol, sumiéndolo todo en la oscuridad. Y, de pronto, pareció estallar un relámpago, con un resplandor tal como nunca antes había visto ninguno de los dos, pues su fulgor no provenía del cielo, sino que ascendía desde la tierra.

—¡La Tierra es el cielo, el cielo se convertirá en la Tierra! –gritó Gilgamesh aterrorizado, con la mirada fija, al igual que Enkidu, en aquel increíble espectáculo.

Después, una llama inmensa, tan grande como el fuego de un millar de antorchas juntas, se elevó por detrás de la montaña, atravesando la oscura columna de humo como si de la lanza de un gigante se tratara. La nube se hinchó, y la llama, elevándose a través de ella, quedó engullida en su interior. Instantes después, la llama y su rojo resplandor se desvanecieron, y del cielo comenzaron a caer no copos blancos, sino negras cenizas.

—¡Los dioses se pronuncian contra mi llegada! –gritó Gilgamesh, temblando de frío y miedo–. ¡Hemos sido advertidos!

—Tranquilízate –respondió Enkidu–, que no es un augurio, sino la visión de tu objetivo. Era un Barco del Cielo iniciando su viaje a las alturas. Gilgamesh, el Lugar de Aterrizaje está al otro lado de la montaña. Pero ahora que has visto lo terrorífico de ese lugar, ¿sigues queriendo ir allí?

En un principio, Gilgamesh se mostró incrédulo. Pero a medida que el cielo se aclaraba y regresaba la tranquilidad, recobró la confianza en sí mismo.

—Sin duda era un augurio, pero un buen augurio –dijo intentado tranquilizarse a sí mismo–. Con mis propios ojos he visto elevarse un Barco del Cielo. Los dioses me han mostrado un visión de mi destino… ¡Al cielo ascenderé, amigo mío, y escaparé del amargo fin de los mortales!

Enkidu contempló a su camarada.

—A partir de ahora, tu destino está en tus propias manos –le respondió.

Conociendo ya, merced al lanzamiento del cohete, la ubicación del Lugar de Aterrizaje en la inmensidad del bosque de los Cedros, los dos amigos reanudaron su camino con renovado vigor. Caminaron, se deslizaron, se arrastraron y volvieron a caminar por el denso bosque, resbaladizo ahora por la nieve caída. Tras coronar la cima de la montaña, comenzaron a descender hacia el valle, dirigiéndose hacia el pico tras el cual se hallaba el Lugar de Aterrizaje. Resbalaron, patinaron y se llenaron de barro durante el descenso, pero los sufrimientos de su recorrido les fueron compensados por la visión de las gacelas, escabulléndose en su huida por entre los árboles.

Cuando los compañeros llegaron al valle entre las dos montañas, se dieron cuenta del motivo por el cual proliferaban los animales en aquel lugar, pues se encontraron con un arroyo de aguas cristalinas. Hicieron un alto en el camino para bañarse y saciar su sed, y Gilgamesh saboreó también las bayas que crecían en los alrededores, unas bayas doradas y jugosas, de gran tamaño y gruesa piel, que crecían en unos árboles pequeños.

—¡Tienen un sabor divino! –exclamó Gilgamesh–. Nunca había probado nada como esto.

Después de saciar su apetito, miró a su alrededor buscando a Enkidu, hasta que le encontró rodeado de gacelas. Los animales no le tenían miedo alguno; de hecho, había gacelas incluso que le lamían las manos y la cara, y él las abrazaba por el cuello.

—¡Enkidu! –le llamó a voces Gilgamesh, pero Enkidu le ignoró–. ¡Enkidu! –gritó de nuevo corriendo hacia él.

Enkidu levantó finalmente la vista.

—Son mis amigas y compañeras de juegos –dijo como disculpándose–. Su amistad es cuanto tenía en mis días de vida salvaje…

—Pero esos días pasaron –le dijo Gilgamesh que, tomando del suelo una rama, la utilizó para ir apartando a las gacelas.

Uno de los animales restregó su cabeza en la cara de Enkidu, mientras aquella que sujetaba por el cuello se contoneaba bajo su mano. Enkidu miró a Gilgamesh, y luego apartó la mirada.

Gilgamesh arrojó la rama y abrazó a Enkidu en silencio.

—Vamos, Enkidu, tenemos que seguir –le dijo finalmente.

El camino los llevó entonces hasta la ladera de la última montaña, pero el entorno cambió de repente. Se encontraron con multitud de cadáveres de gacelas esparcidos por aquí y por allá, y ladera arriba vieron también algunos árboles que parecían haber sido devorados por el fuego.

—Esto parece un matadero –comentó Gilgamesh mientras se detenían y miraban a su alrededor.

Enkidu se agachó para examinar uno de los animales muertos, y luego otro; mientras, impaciente, Gilgamesh reanudaba el ascenso.

—¡Vamos! –le gritó–. ¡Deja de perder el tiempo!

—¡No sigas adelante! –le respondió Enkidu– ¡La muerte está cerca!

Gilgamesh se volvió para mirar a Enkidu, sin comprender.

—¡Mira! –dijo Enkidu.

Y le señaló a dos gacelas que se habían distanciado del rebaño y se perseguían jugando ladera arriba. De repente, un rayo surgió de entre los árboles, alcanzando a la gacela que iba delante y a los árboles que había tras ella. En un instante, el aire se impregnó con un olor acre a carne y a madera quemadas, como en las ofrendas ante el altar de los sacrificios, mientras la juguetona gacela, abrasada, yacía muerta.

—¡Gran Anu! –exclamó Gilgamesh–. ¿Qué ha sido eso?

—Un rayo asesino –dijo Enkidu–. Un arma terrorífica, oculta entre los árboles.

—¿Como el arma de Ishtar que arroja rayos?

—Sí, algo así…, pero es un arma que se dispara sola cuando algo se le pone a tiro.

—¿Dispara sola, o la dispara un dios invisible?

—¿Quién sabe? –respondió Enkidu–. Lo que está claro es que no podemos seguir avanzando por aquí. Tendremos que circundar la montaña a lo largo del valle y buscar una puerta.

—¿Cómo va a haber una puerta, si no hay muralla ni valla que la sostenga?

—Esta muralla es más inexpugnable que una muralla de piedra –dijo Enkidu–. Aunque no la veas, es impenetrable. Y la puerta, aunque no tenga un pórtico de piedra y mortero alrededor, existe no obstante. El señor Enki, mi creador, me habló de esto en cierta ocasión. Tiene que haber un lugar en las cercanías a través del cual se pueda entrar en el bosque.

—¿Y cómo lo encontraremos? –preguntó Gilgamesh.

Enkidu se echó a reír.

—Muy fácil. Por la ausencia de árboles y de animales chamuscados –dijo mientras le hacía una señal a Gilgamesh para que bajara de nuevo al valle.

Pero Gilgamesh no se movió. Se quedó allí, de pie, mirando al animal muerto.

—Es carne asada… recién asada…

A Enkidu le llevó unos instantes comprender.

—Es demasiado arriesgado, Gilgamesh –respondió–. Te abrasarás intentando alcanzar al animal.

—Me apetece comer comida de verdad –le dijo Gilgamesh.

Enkidu miró a su camarada, y luego miró al animal muerto.

—En la naturaleza, unos animales se comen a otros –dijo–. Nunca entenderé por qué los dioses le enseñaron al hombre a hacer lo mismo… Un instante antes, la gacela era mi compañera de juegos, ¡y al instante siguiente es tu comida!

—Ofrecer sacrificios de animales es uno de los deberes del hombre para con sus dioses –dijo Gilgamesh–, ¡pero comer y no pasar hambre es uno de los deberes del hombre para consigo mismo!

Y, dicho esto, Gilgamesh se agazapó contra el suelo y, a rastras, se dirigió hacia el malogrado animal, buscando en todo momento la protección de los árboles. En un momento determinado, levantó ligeramente la cabeza para confirmar la dirección, volviendo a agazaparse justo a tiempo para evitar que un rayo, disparado de entre los árboles, le impactara directamente en la cabeza. Apretándose aún más contra la tierra, siguió reptando hasta llegar al animal muerto. Lo agarró por una pata y tiró de él por entre los matorrales hasta alcanzar una distancia de seguridad.

Enkidu tuvo que conformarse con observar a Gilgamesh, mientras éste devoraba la carne asada de la gacela.

—Guárdate algo para mañana –sugirió Enkidu, mientras se levantaba y desgajaba tres ramas de un árbol para construir con ellas una burda cesta–. Toma, ahí podrás trasportar parte de la carne –añadió.

Al cabo de un buen rato reanudaron la marcha, rodeando la montaña en busca de una puerta. Habría pasado ya el mediodía cuando llegaron a una zona del bosque en la que no hallaron cadáveres, pero siguieron adelante durante un breve trecho, hasta encontrar de nuevo animales muertos.

—¡Eso era la puerta! ¡La hemos encontrado! –gritó Enkidu.

—¿Cómo podemos estar seguros de que ahí hay una puerta? –le preguntó Gilgamesh.

—Estoy convencido de ello –respondió Enkidu.

Avanzó un paso, y no sucedió nada. Dio otro paso, y luego otro, y no hubo rayo ni fuego que le aniquilara. Continuó caminando, y luego se volvió hacia Gilgamesh.

—¡Ven! –gritó haciéndole un gesto con la mano– ¡He entrado en el Bosque de los Cedros!

Primero dubitativo, y después entusiasmado, Gilgamesh le siguió dando saltos de alegría entre los árboles y dando palmas con las manos, hasta que se detuvo para recobrar el aliento.

—¿Qué camino seguimos ahora? –preguntó.

Enkidu no lo sabía.

—Busquemos el lugar; quizás encontremos una pista.

Miraron a su alrededor durante unos instantes, sin saber lo que tenían que buscar. La altitud y el aire enrarecido comenzaban a hacer mella en Gilgamesh.

—El aire es tan ligero que me siento mareado –dijo–. Descansemos un rato.

Se sentó, mientras sentía cómo el cansancio se apoderaba de su cuerpo. Al cabo de unos instantes, se había quedado dormido.

Abandonando un momento a su amigo, Enkidu dio una vuelta por los alrededores a fin de inspeccionar el lugar por sí mismo. Yendo de aquí para allá, descubrió unos salientes rocosos entre los árboles y, aproximándose a ellos, vio lo que parecía la entrada de una cueva. Se agachó para mirar más de cerca, y escuchó un rumor en su interior.

—¡He encontrado el túnel secreto! –le gritó a Gilgamesh–. ¡Ven! ¡Corre!

Gilgamesh no respondió. Lo que sí escuchó de pronto Enkidu fue un ruido sordo del que no supo discernir su procedencia. Alarmado, se quedó inmóvil, a la escucha. El rumor le llegó entonces con más nitidez. Era como el fragor de una tormenta en la lejanía, y parecía ir acompañado por el crujido de maleza aplastada. ¡Alguien se acercaba!

Intentando no hacer ruido, Enkidu volvió al lugar donde estaba durmiendo Gilgamesh y, sacudiéndolo, le dijo en un susurro:

—¡Escucha!

El inquietante sonido parecía aproximarse, llenando de terror el corazón de los compañeros.

—¿Qué es eso? –preguntó Gilgamesh en un murmullo.

—Debe de ser Huwawa, el guardián del bosque –respondió Enkidu hablando muy bajo.

El estruendo, similar al rugido de una cascada en las montañas, fue arreciando en intensidad hasta que los amigos, ocultos entre los espesos cedros, pudieron atisbar al monstruoso guardián de la puerta. Era de gran estatura, y su rostro trasmitía la ferocidad de un león. Tenía los ojos grandes como la luna llena, y de ellos surgían dos rayos de luz que exploraban el terreno aquí y allí mientras avanzaba. Su boca parecía exhalar un aliento de fuego, y sus dientes, resplandecientes como carbones en un horno, parecían los colmillos de un dragón. Tenía el vientre redondo, y le brillaba de forma intermitente; en tanto que en los hombros se abrían dos cuencas que parecían unas puertas gigantes. En la mano derecha portaba un arma parecida a una espada, pero gigantesca y con dientes, y en la mano izquierda llevaba algo parecido a un espejo redondo, a través del cual lanzaba un rayo que devoraba con su fuego todo aquello sobre lo que apuntaba. Desplazaba los pies como si fueran montados sobre unos minúsculos carros, y de vez en cuando se detenía para inspeccionar el bosque, girando la cabeza en torno al cuello como lo haría una rueda en torno a su eje.

—¡Es Huwawa, la máquina de asedio! –gritó Enkidu–. ¡El monstruo que creó el señor Enlil! ¡Ven, pongámonos fuera de su alcance!

Enkidu tiró de Gilgamesh, pero éste no se movió.

—¡No! ¡Me quedaré aquí y me enfrentaré al terror! –dijo Gilgamesh–. Que nadie pueda decir jamás, «¡Gilgamesh llegó hasta la puerta y, como un conejo asustado, dio media vuelta!».

—¡Es una muerte segura! –le dijo Enkidu–. ¿Por qué quieres enfrentarte a Huwawa?

—Si tengo que caer ante el monstruo –respondió Gilgamesh–, al menos me habré labrado un nombre para el futuro. «Contra el fiero Huwawa, el terror de Enlil, Gilgamesh se levantó», se dirá mucho después de mi muerte. ¡Pero si venzo a Huwawa, alcanzaré el sendero de la Vida Eterna!

Y, poniendo la mano sobre el hombro de su compañero, añadió:

—¡Así, enfrentándome al terror, si no alcanzo la Vida Eterna, al menos mi nombre perdurará eternamente!

—Entiendo –dijo Enkidu abrazando al rey–. ¡Adelante, pues! ¡Y no temas, que yo estaré a tu lado!

El monstruo había oído sus voces, pues avanzaba ahora directamente hacia ellos. Su cabeza había dejado de girar, y los rayos de sus ojos incidían justo donde se encontraban los camaradas. Levantó la mano izquierda, y un ardiente rayo abrasó todo cuanto había a su alcance.

—¡Deja que vaya yo delante y confunda a Huwawa! –gritó Enkidu.

Enkidu echó un vistazo a su alrededor, y fijándose en un cedro joven cercano, lo arrancó directamente del suelo y se lo llevó a rastras trazando un círculo en torno a Huwawa. Alertado por el ruido, el monstruo giró la cabeza, mientras los rayos de sus ojos exploraban el terreno en todas direcciones. Y aprovechando el momento más oportuno, Enkidu se abalanzó sobre él con el tronco, golpeándole en la ingle para, acto seguido, dar un salto atrás y salir corriendo.

El monstruo lanzó un grito de dolor, como el de un toro blanco al ser sacrificado en el altar, mientras aplastaba con su mano derecha los árboles que había a su alrededor, derribándolos como si fueran simples juncos. Luego, levantó la mano izquierda, y con su redondo espejo lanzó un rayo abrasador que devoró toda la maleza a su alrededor, mientras giraba la cabeza como una rueda buscando con los rayos de sus ojos sus objetivos entre los árboles.

Hombro con hombro de nuevo, los dos camaradas se dispusieron para el desigual combate.

—Como se acerque, le ensartaré el corazón –dijo Gilgamesh mientras sacaba su daga.

—¡Y yo le aplastaré el cráneo! –gritó Enkidu aferrándose con fuerza a su árbol.

Pero, entonces, por entre las copas de los árboles, vieron cernerse dos naves plateadas.

—¡Mira! –gritó Gilgamesh–. ¡El señor Utu ha venido en nuestra ayuda!

Una de las naves descendió por entre los huecos de las ramas hasta situarse entre Huwawa y los dos compañeros; y, súbitamente, un poderoso viento surgió de la nave, removiendo la tierra húmeda hasta convertirla en un torbellino, arrojando lodo, hojas y guijarros sobre los ojos de Huwawa.

—¡Aahuu! ¡Aahuu! –se quejó el monstruo, mientras agitaba las manos a tientas.

—¡Ataquemos ahora! –le gritó Gilgamesh a Enkidu.

Encabezando el asalto, Gilgamesh se abalanzó sobre el cegado guardián del bosque, mientras Enkidu, dándole alcance, se precipitaba sobre el monstruo y le golpeaba con el tronco en la cabeza. Con un chirrido, la cabeza dejó de girar. Pero Enkidu no se contentó con eso, puesto que, sin perder un instante, lanzó un segundo golpe, esta vez a la mano de Huwawa, que dejó caer su arma al suelo con un estruendo. Y en ese mismo momento, Gilgamesh le hundió la daga al monstruo en el corazón.

Se escuchó un sonido metálico seco, como cuando un metal choca con otro, y Huwawa pareció convulsionarse, mientras lanzaba zarpazos a tientas contra sus atacantes. Pero los compañeros siguieron golpeando al monstruo una y otra vez, hasta que consiguieron derribarlo. Y una vez en el suelo, Gilgamesh le hundió su daga a Huwawa en la frente, deteniendo así, súbitamente, las convulsiones del monstruo.

Enkidu estaba a punto de administrarle otro golpe demoledor cuando se escuchó un silbido, y un vapor rojizo surgió de la criatura.

—¡Huwawa está muerto! –gritó Gilgamesh–. ¡Su alma se ha convertido en vapor!

—Asegurémonos –replicó Gilgamesh, descargando sobre su vientre un descomunal mazazo.

El golpe partió a la criatura en dos, dispersando sus miembros entre una maraña de metal.

—¡He vencido a Huwawa! –gritó Gilgamesh.

Enkidu le dio un puntapié a un trozo de metal retorcido.

—Lo has vencido –dijo solemnemente–. La obra del señor Enlil, la máquina de asedio del bosque de los Cedros, está hecha pedazos, como una tinaja de arcilla que hubiera caído de un tejado.

—¿Por qué estás triste, cuando deberías estar loco de alegría? –le preguntó Gilgamesh–. ¡No sólo nos hemos labrado un nombre, sino que ahora tenemos abierto el sendero hacia el Lugar de Aterrizaje!

—Sí, estoy triste –se sinceró Enkidu–; pues mientras contemplo la obra del señor Enlil hecha pedazos, no puedo dejar de pensar en mí: la obra del señor Enki… En el destino de Huwawa, no puedo dejar de ver mi propio destino.

—¡Tonterías! –dijo Gilgamesh–. ¡Has visto con tus propios ojos que los dioses están con nosotros!

Entonces se acordaron de las naves. Levantaron la vista por entre las copas de los árboles, pero las naves habían desaparecido.

Tras descansar unos instantes, Gilgamesh comenzó a recoger rocas y a apilarlas junto al cuerpo destrozado de Huwawa.

—El señor Utu es mi roca –dijo–. Que esta pila de piedras conmemore mi gratitud.

Y, volviéndose a Enkidu, añadió:

—¡Vamos, busquemos el Lugar de Aterrizaje! ¡Los dioses desean que alcance mi objetivo!

—Sin duda –dijo Enkidu–. Antes de que el monstruo se abalanzara sobre nosotros, había encontrado el túnel secreto de los anunnaki.

—¡Llévame allí de inmediato! –gritó Gilgamesh eufórico.

Dirigiéndole por entre los árboles, Enkidu llevó a Gilgamesh hasta los salientes rocosos y le señaló la entrada de la cueva. Y acercando el oído, Gilgamesh también pudo escuchar un tenue rumor en las profundidades.

—¡Rápido, despejemos la entrada! –urgió Gilgamesh a su camarada.

Los dos compañeros se pusieron a trabajar febrilmente, arrancando los matorrales que crecían frente a la abertura y apartando las rocas que se amontonaban sobre ella. Cuanto más despejaban la entrada, más nítidos les llegaban los sonidos de su interior, similares a los que haría el fuelle de un herrero. Cuando la entrada quedó finalmente despejada, constataron que el túnel era perfectamente redondo y que había una reja que impedía el acceso.

—¡Por los grandes dioses! –exclamó Gilgamesh–. ¡Esto es obra de los anunnaki! ¡Hemos encontrado la entrada al Lugar de Aterrizaje!

—Arranquemos la reja para que podamos descender por el túnel –dijo Enkidu.

Agarrándose fuertemente de las barras de la reja, Enkidu tiró de ella con todas sus fuerzas, pero no cedió. Una y otra vez, tiró y forcejeó con la reja, jadeando, poniendo en tensión todos y cada uno de los músculos de su cuerpo; hasta que sintió un calor excesivo en las manos.

—Me arden las manos –dijo Enkidu–. Parece que hay algo en la reja que me quema las manos.

—¡Tira con más fuerza, con más fuerza! –le insistió Gilgamesh.

Y, una vez más, Enkidu se aferró a las barras, cerrando los dedos en torno a ellas como las garras de un águila. Tomó aire y, dejando escapar un grito, tiró de la reja con toda su alma. La reja no cedió ni se combó, pero Enkidu siguió insistiendo hasta que, de pronto, con un ruido seco, cayó de espaldas con la reja entre las manos.

—¡Lo has conseguido! –gritó Gilgamesh–. ¡Entremos en el túnel!

Pero Enkidu se quedó en el suelo, sin moverse. Gilgamesh se precipitó rápidamente en auxilio de su compañero. Enkidu gimió y arrojó a un lado la reja.

—¡Mis manos! –dijo–. ¡Me arden! ¡No puedo mover los dedos!

Gilgamesh tomó de las manos a su camarada. Las tenía hinchadas, y tenía en las palmas unas franjas de color carmesí, algo parecido a heridas. Gilgamesh le llevó hasta un árbol cercano y le ayudó a sentarse, apoyando la espalda en el tronco; pero no sabía qué más podía hacer por él.

—Hay una maldición en la entrada –dijo Enkidu–, un fuego invisible… El túnel, Gilgamesh…, por ahí sólo pueden entrar los dioses.

—Lo averiguaremos –dijo Gilgamesh–. Pero, ahora, ¿te froto las manos con tierra o te las cubro con hojas?

—Llévame hasta el río, abajo, en el valle –dijo Enkidu–, para que me lave las manos con agua pura y pueda sumergir todo mi cuerpo. Creo que es la única manera en que voy a poder quitarme de encima esta maldición.

Gilgamesh ayudó a Enkidu a levantarse y le ofreció sus hombros como apoyo, y lentamente bajaron los dos hasta el río. Después, le ayudó a quitarse la ropa, y se quitó él también su túnica para, a continuación, ponerse los cintos de nuevo, para que Enkidu tuviera a mano su bolsa y él su daga. Finalmente, se metieron los dos en el río. Mientras Enkidu se sumergía por completo en el agua, Gilgamesh restregaba el cuerpo de su compañero, especialmente las manos.

Poco a poco, el enrojecimiento de las manos de Enkidu fue remitiendo, al tiempo que disminuía también la inflamación.

—Estoy mejor –dijo Enkidu–. Ya puedo mover los dedos.

Las gacelas, que en un principio se dispersaron cuando los compañeros llegaron al río, habían ido regresando poco a poco. Había algo en Enkidu que las atraía, de tal modo que algunas de ellas se le acercaron, y Enkidu dejó que le lamieran las manos.

—¡Estoy recobrando la energía! –le gritó a Gilgamesh.

Y, agarrándose del cuello de las gacelas más cercanas, se levantó del lecho del río y las abrazó con afecto.

Gilgamesh observaba la escena en silencio. «¿Serán hembras?», se preguntó, mientras Enkidu restregaba su cabeza contra la cabeza de una de las gacelas. Pero Gilgamesh se quedó atónito cuando vio a la gacela levantar sus cuartos traseros y presionar con sus nalgas el muslo de Enkidu.

Conociendo como conocía a su camarada, Gilgamesh temió lo que Enkidu podría hacer a continuación.

—¡Enkidu, no! –le advirtió.

—¡Aléjate! –le replicó Enkidu–. ¡Llevo en mi interior la llamada de la selva!

—¡No, no! –insistió Gilgamesh levantando las cejas–. ¡Piensa en Salgigti, en su cálida piel, en sus firmes pechos! Se te ha bendecido con el conocimiento de los dioses, Enkidu. ¡No lo eches todo a perder!

—Yo no soy un hombre mortal –dijo Enkidu–. Vuestras leyes no son las mías.

—Piensa en Erek –dijo Gilgamesh–. Piensa en las chicas del placer, ¡piensa en nuestra amistad!

Por unos instantes, los dos camaradas se miraron fijamente a los ojos y, finalmente, inseguro de sí mismo, Enkidu comenzó a soltar a las gacelas. Una de ellas se contoneó aún bajo su mano, y todavía tenía a la otra pegada a su muslo cuando los dos compañeros escucharon una sonora carcajada. Levantaron la vista y vieron a una diosa, con su equipo de piloto, de pie, junto a una nave. Absortos en su discusión, ninguno de los dos se había percatado del aterrizaje de la nave junto al río.

—¡Vaya escena! ¡Qué imagen! –dijo la diosa–. ¡El rey de Erek desnudo, mientras su compañero está a punto de darle calabazas a un animal!

Gilgamesh reconoció la voz.

—¡Ishtar! ¡La reina del cielo! –gritó mientras caía de rodillas y se postraba.

Enkidu, tras una breve vacilación, hizo lo mismo.

—Alabados sean los señores –dijo Gilgamesh–, por habernos ayudado a vencer a Huwawa.

—Dale las gracias al señor Shamash –dijo Ishtar–. Estábamos viendo el combate desde arriba, pero fue él el que levantó el torbellino y lo lanzó sobre el rostro del guardián. Él esperaba que Huwawa diera media vuelta y os dejara en paz, pero no se os ha ocurrido otra cosa que atacar a la obra de Enlil y destruirla, trayendo sobre vosotros la cólera del gran señor.

Gilgamesh se levantó para poder hablar mejor con la diosa.

—Gran señora de Erek –dijo–, sea cual sea mi destino, para encontrarme con él partí de Erek. Si ser dos tercios divino me da derecho a la Vida Eterna, entonces ése será mi destino, con independencia de lo que yo haga.

Ishtar se quedó mirando a Gilgamesh. Nunca antes le había visto completamente desnudo a la luz del día.

—Ven aquí –le dijo–. Acércate.

El cuerpo de Gilgamesh seguía goteando agua cuando llegó hasta ella, e Ishtar se deleitó con su belleza.

—¡Ven, Gilgamesh, sé mi amante! –le dijo Ishtar con una sonrisa seductora–. ¡Ven, concédeme tu esencia!

Y, dicho esto, con un rápido movimiento, se quitó la ropa y se llevó las manos bajo los senos, invitándole seductora.

A pesar de haber hecho el amor con tantas mujeres, Gilgamesh se quedó atónito ante la belleza de Ishtar. Él tampoco la había visto desnuda a la luz del día.

—¡Oh, Ishtar, sagrada Irnina! –exclamó mientras se arrodillaba y la tomaba de la mano–. ¡Cuánto os he deseado, cuánto he anhelado vuestro vientre y he soñado con vuestros deliciosos labios! –dijo mientras le besaba fervientemente la mano.

—Ven, entonces. ¡Sé mi amante ahora y alcanza tu sueño! –dijo ella, inclinándose para llevar sus pechos hasta los labios de Gilgamesh.

A punto estaba de besarle los pezones cuando, súbitamente, Gilgamesh se contuvo.

—No es la noche de bodas –dijo–. Si hago el amor con vos ahora, la muerte será mi sentencia.

—No tengas miedo, Gilgamesh –respondió ella–. ¡Sé mi amante ahora, y serás para siempre mi marido! ¡Concédeme tu fruto ahora, y me convertiré en tu esposa!

Gilgamesh estaba perplejo.

—¿Qué tengo que ofreceros para que me habléis de matrimonio?

—Calla, hermoso Gilgamesh –respondió Ishtar–. ¡Soy yo quien te puede ofrecer a ti la gloria…, una carroza de oro con incrustaciones de lapislázuli, las rentas de colinas y llanuras te daré como tributo!

Y, tendiéndole la mano, añadió:

—¡Ven, amado mío, hagamos del bosque nuestro lecho, de los cedros nuestra fragancia!

Gilgamesh lanzó una mirada al silencioso Enkidu, que para entonces había salido del río. Su amigo no dijo nada; tan sólo sacudió la cabeza.

—Sois como un brasero que se apaga cuando llega el frío –dijo Gilgamesh a la diosa rechazando su mano–. En este momento os mostráis ardiente de amor, pero mañana os desharéis de mí como de una sandalia vieja. ¿A cuál de vuestros amantes, salvo Dumuzi, para el cual habéis ordenado lamentaciones todos los años, habéis amado para siempre? Después de acostaros con el hijo de Silili, lo maldijisteis y lo convertisteis en un lobo. Y a vuestro amante Ishullanu, el jardinero de vuestro padre, le dijisteis también, «¡Oh, Ishullanu, deja que saboree tu vigor! Extiende tu mano y toca mi modestia», y luego le castigasteis también. ¡No, si yo os amara ahora, un día no destinado para el Matrimonio Sagrado, la muerte, y no la Vida Eterna, encontraría en este día!

Ishtar dejó escapar un grito de cólera.

—¡No me desafíes, Gilgamesh! ¡Tu realeza, y tu vida, están en mis manos!

Viendo a su camarada flaquear, Enkidu dio un paso al frente.

—No es momento para tomar decisiones importantes –dijo–. No juzguéis a Gilgamesh por su respuesta, señora, pues está a punto de alcanzar la Vida Eterna.

Dicho lo cual, Enkidu se postró ante la diosa.

—Es cierto –dijo Gilgamesh–. Hemos encontrado la entrada al túnel secreto de los anunnaki.

—¿De qué estáis hablando? –preguntó Ishtar alarmada.

—Allá arriba, entre las rocas, más allá de la entrada del bosque de los Cedros… –señaló Gilgamesh ladera arriba–. La entrada del túnel estaba bloqueada por una reja, pero Enkidu la ha arrancado.

—¡Locos! –gritó Ishtar–. ¡No es el túnel de los anunnaki, sino la cueva del Toro del Cielo!

—¿El Toro del Cielo?

—No tienes ni idea de lo que es eso, ¿verdad, rey de Erek? –dijo Ishtar en tono burlón–. El Toro del Cielo es la bestia más antigua que existe en la Tierra. El gran señor Anu la trajo desde Nibiru en su visita, como regalo para su hijo, el señor Enlil, como símbolo del rango estelar de la Tierra en el Zodíaco. No se parece en nada a los toros de la Tierra, y no sólo en su longevidad. A diferencia de los toros terrestres, ¡éste tiene alas, y vuela!

—Yo he visto una imagen de un toro con alas en Nippur –dijo Enkidu–, custodiando la entrada del templo de Enlil.

—Efectivamente –corroboró Ishtar–. Hubo que hacer una imagen de él, pues el sagrado animal de carne y hueso se hizo ingobernable, al carecer de hembras de su especie. Y, para que no provocara estragos en su cólera, se le construyó un pasto subterráneo en la montaña de los Cedros. ¡La reja que habéis arrancado protegía uno de los conductos de aireación!

—Hemos cometido una insensatez, Enkidu –dijo Gilgamesh ciertamente preocupado.

—Una insensatez y una insolencia –le espetó Ishtar–. Habéis destruido a Huwawa, la obra del señor Enlil. Te has resistido tercamente ante mí. Y ahora resulta que le habéis abierto la puerta al Toro del Cielo. ¡Gilgamesh, habéis provocado la cólera de los dioses! ¡Id, pues, y que os condenen!

Ishtar se vistió de nuevo y volvió a su nave celeste, mientras Gilgamesh y Enkidu comenzaban a vestirse. Y entonces escucharon un terrorífico bufido y un resuello como el de mil fuelles de herreros. Levantaron la vista hacia la montaña, y en la puerta del bosque vieron un gigantesco animal blanco rascando el suelo con la pezuña. Había bajado el hocico, como dispuesto a embestir, y pudieron ver con claridad sus grandes ojos y su larga barba. De su cabeza surgían no sólo los dos cuernos de cualquier toro, sino otro más en el centro, mucho más largo y ganchudo. Levantaba la cola en su furia, y de su alargado cuerpo emergían dos inmensas alas.

—¡Es el Toro del Cielo! –gritó Ishtar mientras subía las escalerillas de su nave–. Ha salido de la cueva. ¡Habéis desatado una calamidad en la Tierra!

—¡Gran dama! –gritó Gilgamesh, pero ella ya no escuchó sus voces, pues la nave se estaba elevando ya por encima de las copas de los árboles.

—¡Rápido, ponte las botas mágicas! –le gritó Enkidu.

Con manos temblorosas, Gilgamesh siguió la orden de su compañero, convencido de que el Toro del Cielo los había visto, pues bajaba corriendo por la ladera de la montaña en dirección a ellos. Pero después de ganar velocidad, extendió las alas y se elevó en el aire, para descender rozando los matorrales directamente hacia ellos. Los dos amigos se encogieron de miedo, buscando el contacto entre ellos.

El Toro del Cielo aterrizó a pocos metros de distancia, haciendo temblar la tierra y provocando la huida de todos los animales de los alrededores. El cálido aliento de su resuello se convertía en vapor con el aire frío de la montaña, mientras a los dos compañeros se les hacía evidente que iba a cargar contra ellos.

Enkidu y Gilgamesh estaban petrificados de terror, con la mirada fija en los ojos de la bestia.

—¡Corre, corre por tu vida! –gritó finalmente Enkidu.

Salieron los dos despedidos por el impulso de las botas mágicas, que les hicieron elevarse en el aire y aterrizar a gran distancia.

La caída fue violenta, pues habían perdido la costumbre de caminar con aquellas botas. Apenas se tenían sobre sus pies cuando vieron caer sobre ellos al Toro del Cielo, cerniéndose sobre sus cabezas como una inmensa nube. El toro aterrizó justo donde los dos camaradas habían estado, pues lograron saltar a un lado justo a tiempo. El sagrado animal bufaba enfurecido, y con cada bufido abría en la tierra agujeros en los que habrían cabido doscientos hombres.

El toro giró en torno a los dos acosados camaradas, y éstos giraron a su vez en torno al toro, buscando con la mirada algún lugar hacia el cual poder huir.

—¡Ouhuu! –gritó de repente Enkidu, mientras resbalaba y caía en uno de los agujeros.

Al escuchar el grito, el Toro del Cielo se volvió, bajando la cabeza en dirección al agujero. Y en aquel instante, con todo el coraje del que pudo hacer acopio, Gilgamesh saltó sobre el lomo del toro para clavarle, acto seguido, la daga en la cerviz.

Herido y enfurecido, el animal se volvió buscando a su atacante; mientras, Enkidu saltaba fuera del agujero aprovechando el respiro y agarraba al animal por la cola, fuertemente, para que no se encabritara y lanzara a Gilgamesh despedido por los aires. Entre tanto, Gilgamesh le clavaba su daga en la nuca al animal una y otra vez, hasta que el Toro del Cielo, lanzando un gemido como el de mil guerreros moribundos, cayó sobre un costado. El animal cabeceó y se arrastró durante unos instantes y, finalmente, se quedó inmóvil.

Desde cierta altura, estacionaria en su nave celeste, Ishtar había contemplado el desarrollo de la batalla. Y cuando vio morir al Toro del Cielo profirió un grito de angustia, que llegó como un estallido sobre los triunfantes camaradas.

—¡Qué habéis hecho! ¡Habéis matado al Toro del Cielo, el destino de la era de Enlil! ¡La cólera de los grandes dioses caerá sobre vosotros! ¡Desapareced, insensatos! ¡Marchaos y esperad vuestro castigo!

Los dos compañeros levantaron la vista hacia la nave; y Gilgamesh, levantando las manos en un gesto de súplica, cayó de rodillas.

—¡Marchaos, pues ya nunca entraréis en el bosque de los Cedros! –resonó de nuevo la voz de Ishtar.

Y aún no había terminado de pronunciar estas palabras cuando un potente resplandor surgió de su nave en dirección a la invisible puerta del bosque. Saltaron rocas por los aires y varios árboles cayeron con estruendo, mientras se elevaba una pavorosa llamarada.

—¡Volved y esperad mi castigo o, de lo contrario, acabaré con vosotros también… ahora mismo! –retumbó la voz de Ishtar desde la nave.

Gilgamesh se puso de pie y levantó el puño amenazador.

—¡Ha sido por la voluntad de los dioses por lo que he vencido a Huwawa y al Toro del Cielo! –gritó–. En justa batalla he matado a la criatura de Nibiru. ¡Merezco ser llevado a Nibiru!

—¡La puerta ha quedado cerrada para siempre, y vuestro destino lo decidirán los Siete que Juzgan! –anunció Ishtar–. ¡Marchaos u os convertiré en vapor!

Enkidu tiró de su camarada.

—No hay sabiduría alguna en enfurecerse con los dioses –le dijo–. Tu valor ha quedado demostrado; no tenemos nada más que hacer aquí. ¡Ven, volvamos a Erek para encumbrar tu nombre, para proclamar tu gloria!

—Así sea –respondió Gilgamesh–. Pero, primero, cobrémonos nuestros trofeos!

Y, haciendo uso de su daga, le cortó los tres cuernos al Toro del Cielo. Le dio los dos más cortos a Enkidu para que los trasportara, mientras que el otro, el cuerno más largo, lo llevó consigo.

* * *

Y volvieron a Erek. Con la ayuda de las botas mágicas, el viaje que les hubiera costado realizar un mes y quince días lo hicieron en sólo tres días. La noticia de su regreso y de sus hazañas en el bosque de los Cedros los precedía, y la gente salía de sus aldeas para ver pasar a los dos camaradas y admirar sus trofeos. A las puertas de Erek los recibieron los cincuenta héroes de la ciudad, encabezados por el chambelán del rey, Niglugal. Pero los Ancianos no fueron a recibirlos, y en las calles se encontraron con muchas casas con las puertas y las ventanas cerradas.

Ya en palacio, Gilgamesh convocó a los artesanos y a los armeros, para que admiraran los cuernos del Toro del Cielo y para escuchar sus sugerencias acerca de cómo preservar los cuernos como trofeos. Después de pronunciarse todos, el cuerno largo se colgó en el muro que se levantaba tras el trono del rey, como recordatorio de sus hazañas en el bosque de los Cedros. Los otros dos cuernos se revistieron con una capa de oro de dos dedos de espesor y se decoraron con cuentas de lapislázuli, tras lo cual se rellenaron con vinos aromáticos.

Aunque normalmente se precisaban dos hombres para portar cada uno de los cuernos, Gilgamesh los levantaba solo. Del primer cuerno bebía para entonar alabanzas a los dioses, para darle las gracias a su padrino Utu y rendir homenaje a su madre que, a través de su vientre, le había hecho dos tercios divino. Y del otro cuerno bebía para rendir homenaje a sus antepasados por la línea paterna, todos ellos sacerdotes y reyes, y especialmente al héroe Lugalbanda.

—¡Divino seguiré siendo, y la Vida Eterna aún podré alcanzar! –declaró–. ¡Que se organicen celebraciones en palacio!

Pero en el Recinto Sagrado, Ishtar había convocado a sacerdotes y sacerdotisas para elevar un gran lamento por la muerte del Toro del Cielo.

—¡Oh, Anu, gran padre! –pronunció a gritos su mensaje–. ¡Que aquellos que mataron al toro sagrado, que ultrajaron a tu amada Irnina, paguen con sus vidas!

11

·

Aquella noche, tras el banquete, Enkidu tuvo un sueño.

Gilgamesh, que dormía a su lado, se despertó con sus gritos, si bien le llevó unos instantes recordar que no se encontraban en palacio, sino en la casa de los placeres de Salgigti, adonde habían ido a petición de Enkidu tras el banquete.

Enkidu, agitando las manos, le gritaba a la puerta de la habitación.

—¡Oh, puerta, soy yo quien te hizo, soy yo quien te levantó! ¡No dejes pasar a aquellos que vienen a por mí, sean reyes o dioses! ¡No dejes que borren mi nombre y pongan el suyo en su lugar!

Gilgamesh ya estaba desconcertado por las extrañas palabras de Enkidu, pero se sumió en el estupor cuando, de pronto, le vio arrancar la puerta. Saltando de su lecho, se fue hasta su camarada y le agarró por los hombros.

—¿Qué te pasa? –le dijo con afecto–. ¿Cómo puede alguien tan ilustrado decir cosas tan extrañas?

—Oh, Gilgamesh –dijo Enkidu con los ojos arrasados en lágrimas–, he tenido un sueño. En él, veía mi nombre inscrito sobre la puerta, cuando un ser brillante, un rey o un dios, aparecía y borraba mi nombre para poner el suyo… ¡Es un mal augurio, Gilgamesh!

Mientras hablaba, apareció Salgigti, que se había despertado con el escándalo. La mujer vio el destrozo de la puerta y prorrumpió en lamentos.

—Enkidu ha tenido una pesadilla –le explicó Gilgamesh–. Haré que lo arreglen todo mañana.

Más tranquila, Salgigti se acercó a Enkidu con la intención de abrazarle, pero él la miró de un modo extraño y la apartó de sí.

—También he soñado contigo –le dijo a la mujer–. Eras tú la que habías traído a ese ser hasta mi puerta.

Salgigti dio un paso atrás.

—No he dejado entrar a nadie. Estaba durmiendo en mi lecho. No entiendo tus extrañas palabras.

—¡No, *fuiste* tú! –gritó Enkidu arremetiendo contra ella.

Presa del pánico, Salgigti se arrodilló y se postró ante Enkidu.

—¡Perdóname! –imploró–. ¡Me obligaron a hablar y a romper mi juramento…!

—¿Qué estás diciendo? –gritó Gilgamesh–. ¡Habla claro!

—Los sacerdotes… me apresaron después de que los guardias reales vinieran a interrogarme… Sabían lo de vuestro cambio de atuendo y lo de Adadel… No sé cómo pudieron enterarse. Me abofetearon ante el sumo sacerdote…, iban a traer sobre mí la cólera de los dioses… Y les dije lo que sabía…

—¡Mi sueño *era* cierto! –gritó Enkidu–. ¡La ramera nos ha traicionado!

Y abalanzándose sobre ella, la agarró por el cuello, cerrando sus dedos como un tornillo para estrangularla.

—¡Muere! ¡Muere! –gritaba Enkidu.

Gilgamesh se precipitó sobre él para arrancarle a Salgigti de las manos, pero fue Enkidu, y no la mujer, quien dejó escapar un grito.

—¡Mis manos! –gritó soltando a Salgigti–. ¡Mis manos! ¡Se me están adormeciendo!

Gilgamesh apartó a su camarada de Salgigti.

—Vete, mujer –le gritó–, pues la cólera de los dioses caerá ciertamente sobre ti. ¡Malditas seáis todas y maldita sea vuestra casa! ¡Y, ahora, abre la puerta para que nos vayamos!

Gilgamesh examinó las manos de Enkidu. Las tenía enrojecidas e hinchadas, como en el bosque de los Cedros, cuando Enkidu arrancó la reja de la cueva.

—Vamos a palacio, Enkidu –dijo Gilgamesh–. Allí te lavaremos las manos con agua pura y recobrarás fuerzas.

—Será en vano –respondió Enkidu mientras se sentaba–. Ahora sé que mi sueño era cierto, y que todo lo demás se hará realidad también… Un emisario divino está en camino… para borrar mi nombre… A través de la puerta sin nombre, me llevará a la Tierra sin Retorno…

Y, sintiéndose en extremo débil, Enkidu dejó caer sus manos.

Una gran ansiedad se apoderó de Gilgamesh.

—Iremos a la casa de Resucitación para ver a mi madre, Ninsun –dijo–. Sea cual sea tu enfermedad, ella te curará.

Gilgamesh ayudó a Enkidu a levantarse y, pasándose el brazo sobre sus hombros, le ayudó a salir de la casa de Salgigti. Pero, una vez en la calle, Enkidu se sumió en una profunda debilidad y comenzó a derrumbarse. Gilgamesh vio pasar a una patrulla y detuvo a los soldados, quienes, improvisando una camilla con lanzas y cintos, trasportaron a Enkidu hasta el hospital de Ninsun. Sorprendentemente, Gilgamesh no halló allí a la multitud que normalmente se apiñaba ante la entrada antes del amanecer, y tuvieron que golpear con fuerza las puertas para que les abrieran.

—¡Rápido, llamad a la dama Ninsun –gritó Gilgamesh–, pues Enkidu está muy enfermo!

Llevaron a Enkidu hasta el complejo del hospital e, instantes después, apareció la criada de Ninsun, Ninsubar.

—Vuestra madre, la dama Ninsun, no está aquí –le dijo a Gilgamesh–. La han llamado a Nippur para una asamblea de los dioses convocada por el gran señor Enlil… y no sabemos cuándo volverá.

Finalmente, llevaron a Enkidu a una de las casas más pequeñas. Durante siete días y siete noches yació sobre una camilla, incapaz de moverse, incapaz de comer ni de beber, sufriendo delirios de cuando en cuando, y sumido en sueños terribles. Pero Gilgamesh no se separó de él en ningún momento, humedeciéndole los labios de cuando en cuando, y escuchando los murmullos que en esos instantes salían de su boca relatándole sus sueños.

Durante la séptima noche, avanzada la madrugada, Enkidu le contó a Gilgamesh su último sueño.

—Oh, amigo mío –dijo en un quejumbroso murmullo–, he tenido un sueño. Los cielos gritaban, la Tierra respondía, y yo estaba entre ellos. Había un hombre joven, de rostro oscuro, como el rostro de Zu, pero tenía garras como de águila. Él me derrotaba… Me sumergía en algo que no conozco. Me trasformaba para que mis brazos fueran como los de un pájaro. Luego, me llevaba a la casa de la Oscuridad, de la cual nadie ha vuelto a salir. Sus moradores carecen de luz, el polvo es su único salario, y la arcilla su alimento… Ataviados como pájaros, con alas como indumentaria, ellos son sus guardianes…

Ya no dijo nada más, y se desvaneció.

Durante otro día y otra noche, Gilgamesh estuvo dando vueltas en torno a la camilla, tocando a su amigo, frotando sus manos, humedeciéndole los labios. Pero Enkidu no se movió, ni siquiera abrió los ojos, ni cerró los labios; pero no estaba muerto.

Un gentío se congregó en el exterior del complejo, ávidos por conocer las últimas noticias del rey y de su camarada. Los Ancianos de la ciudad también acudieron, pero para difundir difamaciones contra los dos compañeros.

—Por haber matado al Toro del Cielo, siete años de cosechas estériles afligirán a la tierra de Erek —decían—. No habrá grano para el pueblo, ni pastos para las bestias, a causa de la perversidad del rey y de su camarada.

Al día siguiente, la fiel criada de Ninsun le trasmitió a Gilgamesh lo que estaban diciendo los Ancianos de él.

—Dicen que Enkidu está muriendo, que el rey está muriendo también, y que así lo ha decretado Anu, el padre de los dioses.

Afligido, pero también enfurecido, Gilgamesh salió a la puerta. Exclamaciones de sorpresa y de compasión se levantaron entre el gentío cuando le vieron aparecer… despeinado, con las mejillas hundidas, con las uñas como las garras de un buitre, con los ojos enrojecidos por el llanto y la falta de sueño.

—¡Escuchadme, oh, Ancianos de Erek! —dijo levantando la voz cuanto sus fuerzas le permitían, para que toda la gente le oyera—. Es por Enkidu, mi camarada, por quien lloro, por aquel que fue un escudo para mí, con quien escalé montañas cubiertas de polvo blanco, llevando la condenación sobre Huwawa en el bosque de los Cedros, y dando muerte al Toro del Cielo. Y ahora, un sueño sin fin se ha apoderado de él… No vive, aunque no está muerto… Pero, decidme, pueblo de Erek, ¿he de velar a Enkidu, mi camarada, como una novia y pedir que cese su latido, o debo clamar a los dioses para que un héroe como nunca antes lo ha habido, una criatura única creada por el señor Enki, se levante de nuevo y, con su vida, atestigüe la gloria de los dioses?

Hubo un silencio profundo cuando Gilgamesh concluyó su lamento. Avergonzados por su avidez de noticias trágicas, el pueblo se dispersó y los Ancianos regresaron a sus moradas. Y, de algún modo aliviado, Gilgamesh regresó junto a su camarada. Enkidu seguía inmóvil. Gilgamesh le puso la mano en el corazón…, pero su corazón ya no latía.

Con manos temblorosas, Gilgamesh cubrió con un velo a su camarada como un novio a su novia, desgarró sus vestidos y se sentó en el suelo junto a la camilla para llorarle.

Aquella misma tarde volvió Ninsun de Nippur. Encontró a Gilgamesh sentado en el suelo, con un aspecto fantasmagórico. También vio a Enkidu sobre la camilla, aparentemente muerto.

—¡Oh, madre! –gritó Gilgamesh cuando la vio–. ¡Enkidu ha muerto, y estoy esperando mi propia muerte!

El rey le tendió la mano a su madre, sin poder controlar las convulsiones de su brazo.

—Oh, hijo mío, querido hijo –exclamó Ninsun mientras apoyaba la cabeza de Gilgamesh en su regazo–. Cuando naciste, te deposité en un lecho de honor. Y cuando te circuncidaron el sexto dedo, Utu te sostuvo en sus brazos. Luego creciste, y te elevé al rango de los reyes y los héroes… Y ahora tu corazón está sumido en miedos mortales… ¡Pero a pesar de todo, una larga vida conseguiré para ti!

Ninsun tocó con sus dedos la sien de Enkidu.

—Enkidu no ha muerto, Gilgamesh –dijo–. Los grandes dioses, los Siete que Juzgan, han decretado otra cosa.

Rebosante de alegría, Gilgamesh se tomó unos instantes para regocijarse con la noticia, al cabo de los cuales preguntó:

—¿Y yo?

—Ven conmigo a mis aposentos, refresca tu corazón con néctar y te contaré lo que ha sucedido en Nippur –dijo Ninsun tomando a su hijo de la mano.

—Pero Enkidu… –comenzó a decir Gilgamesh, reacio a abandonar a su amigo.

—Recuperará la consciencia –le tranquilizó–. Ahora, ven conmigo.

Cuando entraron en los aposentos de la diosa, Ninsun le ordenó a su criada que trajera cierto néctar para Gilgamesh. Éste tomó la copa con frenesí para calmar su sed, pero Ninsun le recomendó que lo bebiera a pequeños sorbos. Pronto recobró el color de sus mejillas, y la mano dejó de temblarle.

—Los lamentos de Ishtar –comenzó a contarle Ninsun– llegaron hasta Anu, el Padre Celestial. «Gilgamesh ha acumulado agravios sobre mí», se quejó ante él. «Él y Enkidu han matado al Toro del Cielo, y han destruido a Huwawa, el guardián del bosque de los Cedros». Después, el gran señor Anu puso al corriente al señor Enlil, «Que Gilgamesh y Enkidu sean sentenciados por los Siete que Juzgan, que decidan si deben vivir o morir». Eso, hijo mío, fue lo que dijo el gran señor Anu.

—¿Si debíamos vivir o *morir?* –gritó Gilgamesh–. ¿Acaso no fue con la ayuda divina como llegamos al bosque de los Cedros? ¿Acaso Huwawa y el Toro del Cielo no nos desafiaron por designio divino, no desafiaron mi derecho a disfrutar de la Vida Eterna?

—Hijo mío, cálmate –dijo Ninsun–. Aunque eres divino en dos tercios de tu sangre, no conoces ni de lejos los asuntos de los dioses. Guarda silencio hasta que te cuente lo sucedido en la asamblea de los dioses.

Ninsun se sentó en su sillón favorito, mientras Gilgamesh lo hacía sobre un taburete delante de ella. Era la hora del ocaso, y los rayos del sol brillaban con tonos rojizos a través de la celosía del techo.

—Nippur, el Ombligo de la Tierra antes del Diluvio, sigue siendo digno de ver, Gilgamesh –continuó Ninsun su relato–. Su torre de siete plataformas brilla en la distancia, y sobrecoge cuando la contemplas de cerca. Un jardín con todo tipo de flores y un huerto con todo tipo de árboles frutales la rodean. Los colibríes cantan en los árboles, y los pavos reales recorren los senderos del jardín. Un canal lleva desde los grandes ríos hasta los muelles, hasta una dársena lo suficientemente grande como para albergar las embarcaciones de todos los dioses que pasan por allí. E incluso pudimos ver el Barco del Cielo de Enlil, que lo tenían custodiado en un soberbio recinto…

»La gran dama Ninlil ha sido para todos una excelente anfitriona, mientras el padre Enlil, que había sido convocado desde la Tierra Más Allá de los Mares, presidía la asamblea. Con él llegó su hijo principal, el señor Ninurta. El gran señor Enki, creador de Enkidu, vino desde Eridú, pidiendo que se dejara vacío el trono que había a su izquierda, asignado en ausencia al exiliado señor Marduk…

—¿Y los Siete que Juzgan? ¿Quiénes *eran* entonces los Siete que Juzgan?

—Además de estos tres, el señor Sin, primogénito de Enlil en la Tierra; el señor Adad, el hijo más joven de Enlil, que vino desde los dominios occidentales; y el señor Utu. Y guardando la paz, como ha hecho siempre, mi madre, la gran Ninharsag.

—¿E Ishtar?

—Al igual que Nabu, se hallaba en la parte de la acusación.

—¿Al igual que Nabu?

—Sí, pero su querella iba dirigida contra Utu, por interferencia divina inapropiada, por la trasgresión cometida al rescataros al oeste del gran río.

—¡Pero si nos estuvieron siguiendo, nos atacaron y a punto estuvieron de apresarnos!

—O bien estabais perdidos en el desierto y ellos estaban a punto de rescataros... Todo depende de quién cuente la historia. Yo, claro está, cuento la mía.

Gilgamesh se quedó mirando a su madre; tenía lágrimas en los ojos.

—¿Qué ocurre, madre? –preguntó alarmado–. ¿Qué mal guardas en tu pecho?

—Gilgamesh –dijo ella–, después de estar tanto tiempo en Erek, llegó a parecerme que lo único que pudiera importar era lo que sucedía aquí, en esta ciudad. Pero ahí fuera, en las tierras antiguas, así como en las tierras de más allá, el tiempo no se ha detenido. Enlil y Enki, héroes apuestos que partieron de Nibiru para domeñar un planeta, están viejos y cansados. Mi madre, una belleza por la cual compitieron dos pretendientes al trono celestial, es ahora una anciana obesa. Y aquellos que nacieron en la Tierra están empezando a parecer tan viejos como sus padres. ¿Hasta cuándo y con qué propósito permaneceremos en la Tierra? Ésa es la incómoda pregunta...

—Las leyendas hablan de una época dorada en la que comenzó todo. ¿No es así?

Ninsun apoyó la cabeza de Gilgamesh en su regazo.

—Sí, hace eones de tiempo, los anunnaki se establecieron en la Tierra para extraer su oro. La atmósfera de Nibiru estaba gravemente deteriorada, y nuestros científicos descubrieron que podían frenar su colapso suspendiendo en ella partículas de oro. Se puso en marcha un gran proyecto, según el cual extraeríamos oro de la Tierra y lo enviaríamos a las plataformas orbitales, para trasferirlo periódicamente a Nibiru con las naves espaciales. Al principio, obteníamos el oro de las aguas del mar Inferior, pero luego descubrimos las minas en el Mundo Inferior y comenzamos a extraerlo de lo más profundo de la tierra. Sin embargo, con el tiempo, los trabajos se hicieron insufribles para los anunnaki que trabajaban en las minas, de modo que se amotinaron. Fue entonces cuando se creó al Hombre, con la intención de que se ocupara él de los trabajos más duros. Mi madre y el señor Enki le dieron forma…

Ninsun guardó silencio por unos instantes, sumida en pensamientos y recuerdos.

—Después, la humanidad se multiplicó sobre la Tierra, y los anunnaki comenzaron a tomar por esposas a las hijas del Hombre. Pero, cuando el Diluvio estaba a punto de arrasar la Tierra, Enlil decretó que sólo los anunnaki podrían salvarse, elevándonos con nuestras naves hasta las plataformas orbitales y dejando que la humanidad pereciera. Cuando las aguas regresaron a sus confines y los anunnaki volvieron a la superficie de la Tierra, comprobaron que todo cuanto se había construido hasta entonces había sido barrido y estaba enterrado bajo un mar de lodo. Hubo que construir un nuevo espaciopuerto, esta vez en las tierras de Tilmun, y un nuevo centro de control de misiones se diseñó para reemplazar al de Nippur. Pero las rivalidades nos llevaron a la guerra, y la Tierra tuvo que ser dividida en regiones. ¡Y, ahora, tú y Enkidu lo habéis trastocado todo al matar al Toro del Cielo!

—Tus palabras son un enigma para mí, madre –dijo Gilgamesh.

—El gran ciclo que la Tierra realiza alrededor del Sol se divide en Doce Eras –respondió Ninsun–. Cada una de ellas recibe su nombre en honor de un gran anunnaki. El Toro del Cielo, un regalo de Anu a Enlil, simbolizaba la Era de Enlil, y el hecho de que le hayáis dado muerte es el presagio de tiempos turbulentos. La Era del Toro, la Era de Enlil, ha sido herida de muerte.

—¡Eso no puede ser! –exclamó Gilgamesh–. ¡El señor Enlil reinará para siempre!

—La suerte está echada, y tú has sido la mano ejecutora del destino, Gilgamesh –dijo Ninsun con pesar–. La Era de Enlil ha de ser reemplazada, pero el augurio es de violencia y muerte. Pero ¿qué era viene ahora? ¿Será la del Arquero Divino, llamada así por el hijo principal de Enlil, el guerrero Ninurta? ¿O será la Era del Carnero, símbolo de Marduk, el primogénito de Enki? Ya nada está claro. Con tu búsqueda de la Vida Eterna, Gilgamesh, has traído la incertidumbre entre los dioses, que ahora se muestran aprensivos. Tus actos han terminado interfiriendo con los asuntos de los dioses.

—¡Y justo es que así sea, pues yo pertenezco a la casta divina! ¡Mi nacimiento, con seis dedos, me augura un destino divino!

—Sí, tu destino... Ya es hora de que te cuente lo sucedido en Nippur –dijo Ninsun–. Ishtar exigió vuestra muerte, y Adad era del mismo parecer; pero Utu salió en tu defensa. Enlil dijo, «Que muera Enkidu y viva Gilgamesh». El señor Enki defendió a su criatura. «Enkidu no sabía siquiera lo que significaba dar muerte a nadie hasta que lo aprendió de los mortales en Erek», dijo. «Que se castigue a Erek con una sequía de siete años; que viva Enkidu, y Gilgamesh muera». Mi madre rogó para que se os perdonara la vida a los dos. Y, finalmente, el señor Ninurta habló, «Que Enkidu sea perdonado, pero que se le destierre a trabajos forzados para siempre en las minas de oro, y que Gilgamesh acabe sus días como un simple mortal». Y ésta, hijo mío, fue la sentencia que todos refrendaron.

—Vivir... pero perder a mi camarada. Vivir... pero esperando a la muerte –dijo Gilgamesh con la mirada perdida, para luego añadir colérico–. ¡Es un castigo peor que la misma muerte!

De pronto, una violenta convulsión sacudió su mano enferma. Ninsun tomó la mano de Gilgamesh entre sus manos, intentando aliviar los temblores.

—Hijo mío –dijo la diosa–, le he contado a mi madre, la gran sanadora, lo sucedido con la Tablilla de los Destinos. Aunque la tablilla no iba destinada a ti, merced a ella se te ha dado un destino. Cuando introdujiste la mano en la obra de Anu, tocaste la muerte invisible. Si hubieras sido un simple mortal, a estas horas estarías ya muerto.

Gilgamesh apartó la mano.

—¡Continúa! –le suplicó.

—El temblor de tu mano es un mal augurio, Gilgamesh. La enfermedad, si no se combate, devorará tus huesos y encogerá tus músculos. Pero mi madre me habló de una planta mágica..., una planta que puede preservar tu vida.

—¡Háblame de ella!

—Es un secreto de los dioses, Gilgamesh. Tendrás que purificarte y hacer enmiendas a los dioses a los que has ofendido antes de que puedas saber nada de ello. Reza por ti y por Enkidu, y ve y siéntate junto a él hasta que despierte. Luego, te contaré mi plan.

—Haré como dices, madre –dijo Gilgamesh, y le besó la mano.

—No te demores –le dijo ella–. Hay una gran multitud en la puerta, una muchedumbre que busca sanación. Llevan fuera demasiado tiempo. Realiza tus ritos al anochecer, para que podamos dejarles entrar cuando llegue la mañana.

*   *   *

Gilgamesh convocó a los artesanos de palacio para que hicieran una imagen de oro del Toro del Cielo, símbolo del señor Enlil; y luego, mientras los artesanos y los sirvientes estaban ocupados siguiendo sus instrucciones, Gilgamesh se lavó y se purificó.

Salió al patio antes de caer la noche, con una túnica blanca de lino puro. La mesa de madera de acacia, que había hecho traer desde palacio, estaba situada en el centro del patio. Sobre ella habían colocado el Toro del Cielo de oro y los emblemas del resto de dioses: el disco alado del gran señor Anu, el creciente del señor Sin, el disco radiante de Shamash y la estrella de ocho puntas de Ishtar. El símbolo de Ninharsag (cuyo secreto sanador pedía le fuera confiado) adoptaba la forma de una cuchilla de las utilizadas por las parteras para cortar el cordón umbilical.

Gilgamesh había pedido también un cuenco de cornalina con miel y otro de lapislázuli con cuajada, y los puso sobre la mesa. Y, finalmente, dispusieron también sobre ella una jaula con una paloma en su interior.

—Oh, grandes dioses –dijo Gilgamesh–, perdonad mis trasgresiones. Os ofrezco el fruto de la leche para que no sequéis estos labios, que fueron amamantados con leche divina. Os ofrezco este cuenco de miel, para que no borréis la dulzura de mi vida. Y por la muerte del Toro del Cielo, aceptad esta imagen a modo de restitución.

Gilgamesh se postró siete veces y, a continuación, mezcló la miel y la cuajada y puso los cuencos ante la imagen del Toro del Cielo. Finalmente, tomó la jaula y liberó a la paloma.

—Oh, gran Anu, Padre Celestial –dijo–, le he dado alas a esta ave para que tú me tomes bajo *tus* alas. ¡Llévame a las alturas como un Águila, hasta tu morada celeste!

Gilgamesh se postró de nuevo siete veces y, dando por finalizada su oración, se fue a ver a Enkidu.

*   *   *

Enkidu empezó a moverse hacia el amanecer. Levantó la cabeza y abrió los ojos; y, viendo a Gilgamesh, le tendió la mano.

—¿Cuánto tiempo he estado durmiendo? –preguntó.

Gilgamesh le tomó de la mano y se la examinó, y luego le tomó la otra. La hinchazón y el enrojecimiento habían desaparecido, y Enkidu había recobrado la fuerza de sus brazos.

—En casa de Salgigti te sobrevino una gran debilidad –dijo Gilgamesh–. Has estado durmiendo durante doce días y doce noches. Para curarte, te traje aquí, a la casa de Resucitación de mi madre. ¡Ahora ya estás bien!

Enkidu se quedó mirando fijamente a Gilgamesh, con una mirada triste, sin soltarle la mano.

—Hay algo más, ¿verdad? –preguntó–. En mi sueño, he visto cosas…

—Aparta esos negros pensamientos –le interrumpió Gilgamesh–. Deja que vierta agua pura en tus labios y que lave tu cuerpo, y te sentirás plenamente recuperado.

—El sueño debe tener un significado –insistió Enkidu–. He soñado con dos emisarios que vestían con alas. Uno se adelantó, mientras el otro se quedaba detrás. El que se había adelantado me agarró por el brazo y me dijo, «Ven conmigo a la casa de la Oscuridad, cuyos moradores carecen de luz, se alimentan de arcilla y llenan de polvo sus bocas». Pero yo me negué a seguirle. «¡No abandonaré a mi camarada!», grité. Y el otro emisario asintió con la cabeza. «Ve, pues él también irá», dijo. Entonces, otra mano me tocó, y desperté.

—Olvida tus pesadillas, Enkidu –dijo Gilgamesh–. He orado y he ofrecido sacrificios por nuestras trasgresiones. Sea cual sea el destino que nos espera, estamos ahora bajo la protección de la dama Ninharsag, la gran sanadora, y mi madre tiene un plan… Ahora, deja que vaya con ella y le diga que has despertado.

Tras recibir la noticia, Ninsun regresó junto a Enkidu, acompañada por Gilgamesh. La dama inspeccionó a Enkidu, y luego pasó su vara sobre su cuerpo.

—Aunque no seas un mortal, has estado gravemente enfermo –le dijo–. Pero ahora ya estás curado. No te esfuerces demasiado durante un tiempo; simplemente camina, y bebe sólo agua pura.

Luego, se volvió a Gilgamesh.

—Ya podemos dejar entrar a la multitud –le dijo–. Ven a desayunar a mis aposentos.

Regresaron a las dependencias de Ninsun, donde la criada les sirvió tortas de trigo, dátiles y agua pura. Y cuando se quedaron a solas, Ninsun se volvió a su hijo con una grave expresión en el rostro.

—Hijo mío, ¿has oído hablar de Ziusudra?

—He oído contar leyendas de un hombre llamado así, hace mucho tiempo, cuando el Diluvio asoló la Tierra.

Ninsun asintió con la cabeza.

—Fue hace miles de años. Él había nacido en Shuruppak, la ciudad de mi madre. Era un hombre justo en sus maneras, y de linaje divino, pues el señor Utu era el padre de su padre. El señor Enki le salvó a él y a su mujer, y todo lo que era suyo, de las aguas del Diluvio.

—Sí, he oído contar leyendas –dijo Gilgamesh–. Pero eso fue hace mucho tiempo. Todos ellos murieron y se fueron para siempre, y sólo los ancianos los recuerdan en sus historias.

—No es así… Es un secreto de los dioses, pero mi madre me ha permitido que te lo revele. ¡Ziusudra y su esposa siguen vivos!

—¡No puede ser! –exclamó Gilgamesh–. ¡Su esposa era completamente mortal, y él sólo era un tercio divino!

—Ése es el secreto –dijo Ninsun–. Después de miles de años, él y su esposa siguen con vida, y viven en Tilmun. Están allí ocultos, en un lugar recluido. Crece en Tilmun una planta que da la vida, Gilgamesh. Quienquiera que come de su fruto rejuvenece, pospone la muerte constantemente. ¡Tienes que ir allí, Gilgamesh, pues sólo esa planta puede vencer tu enfermedad!

—¿Y cómo llegaré a tan lejano lugar, madre?

—Tengo un plan –dijo Ninsun–. Ven, te lo mostraré.

Fueron a la cámara interior, donde se encontraba el altar en el que Gilgamesh había visto las tablillas discoidales. Ninsun pulsó el punto que activaba el altar y, como ya sucediera en la anterior ocasión, la losa frontal desapareció bajo el suelo, dejando al descubierto los estantes y los discos almacenados.

—Desde la última vez que estuve aquí, no dejo de preguntarme cómo funciona la magia de este altar –dijo Gilgamesh.

—Siempre fuiste un niño curioso –dijo Ninsun conteniendo una risa–, y no has cambiado.

La diosa se agachó para tomar uno de los discos.

—¡Mi Tablilla de los Destinos! –exclamó Gilgamesh con un punto de excitación en la voz.

—No, es un mapa del lugar al que tienes que ir, y la ruta que deberás seguir para ello.

—Deja que vea mi tablilla de nuevo –dijo Gilgamesh–. ¡Muéstrame su escritura celestial, para que mis ojos la contemplen de nuevo!

—No, ahora no –replicó Ninsun.

La dama cerró de nuevo la losa frontal, y puso el disco que había seleccionado en la cavidad del altar. Gilgamesh volvió a escuchar el familiar zumbido, y el disco se puso a brillar con un resplandor dorado. Ninsun pulsó el otro punto de activación, y la pantalla blanca emergió de nuevo desde uno de los laterales, cubriendo lentamente la cara del disco. Las marcas que había en él se hicieron visibles. Era un mapa.

—Tilmun tiene la forma de una lengua –dijo Ninsun tomando el puntero para apoyar sus explicaciones–. El mar Superior forma su cóncava costa septentrional, mientras dos alargadas masas de agua conforman sus costas al este y al oeste. En el extremo sur se elevan unas gigantescas montañas ricas en vetas de cobre y en turquesas. Ahí se encuentra el destino de Enkidu. Allí deberá ir, junto con otros mortales condenados, para extraer el precioso mineral de las entrañas de la Tierra.

—Enkidu no conoce aún el veredicto, pero ha tenido un sueño revelador –dijo Gilgamesh–. ¿Para qué he hecho mi oración? ¿Sólo para que se recupere y termine comiendo polvo en las entrañas de la tierra? ¡Sin agua, perecerá!

—Cada cosa a su debido tiempo –dijo Ninsun–. A lo largo de las costas del mar Superior discurre una ruta de caravanas que conecta las tierras del señor Adad con Magan y el resto de los dominios de los enkiitas. Al sur de esa ruta, oculta por una cadena de montañas, existe una llanura secreta. Es el corazón de la Cuarta Región, prohibida para los hombres. Ningún mortal puede adentrarse en aquella zona y continuar con vida, pues en su centro se encuentra el Lugar de los Cohetes –dijo Ninsun señalando con el puntero–. Ahí es donde se encuentra la morada secreta de Ziusudra, y donde crece la Planta de la Vida.

—¿Y cómo haré para llegar allí, entrar y seguir con vida?

—Existe una ruta terrestre que sólo conocen los anunnaki. Aquí…, deja que te lo indique…, hay un río, el Río que Cae es su nombre, que nace en los lagos, no lejos de la montaña de los Cedros. Desde las montañas baja hasta un mar interior, el mar de Sal. En las orillas de ese mar existen puntos por los que se puede cruzar y que conectan con las rutas que llevan a Tilmun. Aunque desolada, ésta sería la ruta que deberías tomar… si no fuera por Enkidu.

Gilgamesh miró a su madre desconcertado, y Ninsun se explicó:

—Debido a la sentencia impuesta a Enkidu, no podrás tomar una ruta terrestre. ¡Tendrás que llegar a tu destino a través del mar!

—¿A través del mar?

—Sí. Deberás anunciar que, en razón de tu camaradería con Enkidu, has decidido acompañarle en su último viaje. Ishtar, espero, se dejará persuadir y te lo consentirá. Iréis en un barco de Magan que se dirige a la costa oeste de Tilmun –dijo Ninsun señalando la ruta con el puntero–. El puerto minero está aquí. Ahí dejarás a Enkidu, pero tú no regresarás. Subirás por la costa, no hasta llegar a Magan, sino hasta este punto. Recuérdalo bien, Gilgamesh, pues los marinos no conocen ese lugar. Allí te despedirás de la tripulación y continuarás solo. Ellos y el barco esperarán allí tu regreso, de modo que asegúrate de que hay suficientes provisiones en el barco.

—Hasta aquí he podido seguirte, madre –dijo él–. ¿Qué viene después?

—Desde la costa, deberás dirigirte hacia el este. Hay un paso entre las montañas que rodean la zona prohibida. Sigue caminando hasta que los guardianes del Lugar de los Cohetes te detengan. Diles quién eres y diles que has venido a ver a Ziusudra, y ellos te llevarán con él.

—¿Y tanto ellos como Ziusudra me creerán?

—Muéstrales esto –dijo Ninsun, abriendo de nuevo la parte frontal del altar y sacando dos objetos.

—¡Mi Tablilla de los Destinos, y otra tablilla igual! –exclamó Gilgamesh.

—Sí, salvo que la réplica es diferente. En ella, las marcas son visibles, y su escritura se ha traducido a la lengua del Edin, para que Ziusudra pueda leerla. Es esta réplica la que llevarás contigo. La verdadera tablilla permanecerá aquí, oculta en este altar.

—Como tú digas, madre –dijo Gilgamesh mientras tomaba la réplica.

Ninsun estaba devolviendo a su sitio la auténtica Tablilla de los Destinos cuando un ruido súbito los sobresaltó. La diosa se volvió hacia la puerta, a tiempo de atisbar una silueta que se escabullía.

—¡Es alguien que lleva algo de metal consigo! –gritó Ninsun–. ¡Rápido, Gilgamesh, atrapa a ese entrometido!

Por unos instantes, Gilgamesh no reaccionó, desconcertado. Pero, luego, salió corriendo hacia la sala contigua. No había nadie allí, pero la puerta estaba abierta. Se precipitó hacia ella y salió al patio exterior, que estaba a rebosar de gente: enfermos, ancianos, madres con niños; agachados, de pie, en grupos… Quienquiera que hubiera entrado en las dependencias privadas de Ninsun se había perdido ya entre la multitud. La puerta principal del complejo estaba abierta de par en par, y estaba atestada de gente; unos intentando entrar, otros intentando salir.

Gilgamesh volvió la vista atrás. Su madre estaba en la puerta de sus dependencias.

—Quienquiera que fuese el intruso –dijo volviéndose hacia ella–, se ha desvanecido.

—Me pregunto quién sería –respondió Ninsun–, y con qué propósito ha venido.

—Probablemente fuera un mendigo, buscando algo que robar para luego venderlo.

—¿Un mendigo con algo metálico encima, y robándole a una diosa?

—¿Quién sabe? Hay gente que haría lo que fuera con tal de sobrevivir.

—Me pregunto si el intento de Marduk y Nabu por capturarte, Gilgamesh, no estará indicando que Erek se ha convertido en una pieza codiciada en la pugna entre los clanes.

—No me has dicho en qué quedó la queja de Nabu –dijo él.

—Pues que, diciendo que ellos sólo pretendían rescatarte a ti y a Enkidu, Utu no pudo recurrir y tuvo que disculparse. Pero todo el mundo sabía que, detrás de todo eso, había mucho más que lo que se dejaba entrever. Ten cuidado durante el viaje, Gilgamesh.

Y, cambiando de asunto, la dama preguntó:

—¿Y qué vas a hacer con tu hijo mientras estés ausente? ¿Quieres que se quede conmigo?

—En verdad estás preocupada, madre –dijo Gilgamesh besándole la mano–. Creo que Urnungal debería permanecer en palacio, como corresponde al príncipe de la Corona. Niglugal cuidará de él.

—Niglugal… ¿Hasta qué punto confías en él, Gilgamesh?

—Me ha servido bien, y antes que a mí sirvió a mi padre.

—Sí, pero tu padre también fue el padre de Enkullab. Está bien que vigiles las intrigas en el templo, Gilgamesh, ¡pero no pierdas de vista el palacio!

Y, acariciándole el cabello, le dijo:

—Y, ahora, vamos a ver cómo está Enkidu.

Encontraron a Enkidu profundamente dormido, respirando de forma rítmica y constante.

—Se está recuperando bien –dijo Ninsun.

—¿Quién le va a contar su destino…, trabajos forzados en las entrañas de la Tierra? –preguntó Gilgamesh.

—Tú, pues eres tú quien le vas a llevar allí –respondió Ninsun.

12

·

Tres días después, Ninsun envió un mensaje a Gilgamesh diciéndole que la gran dama Ishtar había dado su consentimiento para el viaje que Gilgamesh y Enkidu debían emprender y, acto seguido, todo el mundo en palacio se movilizó con los preparativos.

Se enviaron emisarios a Ur y a Eridú con el fin de encontrar un barco de Magan, un barco suficientemente grande y sólido como para afrontar tan peligroso viaje. Tras llegar a un acuerdo con su capitán, el barco remontó el río, para ser arrastrado luego con sogas por los hombres más fuertes de Erek, que introdujeron el barco en un canal fuera de la ciudad.

Allí, los más hábiles carpinteros de Erek fortalecieron la quilla del barco con maderas selectas importadas de lejanas tierras, e instalaron mástiles nuevos de rectos y sólidos troncos. Tres aparejos de velas, cosidas por las mejores costureras de la ciudad, se enjaezaron a los mástiles. También se mantuvo ocupados a los herreros de Erek, que forjaron un buen número de armas para la tripulación del barco, al tiempo que diseñaban y forjaban un hacha especial para Gilgamesh, a la que el rey bautizó como el Poder del Heroísmo.

Mientras avanzaban los preparativos, Gilgamesh acudía con frecuencia al muelle en el que se trabajaba con el barco. Normalmente, iba escoltado por un pelotón de soldados de la guardia de palacio, comandados por un capitán de la guardia; pero un día, Gilgamesh le pidió a Kaba, el máximo responsable de las tropas, que le acompañara.

Aunque la juventud era normalmente un requisito esencial en la soldadesca, Kaba era una excepción, si bien su enorme y musculado cuerpo desmentía su edad. Sólo su espesa barba, cuidadosamente arreglada pero ya gris, y las muchas arrugas de su bronceado rostro, atestiguaban el paso de los años. Había sido él, cuando Gilgamesh no era más que un muchacho, el que había entrenado al rey en las artes de la guerra, y el que entrenaba ahora al hijo de Gilgamesh, Urnungal.

—¡Hermoso barco! –exclamó Kaba tras contemplar la nave desde todos los ángulos.

—Tiene que serlo –respondió Gilgamesh–, pues está destinado a un largo y peligroso viaje. Pero necesitaremos complementar a la tripulación con cincuenta soldados más, Kaba, porque una buena parte de la ruta recorre las tierras de los shagaz. ¿Puedes conseguirme cincuenta voluntarios?

—Yo seré el primero de ellos –dijo el viejo soldado.

—No, tú no, Kaba –le dijo Gilgamesh poniéndole la mano en el hombro–. Tú has servido fielmente a mi padre, me has servido a mí, y deberías servir también al próximo rey, mi hijo, Urnungal. ¡Tu sitio está aquí!

—No entiendo –dijo Kaba–. Se trata sólo de llevar a Enkidu a su destino y regresar. Niglugal puede ser el regente temporalmente.

—El destino es impredecible, y el futuro está siempre lleno de sorpresas, mi leal Kaba. ¿Puedo contar contigo para cuidar de Urnungal con tu vida y protegerle de cualquier peligro, sea quien sea quien le amenace?

—Por mi vida –dijo el comandante.

De regreso a palacio, Kaba reunió a las tropas. Les habló del viaje de Enkidu a la Tierra de las Minas, y pidió cincuenta voluntarios. Fueron muchos los que dieron un paso al frente, pero Kaba rechazó a bastantes de ellos.

—Aquellos que no hayan consagrado aún su casa, que vuelvan a su casa. Los que tengan una madre viuda, que regresen con su madre. Y los que estén casados, pero aún no hayan tenido hijos, permanezcan con su mujer.

Una vez apartados todos éstos, Kaba eligió a los mejores hombres entre los voluntarios que habían quedado, y luego se los presentó al rey, que le concedió a cada uno de ellos el epíteto de «Heroico Hijo de Erek». Luego, llamaron a los armeros y dotaron a cada uno de los cincuenta héroes con una armadura de cuero seco y endurecido, y pusieron armas nuevas en sus manos.

Cuando todo estuvo dispuesto, los cincuenta héroes se dirigieron hacia el barco acompañados por una multitud y seguidos por una caravana de carros cargados con provisiones de comida, agua, vinos diversos y aceite para cocinar e iluminar las lámparas.

Entre la multitud había mucha gente, sobre todo madres, esposas o novias, que lloraban al ver a sus seres queridos marchar a tan largo y peligroso viaje. Pero los héroes estaban eufóricos, anticipando las aventuras que iban a vivir, confiados en superar todo tipo de peligros y enemigos, y convencidos de las alabanzas que los escribas verterían en sus crónicas sobre ellos y que los escolares recitarían en días venideros.

* * *

Estaba atardeciendo cuando Gilgamesh fue a hablar con Enkidu acerca del viaje del cual su amigo no regresaría.

Aunque se había recuperado en gran medida, seguía estando bajo los cuidados de Ninsun, por lo que Gilgamesh le encontró en el pequeño jardín del complejo médico, tras las dependencias privadas de Ninsun, sentado en un banco de madera. Enkidu estaba contemplando la puesta de sol cuando escuchó unos pasos acercándose, y una gran sonrisa iluminó su rostro cuando vio a su amigo el rey.

—Gilgamesh, amigo mío. Estaba esperándote.

—Aquí estoy, Enkidu –dijo Gilgamesh mientras le tomaba de la mano, no sólo para saludarle, sino también para comprobar si la hinchazón había remitido por completo.

—¿Has venido a buscarme? ¿Tenemos que partir ya? –preguntó Enkidu.

—Pero… ¿cómo sabes…? –dijo Gilgamesh sorprendido.

Enkidu sonrió irónicamente.

—Amigo mío, deja que pronuncie yo las palabras que no pudiste pronunciar tú. He tenido una visión, y ya no estoy aterrorizado. El emisario de los dioses se me ha aparecido en la visión, una imagen reluciente en el aire, delante de mis propios ojos, moviéndose y hablando a la luz del día, ¡aunque allí no había nadie! ¡Créeme, Gilgamesh, fue como si estuviera soñando, pero no era de noche, y estaba completamente despierto!

—He oído hablar de tales apariciones. Se consideran una bendición.

—Quizás… Me explicó el sueño de los emisarios alados, y me desveló el destino que me han reservado, trabajando en las profundidades de la Tierra. Y me aseguró que tú serías quien me acompañaría. Pero antes de que pudiera preguntarle por qué ibas a venir tú también y cómo realizaríamos el viaje, la aparición se desvaneció.

Enkidu se quedó mirando fijamente a Gilgamesh, pidiéndole con la mirada una respuesta.

—No se puede negar una revelación divina –dijo Gilgamesh–. Pero no te voy a acompañar yo a ti en este viaje, sino tú a mí.

—Hablas de manera enigmática –le dijo Enkidu a su amigo.

—Te llevaré al lugar designado, Enkidu, pero no regresaré a Erek. Mi viaje continuará. Pretendo ir al Lugar de los Cohetes, amigo mío. ¡Lo que no he podido conseguir en el Lugar de Aterrizaje, lo conseguiré en Tilmun!

Enkidu sacudió la cabeza incrédulo.

—Es un viaje temerario. Quizás arriesgues tu vida inútilmente.

Y tomando de la mano a su compañero, añadió:

—Amigo mío, cuando los dioses crearon a la humanidad no le concedieron la vida eterna. ¡Quédate en Erek y considera una bendición los muchos días que aún te quedan en esta vida! ¡Haz una fiesta de cada uno de los días que te queden! ¡Disfruta, llena tu estómago de deliciosos manjares y bebidas, báñate en aguas cristalinas, vístete con tus atuendos reales, y cuida del hijo que se te ha dado! Y, en cuanto a la muerte, no hagas caso. ¡Cuando llegue, abrázate a ella sin miedo!

En aquel momento, Gilgamesh sufrió una convulsión en la mano, y Enkidu se le quedó mirando, preocupado. Gilgamesh intentó retirar la mano, pero Enkidu se la sujetó con fuerza.

—Hay algo más, ¿verdad? –le dijo.

—Te lo iba contar más tarde –respondió Gilgamesh–, pero… por qué no revelarte mi secreto ahora. Aunque se me ha perdonado la sentencia de muerte, mis días, Enkidu, están contados. Toqué un objeto divino, la obra del gran señor Anu… y he sido maldecido por ello.

Una nueva convulsión sacudió su mano.

—La muerte se ha introducido en mis huesos, Enkidu. Por eso tengo que ir a Tilmun. La gran sanadora, la dama Ninharsag, le reveló un secreto a mi madre. En Tilmun crece un fruto que te protege de la muerte. Si puedo conseguirlo, mis días se prolongarán.

Enkidu miró a su camarada a los ojos.

—Si no fuera por este secreto que me cuentas, habría insistido en que renunciaras a tan temerario viaje –le dijo–. Nunca antes oí hablar de ese fruto; pero, si la gran dama Ninharsag habla de él, debe de ser cierto. ¿Dónde crece?

—Mi madre me lo ha indicado en un mapa –dijo Gilgamesh.

—¿Un lugar secreto de los dioses?

—Está más allá del lugar donde te dejaremos.

—Entonces, adelante… –dijo Enkidu–. Deja que, antes de partir, le dé las gracias a tu madre por haberme curado.

* * *

La noche había caído ya cuando la criada les hizo pasar a los aposentos de Ninsun. La diosa estaba sentada en su sillón favorito, envuelta en un fino vestido de lana pura. Un collar de lapislázuli adornaba su pecho y una peineta de marfil con forma de tiara coronaba sus cabellos. Las lámparas de aceite arrojaban luces rojizas y doradas sobre ella, al tiempo que ocultaban las sombras a sus espaldas.

Los dos amigos se postraron en el suelo.

—Os estaba esperando –dijo Ninsun, haciéndoles un gesto con la mano para que se sentaran delante de ella.

—Ha llegado el momento, madre divina –murmuró Gilgamesh.

—Gran reina celestial –dijo Enkidu–, he venido a daros las gracias y despedirme de vos.

—He rezado a los grandes dioses por vosotros dos –dijo ella–. Al gran señor Anu, que está en los cielos, al gran señor Enlil, que gobierna la Tierra, y al señor Utu, que comanda a las Águilas. Y ahora, Gilgamesh, antes de partir, ve a la sala del altar y realiza tú también tus oraciones.

Gilgamesh se incorporó y fue a la habitación interior. Había un sobrecogedor resplandor dorado cerniéndose como una niebla encima del altar. Se arrodilló ante él, levantó las manos y, lentamente, con una voz suave, dijo:

—Oh, gran Anu, perdona mis trasgresiones. Oh, gran Enlil, concédeme tu misericordia. Oh, Utu, señor de las Águilas, extiende tus alas protectoras sobre mí. En el Lugar de los Cohetes deseo entrar. ¡Sé mi aliado! ¡Allí donde los cohetes se elevan, inscribe mi nombre para la vida!

Después, se levantó y volvió a sentarse en presencia de Ninsun. Ella se inclinó sobre él y le dio un beso en la frente, y luego posó su mano sobre la cabeza de Enkidu.

—Seas bendecido, Enkidu –dijo la diosa–. Aunque tus labios no se hicieron para pronunciar oraciones, los míos no dejarán de pronunciar tu nombre. Quizás algún día, el señor Enki encuentre el modo de redimir tu sentencia.

Ninsun hizo un gesto para que se levantaran. Gilgamesh tomó la mano de su madre y se la besó; sin embargo, ella le abrazó tiernamente.

—No has pronunciado ninguna oración para la dama Ishtar –le dijo–. Sin embargo, la perjudicaste al quedarte con la Tablilla de los Destinos que iba dirigida a ella. Cuando hayas partido, intentaré hacer las paces con ella.

—¡No le des la tablilla…! –comenzó a decir Gilgamesh, pero Ninsun levantó la mano para hacerle callar.

—Id, y que los dioses os acompañen –dijo.

Y, dándose la vuelta, se dirigió hacia la habitación interior.

Aún no habían salido de la casa cuando la escucharon sollozar. Gilgamesh intentó ir con ella para consolarla, pero Enkidu le detuvo y le hizo retroceder.

—La suerte está echada –dijo–. Vámonos.

* * *

Comparada con los banquetes que solía celebrar en palacio, su última cena antes del viaje estaba siendo ciertamente solemne y austera. Y, por otra parte, no estaba teniendo lugar en el Gran Salón, sino en las dependencias privadas del rey, sin risas ni canciones, sin vino ni cerveza. Tan sólo una tranquila conversación y un poco de vino para facilitar la digestión.

Tampoco había notables de palacio presentes, ni héroes, ni emisarios de cerca o lejos, ni sabios en diversas disciplinas acompañando al rey. En la última noche antes de partir hacia su destino, sólo cuatro personas compartían la cena: Gilgamesh y Enkidu, que sólo bebían agua, y Niglugal y el hijo del rey, Urnungal. Por la conversación y por el intercambio de miradas, era evidente que el centro de atención era el adolescente que había entre ellos.

—Hijo mío –dijo Gilgamesh cuando terminaron de comer y despidieron a los sirvientes–, mañana al amanecer parto hacia un largo y peligroso viaje. No es una partida precipitada, pues la emprendo tras muchas deliberaciones y preparativos. Tengo que llevar a cabo la tarea impuesta por un juicio divino, pues tengo que acompañar a mi camarada y hermano, Enkidu, a la Tierra sin Retorno.

—¿Es que Enkidu nunca volverá? –preguntó Urnungal–. ¡Eso es injusto!

—Ése ha sido el veredicto de los dioses, por haber matado al Toro del Cielo –respondió Gilgamesh.

—Pensaré siempre en ti, Urnungal –dijo Enkidu extendiéndole los brazos–, y tú guárdame un sitio a tu lado en tu imaginación. Recuerda nuestras luchas, nuestras conversaciones sobre la estepa y sus criaturas, y todo lo que te he contado sobre la magia divina… ¿Te acordarás de todo eso, Urnungal?

El muchacho se levantó y se acercó a Enkidu. Llevaba una túnica sencilla, corta, en la que sólo los coloreados ribetes indicaban su noble rango. Su negro cabello, espeso como la melena de un león, unido a su estatura y a sus anchos hombros, delataban a primera vista de quién era hijo. El joven le tendió el brazo a Enkidu, y los dos estrecharon los brazos a la manera de los héroes.

—¡Enkidu –dijo el muchacho–, de ti contaré historias hasta el fin de mis días!

—¡Con eso me conformo! –dijo Enkidu, y abrazó a Urnungal.

—Y tú, padre, ¿cuándo regresarás? –preguntó el joven volviéndose hacia Gilgamesh.

—No sabría decirlo –respondió él–, pues el viaje es bastante largo y peligroso…

Un temblor recorrió su mano mientras hablaba, hecho que no pasó desapercibido para Urnungal.

—Tienes ese demonio en la mano desde que terminaron las festividades de Año Nuevo –observó–. ¿Estás bien, padre mío?

—¡Claro que sí! –respondió Gilgamesh mirando a Enkidu y a Niglugal–. Ha sido un sobreesfuerzo. Y ahora, hijo mío, hablemos en serio.

Gilgamesh le hizo una seña al muchacho, y éste puso las manos sobre las manos de su padre.

—Aunque tú no eres dos tercios divino como lo soy yo, por tus venas corre la sangre de los dioses, Urnungal, ¡y estás destinado a la realeza desde el día en que naciste!

—¡Urnungal es el príncipe de la Corona! –exclamó Niglugal.

—Más que eso –dijo Gilgamesh sin dejar de mirar a Urnungal–. Hijo mío, desde el momento en que yo parta, tú no sólo serás el príncipe de la Corona, sino el legítimo heredero. Y, aunque eres joven, tienes que comportarte como un hombre. Escucha los consejos de Niglugal, consulta a mi madre, Ninsun, y luego haz lo que tu corazón te diga que tienes que hacer.

—Sabias palabras –comentó Niglugal–. Sólo con que fuera un poco más mayor…

—Lleva la realeza en la sangre –le interrumpió Gilgamesh buscando con la mirada al chambelán.

Niglugal extendió el brazo y lo estrechó con el de Urnungal.

—Te serviré tan fielmente como he servido siempre a tu padre –le dijo.

Un par de gruesas lágrimas asomaron a los ojos de Urnungal, mientras Gilgamesh pasaba sus dedos por entre los negros rizos de la cabeza del muchacho.

—Tienes el cabello igual que tu madre, negro como las plumas de un cuervo –dijo en un murmullo.

Y, acto seguido, tomando a Urnungal por los hombros y poniéndose cara a cara ante él, le dijo:

—Hijo mío, quiero que escuches esto antes de que me vaya. He estado muy alterado desde que tu madre murió y, debido a su ausencia, he recalado en el regazo de muchas mujeres. Pero siempre fueron muchas, nunca fue una sola. Ninguna otra mujer pudo reemplazarla en el trono de la realeza, ni tampoco en mi corazón. ¡A ninguna otra he tomado por esposa!

—Gracias por decirme eso –dijo Urnungal besando a su padre en la mejilla.

—Ahora, ve a tus aposentos y duerme cuanto te plazca –dijo Gilgamesh.

Aunque reacio, el muchacho obedeció y salió de la sala, mientras todos le seguían con la vista. Niglugal fue el que rompió el silencio que le siguió.

—Una triste despedida, como si la separación fuera a ser larga… No habéis dicho nada acerca de un regente, ni tampoco cuánto tiempo deberemos esperar a vuestro regreso, mi rey.

Gilgamesh levantó una ceja.

—Hasta la siguiente festividad de Año Nuevo, ése es el tiempo acordado con Ishtar. Si para entonces no he vuelto, Urnungal se unirá a la diosa en su lecho y se convertirá en rey de Erek.

Niglugal echó la cabeza hacia atrás, sobresaltado.

—El muchacho no tendrá aún los dieciocho años –dijo.

—¡Él es el legítimo heredero! –replicó Gilgamesh–. Además, estás subestimando las capacidades de Ishtar…

Enkidu estalló en una sonora carcajada, mientras Niglugal sonreía.

—¿Nunca es demasiado pronto? –preguntó.

—Y, con esta nota alegre, retirémonos por esta noche –dijo Gilgamesh–. Me voy a mi dormitorio, Enkidu. Tú puedes dormir donde te apetezca. Saldremos por la mañana.

Mientras el rey y Niglugal abandonaban la cámara, Enkidu permaneció sentado, con una mirada inexpresiva.

—Veo un águila con las alas extendidas, inmóvil en el cielo, desde aquí hasta el horizonte –susurró.

* * *

Gilgamesh y Enkidu partieron sin levantar demasiado revuelo. Niglugal envió a siete corredores con el barco, y todos ellos volvieron a Erek de uno en uno para informar que el barco continuaba su viaje hacia el sur. Llegado el séptimo día regresó el último de los corredores, informando que el barco había dejado Eridú y se había adentrado en el mar Inferior. A partir de aquel momento, el barco, los pasajeros y la tripulación viajaban a su suerte, y ya no habría más noticias de ellos hasta su regreso al Edin.

En el palacio, los estados de ánimo parecían más bien apagados, en tanto que Urnungal, saltándose las clases en el manejo de armas, deambulaba sin rumbo de aquí para allá.

Niglugal convocó a Kaba en sus aposentos.

—El rey Gilgamesh se ha embarcado en un muy arriesgado viaje –dijo–, dejando atrás a un pueblo inquieto y a un sumo sacerdote intrigante.

—Soy consciente de ello –dijo Kaba–. Ése es el motivo por el cual el rey cuenta con nuestra lealtad.

—Bien dicho, Kaba –respondió Niglugal–. Pero, ¿qué pasaría si el sumo sacerdote hiciera algún movimiento para deponer al rey en su ausencia?

—Sólo la dama Ishtar podría hacer eso.

—No debemos subestimar al sumo sacerdote, Kaba. Podría difundir rumores, influir en la diosa…

—Deponer a Gilgamesh sólo serviría para poner a su hijo en el trono. ¿Para qué iba a hacer eso Enkullab?

—Urnungal es sólo un muchacho –respondió Niglugal–, y aquí haría falta madurez y experiencia…

Kaba se levantó de golpe.

—El rey apenas acaba de partir.

—Sólo estoy tomando *precauciones,* Kaba. Simplemente intento estar prevenido ante cualquier movimiento que puedan hacer. No nos interesa que haya revueltas, levantamientos ni desórdenes, ¿no es así?

Kaba asintió con la cabeza.

—Comprende que, como chambelán, mi deber y mi prerrogativa es dirigir los asuntos reales… –Niglugal hizo una pausa–. Sin embargo, si nos viéramos ante una emergencia, mi intención sería constituir un consejo de regencia compuesto por mí, por el muchacho y por ti. ¿Estás de acuerdo?

Kaba se removió, inquieto.

—Estoy de acuerdo –respondió finalmente.

—Bien –dijo Niglugal–. Ahora, que tus espías en la ciudad y en el templo agudicen la vista y el oído, no sea que nos llevemos alguna sorpresa… Y en eso se incluye la casa de Resucitación de Ninsun.

—Ayer retiramos la vigilancia de allí. Después de llegar la noticia de que el barco había pasado Eridú, la diosa se trasladó a su morada en el Recinto Sagrado.

—Ya veo –dijo Niglugal–. Entonces, que tus hombres no le quiten el ojo de encima mientras esté allí.

* * *

Al día siguiente, un joven sacerdote llegó precipitadamente a las dependencias de Ninsun con la petición del sumo sacerdote de que acudiera urgentemente a socorrer a un sacerdote de alto rango.

Dado que se trataba de una petición de lo más inusual, Ninsun sugirió que llevaran al sacerdote enfermo a la casa de Resucitación, y que allí lo examinaría cuando hubiera tratado al resto de los pacientes. Pero el joven sacerdote insistió.

—Le aqueja un mal extraño –dijo–. Una enfermedad poco común… Nadie se atreve a tocarlo, gran dama, y nadie está dispuesto a entrar en sus aposentos. ¡Venga, rápido, antes de que la plaga se extienda!

Impresionada por lo que parecían un miedo y un nerviosismo genuinos en el joven sacerdote, Ninsun se puso un chal y le siguió. Los sacerdotes caían de rodillas y se postraban a medida que Ninsun recorría sus dependencias, hasta llegar a una pequeña sala, en la que se encontró con el sumo sacerdote. Pero Ninsun no vio en sus ojos encono y enemistad, sino miedo. Enkullab se postró en el suelo y besó el dobladillo del vestido de Ninsun.

—¡Una plaga, una extraña plaga ha caído sobren nosotros! –dijo el sumo sacerdote con voz temblorosa–. ¡La cólera de los grandes dioses Anu y Enlil ha caído sobre este lugar! ¡Salvadnos, salvadnos a todos!

—¿Dónde está el sacerdote enfermo? –preguntó secamente Ninsun, mirando a Enkullab con evidente desdén.

—Es Anubani, está ahí dentro…

La diosa entró en la habitación, iluminada sólo por la tenue luz de unas altas celosías. Anubani yacía boca arriba sobre un lecho de madera, medio desnudo. Estaba inmóvil, pero sus ojos siguieron a Ninsun cuando se acercó a examinarlo. Tenía unas grandes ronchas rojas por todo el cuerpo, y tenía las manos hinchadas, tan rojas como si las tuviera tintadas en sangre.

La diosa le tocó la frente pero, sorprendentemente, no apreció fiebre en él. Después, le tocó la mano con la uña, y la mano se estremeció con una sacudida. Le dio la vuelta a las manos para examinarle las palmas; las tenía en carne viva, como si se las hubiese quemado. Miró fijamente a los ojos a Anubani, pero sólo pudo ver pánico en ellos.

—Anubani –dijo Ninsun–, ¿puedes oírme?

Él parpadeó a modo de respuesta.

—Sólo podré ayudarte si me dices la verdad... ¿Has caído fulminado después de llevar algo en las manos?

Anubani parpadeó de nuevo.

—¿Un objeto divino?

El sacerdote frunció los labios en un esfuerzo inútil, de modo que respondió de nuevo parpadeando.

—¿Qué era?

El hombre se quedó inmóvil, sin dar respuesta alguna.

—¿Dónde está? ¡Morirás a menos que me lo digas! –gritó Ninsun.

Anubani emitió un gemido sordo, mientras giraba los ojos hacia un rincón de la habitación en el cual había un arcón.

Ninsun su acercó al arcón y la abrió. Estaba llena de objetos domésticos, tablillas de arcilla y ropa. La diosa lo sacó todo fuera y lo arrojó al suelo, mientras rebuscaba en el interior; hasta que, en el fondo, descubrió un paquete muy bien envuelto. Lo sacó y lo abrió.

—¡Grandes dioses! –exclamó al ver la Tablilla de los Destinos.

Con una expresión de incredulidad, le dio la vuelta a la tablilla y la observó con detenimiento, tocando incluso su superficie. No había duda. Era la Tablilla de los Destinos que ella había escondido en el altar.

Volvió hasta Anubani y le puso la tablilla delante de los ojos. El sacerdote cerró los ojos como respuesta.

—¡Mírame! –le ordenó–. ¡Ésta es la tablilla que has robado, la que han tocado tus profanas manos!

El sacerdote abrió los ojos, pero no los movió.

—¡La has robado de mi casa, de mi altar sagrado!

Anubani abrió los ojos de par en par, y gimió.

—Te voy a curar, por lo menos lo suficiente como para que hables –dijo Ninsun mientras envolvía de nuevo la tablilla entre las telas.

La diosa volvió a la puerta, donde se habían ido congregando otros sacerdotes.

—Necesito agua –dijo–. Traedme tres jarras llenas de agua y un trapo limpio... y enviad un mensajero inmediatamente a palacio; que vengan unos cuantos soldados para llevar a este hombre a la casa de Resucitación.

Cuando trajeron lo que había pedido, Ninsun puso una jarra a cada lado del lecho y sumergió las manos de Anubani en ellas; y, a continuación, empapando el trapo en la tercera jarra, se puso a lavar el cuerpo del sacerdote. El tratamiento pareció tener un efecto calmante sobre Anubani pues, al cabo de unos minutos, cerró los ojos y se quedó dormido.

Ninsun aprovechó el momento de respiro para inspeccionar la sombría habitación. Tenía las paredes desnudas, sin ningún tipo de aderezo. Había un pequeño altar en un rincón, y al lado estaba el arcón. Ninsun se agachó para recoger todo lo que había sacado de allí arrojándolo al suelo, y comenzó a meterlo de nuevo en el arca. Tomó una tablilla de arcilla; había una inscripción en ella. Y estaba a punto de dejarla dentro del arcón cuando cayó en la cuenta de que la impresión del sello le resultaba familiar. La miró más de cerca. Representaba a un sacerdote en una mesa de ofrendas ante una diosa sentada. En la inscripción ponía, «Enkullab, sumo sacerdote, siervo de la divina Ishtar».

Ninsun se preguntó qué podría hacer aquella tablilla en posesión de un simple sacerdote, pero siguió metiendo las pertenencias de éste dentro del arcón. Entonces, se encontró con una placa de terracota, y una expresión de horror cruzó su rostro..., ¡tenía los emblemas de Marduk y Nabu!

Miró a Anubani, que seguía con los ojos cerrados, y frenéticamente buscó de nuevo la tablilla inscrita. Tras encontrarla, se acercó a la luz que se filtraba a través de las celosías. Sus manos comenzaron a temblar mientras leía el texto inscrito.

—¡Llamad a la dama Ishtar! –gritó a los sacerdotes congregados en la puerta–. ¡Que venga aquí de inmediato!

En un principio, nadie reaccionó ante la orden de Ninsun, aunque los murmullos y la conmoción se extendieron entre los sacerdotes. Entonces, el sumo sacerdote apareció en la puerta.

—Esto es ciertamente inusual –dijo Enkullab–. Y no nos habéis dicho, gran sanadora, si Anubani vivirá o morirá.

—¡El hecho de que sea inusual no te ha impedido llamarme! –dijo Ninsun iracunda–. La enfermedad es muy grave. Si no quieres que la plaga se extienda, ¡llama a la dama Ishtar de inmediato!

—Así sea –dijo Enkullab, dando un paso atrás y ordenando a un sacerdote que trasmitiera a la diosa Ishtar el deseo de Ninsun.

Pasó algún tiempo hasta que Ishtar hizo acto de presencia. Iba vestida con su atuendo de piloto, y llevaba en la mano su bastón emisor de rayos.

—¿Por qué motivo se me ha molestado? ¿Por qué se me ha hecho venir a este lúgubre rincón? ¡Será mejor que tengas una buena explicación, Ninsun! –dijo Ishtar en tono agresivo al entrar en la habitación.

Pero se detuvo en seco al ver al inerte sacerdote en su lecho, con el cuerpo cubierto de ronchas rojas y las manos metidas en las jarras.

—¿Me has traído aquí para que contraiga la enfermedad? –preguntó alarmada.

—No es nada que pueda hacerte daño –respondió Ninsun con calma.

Y, a continuación, tomó la Tablilla de los Destinos y se la mostró a Ishtar.

—Cayó fulminado después de tocar la obra de Anu.

—¡Deja que lo vea! –dijo Ishtar tomando la tablilla entre sus manos–. Es una Tablilla de los Destinos… ¿Cómo es que la tenía este sacerdote?

—Él no nos lo va a decir, pero yo creo que lo sé –respondió Ninsun–. Estaba en el interior de la obra de Anu que cayó del cielo al término de la festividad de Año Nuevo.

—¿Por qué iba a quedarse uno de mis sacerdotes con una tablilla sagrada?

—Lo que no está claro es si se trata de un sacerdote de la dama Ishtar –respondió Ninsun–. He encontrado esto entre sus pertenencias, en ese arcón.

Y le entregó a Ishtar la placa de terracota.

—¡El emblema de Marduk y de Nabu! –gritó Ishtar–. ¡Mis enemigos declarados!

Ninsun asintió con la cabeza.

—Un traidor, un espía dentro del Recinto Sagrado –exclamó Ishtar–. ¡Traicionando a su propia diosa, y a su sumo sacerdote!

—De eso tampoco estaría yo tan segura –dijo Ninsun–. También he encontrado esto oculto en su arcón… –Y le entregó a Ishtar la tablilla inscrita–. Mejor será que la leas, antes de decir nada.

Ishtar reconoció de inmediato el sello del sumo sacerdote, y sus manos comenzaron a temblar de cólera mientras leía la inscripción.

Luego, miró a Ninsun, que hizo un gesto con la cabeza en dirección a la puerta, y le devolvió los tres objetos que le había ido entregando.

—¡Que venga Enkullab, de inmediato! –ordenó Ishtar.

Un instante después, el sumo sacerdote entró vacilante en la habitación, cayó sobre sus rodillas y se postró ante Ishtar.

—Gran dama, señora de Erek –dijo–. Una plaga ha caído sobre el Recinto Sagrado. Debe de haber habido alguna trasgresión... aunque os aseguro que será expiada.

—¿Quién es este sacerdote y cómo ha contraído la enfermedad? –preguntó Ishtar con un tono exigente, sin hacer ademán alguno para que se levantara.

—Anubani es su nombre, y se ocupa de los suministros. Es un sacerdote sin importancia; casi no lo conozco –dijo Enkullab–. Su enfermedad es para mí un enigma, gran dama. Si la dama Ninsun puede curarle, ¿podría él, en efecto, contarnos más cosas?

—Se pondrá lo suficientemente bien como para contarnos más cosas –dijo Ninsun mirando a Ishtar.

—Hasta entonces –dijo Ishtar–, quizás *tú* puedas explicarme esto.

Y, tomando la placa de manos de Ninsun, se la puso delante de la cara a Enkullab.

—¡Sacrilegio! –gritó Enkullab, cubriéndose los ojos con las manos.

—Sí, sacrilegio –respondió Ishtar–. ¿Cómo ha podido esta basura contaminar mi propio Recinto Sagrado?

—Debería haberlo sospechado –dijo rápidamente Enkullab–. Me dijeron que había algo extraño en las idas y venidas de Anubani. Pero él fue ordenado sacerdote en el seminario de Nippur, y por eso creía que estaba fuera de toda sospecha.

—Sin duda... Pero, entonces, ¿qué hay de esto? –preguntó Ishtar mostrándole la tablilla inscrita–. Es éste tu sello, ¿no?

De forma instintiva, el sumo sacerdote se llevó la mano al sello que colgaba de su cuello.

—Es mi sello –afirmó con el semblante lívido.

—Y el mensaje de la tablilla, ¿es tuyo también? –le espetó Ishtar poniéndole con violencia la tablilla en las manos.

Enkullab pareció querer levantarse, pero Ishtar le empujó contra el suelo con su bastón.

—¡De rodillas! –le ordenó.

El sumo sacerdote, humillado, se puso a leer la tablilla. Tras leer las primeras líneas, comenzó a temblar, mientras un sudor frío cubría su frente.

—Esto no es lo que parece –dijo con voz temblorosa–. ¡La ha escrito *él!* ¡Preguntadle a él!

—¿Acaso él forjó el sello, tu sello? –preguntó furiosa Ishtar.

—¡Esto es un error! –dijo Enkullab–. ¡Fue él quien informó sobre Gilgamesh… Lo de interceptarle fue idea suya!

En su lecho, Anubani dejó escapar un gemido sordo. Todos se volvieron para mirarle, a tiempo de ver que cómo volcaba una de las jarras con una violenta convulsión de las manos. La jarra se hizo pedazos, derramando el agua por el suelo. Ninsun se inclinó sobre él, y luego se incorporó de nuevo.

—Anubani ya no dirá nada –les dijo.

—¡Es un augurio! –gritó Enkullab–. ¡El malvado ha sido fulminado! ¡Yo no os he traicionado, mi dama! ¡Que el gran señor Anu sea mi testigo!

De pronto, se escuchó un alboroto en la puerta. Era el capitán del palacio, acompañado por varios soldados.

—Nos han llamado para que nos llevemos a un sacerdote enfermo… –comenzó a decir; pero, de pronto, vio a la diosa y cayó de rodillas–. Perdonadme, yo no sabía…

—El sacerdote enfermo está muerto –dijo Ishtar–. Pero levantaos y llevaos a éste que está aquí –añadió señalando con el bastón a Enkullab–. Será juzgado por traición.

—¡No, no es cierto! –gritó Enkullab, levantando las manos para suplicar–. ¡Yo soy vuestro más fiel sirviente! ¡El pecador es Gilgamesh, no yo!

—¡Lleváoslo antes de que lo convierta en vapor! –gritó Ishtar–. Llevadlo al templo Blanco, y convocad a los sacerdotes y a los Ancianos. ¡Que ellos sean testigos del juicio del gran señor Anu!

Saltando por encima de sus pies, el capitán agarró por el hombro a Enkullab.

—Levántate y ven con nosotros –dijo.

Pero, en vez de levantarse, Enkullab se postró en el suelo.

—¡Levántate! –gritó el capitán.

Pero Enkullab seguía postrado de cuerpo entero en el suelo.

Ninsun se agachó junto al sumo sacerdote, lo tocó y, levantando los ojos hacia Ishtar, dijo:

—El juicio del señor Anu ha sido rápido. El sumo sacerdote está muerto.

Ishtar se quedó mirando el cadáver de Enkullab con un gesto de incredulidad; y luego se volvió a mirar el cuerpo sin vida de Anubani. Finalmente, miró a Ninsun, al capitán y todos los objetos esparcidos por el suelo.

—¿Por qué me miráis? ¿Qué hacéis todos aquí? –gritó de repente–. ¿Y qué son todos estos asquerosos objetos?

Agarró la placa que llevaba los emblemas de Marduk y Nabu y la arrojó al suelo, para luego aplastar sus pedazos con el pie.

—¡Marchaos! –les gritó.

Ninsun se apresuró en salir de la habitación, seguida por el capitán, mientras Ishtar arrojaba la tablilla inscrita contra la pared y la hacía también pedazos.

—¡Traidores! –gritó loca de furor–. ¡Infames! ¡Basura!

Dio un paso atrás, hacia la puerta, y disparó un resplandeciente rayo desde su bastón. Se oyó un chasquido sordo, seguido por una llamarada e, instantes después, toda la habitación estaba envuelta en llamas. Ishtar dio un paso atrás, viendo cómo las llamas se tragaban el cuerpo de Anubani, y a continuación el de Enkullab. Y luego, súbitamente, al sentir el calor de las llamas en su rostro, dio media vuelta y salió a grandes zancadas del edificio.

Los sacerdotes y los soldados que habían estado dentro estaban ahora en el exterior, distribuidos en pequeños grupos, y no tardaron en unírseles otros sacerdotes que salían corriendo del edificio. Todos vieron salir el humo a través de las celosías de la habitación de Anubani, y luego vieron elevarse las llamas.

—¡Que el fuego limpie este lugar de perversión! –gritó Ishtar–. ¡Que el edificio arda hasta sus cimientos!

Los sacerdotes y los soldados se inclinaron ante sus órdenes.

Ishtar lanzó una ojeada a su alrededor por el gran patio y, cuando localizó a Ninsun, se fue directamente hacia ella con la Tablilla de los Destinos en la mano. Cuando llegó ante Ninsun, le puso la tablilla delante de la cara, mientras la apuntaba con el Arma del Resplandor.

—Y, ahora, háblame de la Tablilla de los Destinos –le espetó exigente.

—Gilgamesh la encontró en el interior de la obra de Anu, la noche de las estrellas fugaces –dijo Ninsun calmadamente, midiendo muy bien sus palabras–. Pensó que era un augurio de Anu para él. Siendo dos tercios divino, estaba autorizado…

—¿*Era* un augurio para él? –la interrumpió Ishtar.

—No…, era un mensaje para ti. Te lo iba a dar en cuanto Gilgamesh estuviera lejos, a salvo.

—¡No me puedo creer lo que estoy escuchando! –dijo Ishtar furiosa–. Primero, tu hijo robó un objeto divino que no era para él, y luego, ¿te atreviste a ocultarme el mensaje de Anu?

—Lo hice todo por Gilgamesh –dijo Ninsun inclinando la cabeza.

—¡Maldita seas tú y maldito sea tu hijo! –gritó Ishtar apuntando su bastón sobre Ninsun.

—¡Castígame, pero deja que Gilgamesh viva! –le imploró Ninsun, levantando los ojos hacia Ishtar.

Ishtar vaciló, y luego bajó el arma.

—Éste será el castigo –dijo–. ¡Condenada a permanecer en la Tierra, verás a Gilgamesh buscando para siempre la vida sin encontrarla!

Y, dicho esto, dio media vuelta y se alejó de allí.

13

·

Fue más o menos en el mismo momento en que Enkullab, el sumo sacerdote, caía fulminado por la mano invisible del Señor del Cielo cuando los que iban a bordo del barco del rey vieron algo muy peculiar.

Hasta entonces, la navegación había trascurrido sin nada digno de reseñar, salvo la excitación y la novedad de encontrarse en mitad de unas aguas interminables, sin tierra a la vista en ninguna dirección. Ésta era una experiencia nueva para Gilgamesh y Enkidu, pero también para los cincuenta héroes que los acompañaban. Éstos se habían puesto a cantar cuando el barco había dejado atrás las tierras pantanosas de Eridú y había entrado en el mar Inferior, y Gilgamesh, recordando sus días de juventud, se había unido a ellos. Luego, cuando los vientos amainaron y los héroes tuvieron que echar una mano a los marinos con los remos, una especie de rutina se instauró entre los pasajeros y la tripulación. Para romper la monotonía, Gilgamesh organizó algunos ejercicios marciales, y Enkidu, aunque se mostraba apagado y poco participativo, se sintió obligado a dar algunas lecciones de lucha.

Y así, mientras la noche seguía al día y el día a la noche, el barco prosiguió su avance en dirección al sur.

El anterior propietario del barco, un hombre llamado Lugulbal, que había continuado a bordo por haber sido contratado ahora como capitán y navegante, trazaba de cuando en cuando un rumbo cercano a las costas de estribor con el fin de orientarse. Comentó que iban a seguir las costas de la tierra de los shagaz, hasta llegar al punto donde los bordes del mar Interior formaban un estrecho, para luego seguir la costa hasta el mar de los Antiguos. Después, dijo, navegarían con el sol naciente a su derecha, y no a su izquierda como al principio. En el extremo del mar de los Antiguos, dijo, se encuentra Magan. Y, hacia el final del viaje, navegarían con las costas de Tilmun a su derecha. Pero allí, les advirtió, no convenía demorarse demasiado; y si Enkidu debía desembarcar en aquella zona, debería hacerlo justo después del amanecer, cuando los espíritus de los muertos y los demonios de los dioses condenados estuvieran descansando.

En una de aquellas ocasiones en que se aproximaron a la costa, más o menos cuando tuvieron lugar los fatídicos acontecimientos en Erek, los cielos se cubrieron súbitamente con oscuras nubes, arrojando lúgubres sombras sobre el barco. El capitán comentó que, normalmente, esas nubes anunciaban la llegada de una tormenta. Pero lo extraño en esta ocasión era que hasta las brisas que hinchaban las velas habían dejado de soplar, mientras un sobrecogedor silencio se adueñaba del mar.

—¡Por los grandes dioses! –exclamó Lugulbal–. Nunca había visto algo tan contradictorio… Nubes de tormenta en el cielo, y un silencio de muerte en las aguas.

Lugulbal ordenó a la tripulación y a los héroes que empuñaran los remos.

—Acerquémonos a tierra. Estaremos más seguros allí –añadió.

Pero un insidioso temor se fue adueñando de todos a medida que se aproximaban a la costa, puesto que las negras nubes parecían moverse en la misma dirección que ellos, de tal modo que las tinieblas seguían envolviendo al barco. Mirando en la distancia, en cualquier dirección, veían brillar los rayos del sol sobre las aguas. Sin embargo, el barco, a pesar de estar en movimiento, seguía inmerso entre las sombras. Por otra parte, el sonido de los remos en el mar también resultaba extraño, pues entraban y salían de las aguas casi sin hacer ruido.

—¡Por los grandes dioses! –dijo Lugulbal–. ¡Un demonio se está tragando los sonidos!

—Llevadnos de vuelta mar adentro –dijo de repente Enkidu, que hasta aquel momento había hablado muy poco.

—No. Estamos cerca de la playa. Echemos el ancla y tengamos a mano la seguridad de la costa –dijo Lugulbal señalando hacia la playa.

—¡Veo a un hombre! –gritó de pronto el vigía desde lo alto de uno de los mástiles.

Todos miraron en la dirección que señalaba el vigía. Por delante de ellos, a su izquierda, vieron emerger un promontorio en mitad de la planicie costera, y sobre el promontorio vieron la silueta de un hombre. Era alto y de amplias espaldas, y cubría su inmenso cuerpo con un manto negro. Cuanto más se aproximaban, más grande les parecía aquel hombre. Llevaba un casco de extraño aspecto, nada parecido a cuanto hubiera visto nadie en el barco con anterioridad, y le cubría la mayor parte del rostro.

—¡Es un gigante! –gritó uno de los héroes.

—¡Es un demonio! –gritó uno de los marineros.

—Es un dios, no es un hombre –dijo Enkidu.

—¡Dejad de remar! –ordenó Lugulbal–. ¡No nos acerquemos a la costa!

Abandonando los remos, todo el mundo se congregó en la cubierta, intentando ver aquella extraña aparición. El silencio seguía envolviendo el barco; el mar estaba en calma, y las velas colgaban lacias de los mástiles, sin siquiera una brisa que las agitara. El hombre, dios o lo que fuera, estaba de pie en la cima del promontorio, inmóvil como una estatua.

Embargados por el temor a los dioses, algunos de los marineros se pusieron de rodillas y comenzaron a rezar por sus vidas.

—¡Estamos condenados! ¡Estamos condenados! –gritaban, ignorando las órdenes del capitán para que dejaran de vociferar.

Mientras tanto, los héroes, no sin cierta aprensión, miraban a Gilgamesh buscando en su liderazgo un asidero con el cual calmar sus temores.

—¡Por la vida de Ninsun, mi madre, que me dio a luz! –dijo Gilgamesh levantando la voz para que todos le oyeran–. ¿Es que acaso me voy a comportar como un niño asustado que se oculta en el regazo de su madre? ¡Por la vida de mi antepasado, Lugalbanda, héroe de héroes! ¡Dadme mis armas y lucharé con ese hombre, si es que hombre es, o con ese dios, si es que dios es!

Pero antes de que le pudieran traer a Gilgamesh su armadura y sus armas, el vigía gritó de nuevo:

—¡Mirad! ¡Mirad! El hombre…

El vigía enmudeció de pronto, pero su grito llevó a todos a mirar hacia el promontorio, a tiempo de ver cómo aquel ser se quitaba el manto para dejar al descubierto un par de alas. Llevaba un objeto circular en cada mano, mostraba el torso desnudo, e iba vestido de cintura para abajo con una prenda muy ajustada.

Mientras todos en cubierta observaban atónitos, el Ser Alado giró el objeto que llevaba en la mano derecha. Todos vieron emerger de él un resplandor y, un segundo después, el barco se vio bañado por una luz deslumbrante. Luego, el resplandor se atenuó, y el Ser Alado giró el objeto que llevaba en la mano izquierda, y un resplandor similar al primero inundó el barco. Después, mientras éste se atenuaba, la luz inicial volvió a brillar. Y así, sucesivamente, los dos resplandores se fueron reemplazando mientras el barco comenzaba a girar lentamente, para luego aumentar su velocidad y terminar dando vueltas vertiginosamente.

Cabos y aparejos, bolsas y tinajas comenzaron a agitarse y a desplazarse por la cubierta, y todos a bordo tuvieron que agarrarse a lo primero que pudieron para no verse arrojados por la borda. Marinos y héroes caían y se lastimaban entre gritos de terror e impotencia, mientras Gilgamesh y Enkidu intentaban mantenerse en pie aferrándose a los mástiles, a pesar de que el barco giraba cada vez más rápido y cada vez estaba más cerca de la costa.

—¡Es un torbellino! –le gritó Gilgamesh a Enkidu.

—¡Es un remolino de agua, no de arena! –respondió Enkidu–. ¡El agua se está levantando!

Enkidu soltó una mano del mástil y señaló hacia el mar, y Gilgamesh no pudo evitar una expresión de asombro. ¡El agua se estaba elevando como un muro por todas partes en torno al barco!

—¡Nos hundimos! –gritó Enkidu–. ¡Salta! ¡Salta del barco!

Por si Gilgamesh no hubiera podido entender sus palabras en medio del alboroto, Enkidu le hizo gestos con las manos. Pero, al soltarse del mástil, se vio arrastrado por el ímpetu del giro y cayó en el remolino de hombres y objetos que sumía en el caos la cubierta. Gilgamesh, intentando darle la mano a su camarada, perdió también la sujeción y cayó asimismo en el remolino. Agitó las manos inútilmente hasta que sintió la poderosa mano de Enkidu agarrándole por el brazo. Se hallaban a escasa distancia de la borda del barco y, viendo en ella su única posibilidad de salvación, Enkidu se abrió paso con un potente empujón por entre aquella maraña de personas, enseres y desechos, al tiempo que tiraba del brazo de Gilgamesh. El agua llegaba ya al nivel de la cubierta cuando Enkidu saltó del barco, sin soltar su férrea presa sobre el brazo de Gilgamesh.

—¡Alejémonos! –gritó Enkidu una vez en el agua, dando brazadas desesperadamente con la extremidad libre.

—¡No puedo! –gritó Gilgamesh–. ¡El agua me arrastra hacia el fondo!

Por unos instantes que se les antojaron eternos, ambos fueron engullidos por las aguas, pero las potentes brazadas de Enkidu los sacaron de nuevo a la superficie para dar una frenética bocanada de aire. Una y otra vez eran absorbidos hacia el fondo, y una y otra vez Enkidu se las ingeniaba para volver a salir a flote con su amigo. Hasta que, súbitamente, el remolino se detuvo y todo volvió a la más absoluta calma.

Miraron a su alrededor, pero ya no vieron el barco; y sumergieron la cabeza justo a tiempo para ver cómo se hundía la nave, con todos los marineros y los héroes enredados entre las sogas y los aparejos, inertes en grotescas posturas, con los ojos abiertos como si aún siguieran con vida. Pero estaban todos muertos.

Emergieron de nuevo a la superficie. Enkidu le dio un tirón a Gilgamesh, y ambos se pusieron a nadar en dirección a la costa. No estaba tan cerca como les había parecido desde la cubierta del barco, pero finalmente alcanzaron la playa.

Se echaron sobre la amarilla arena, exhaustos y sin poder articular palabra alguna durante un buen rato. Finalmente, sintiendo que recuperaba las fuerzas, Gilgamesh se levantó para inspeccionar el lugar. La playa se extendía en ambas direcciones hasta donde alcanzaba la vista. El mar estaba en calma, las nubes habían desaparecido y soplaba una suave brisa. Luego, dirigió su mirada tierra adentro. A cierta distancia de la playa se elevaban las dunas, y algo más a la izquierda se encontraba el promontorio sobre el cual habían visto a aquel demonio.

—El Alado, el demonio, se ha ido –le dijo a Enkidu.

Pero Enkidu no respondió. Gilgamesh se acercó a él. Parecía aún exhausto. Movía los labios pero, en vez de hablar, no dejaba de escupir.

—¿Qué te ocurre? –le preguntó Gilgamesh preocupado.

Enkidu seguía escupiendo.

—Había sal en el agua –murmuró al fin.

—Agua salada y amarga, en nada parecida a las aguas de nuestra tierra –dijo Gilgamesh.

—¡Es mi perdición, Gilgamesh! –gimió Enkidu–. Mi creador, el señor Enki, me lo advirtió. «¡Que la sal no toque tus labios, pues será tu perdición!», dijo.

—Buscaré agua dulce para lavarte los labios –le dijo Gilgamesh mientras se levantaba apresuradamente.

Volvió a la orilla, pero las olas no habían arrojado resto alguno del naufragio. Después, subió a las dunas, pero no vio más que desierto. Había algunos matorrales en las crestas de las dunas, con unos frutos parecidos a las uvas. Gilgamesh los probó y le parecieron comestibles, incluso jugosos. Le llevó un puñado de aquellos frutos a Enkidu, exprimiéndole el jugo en los labios a su camarada. Aquello pareció aliviarle.

—¿Quién puede haber hecho esta ruindad? –preguntó Gilgamesh.

—El mismo que nos persiguió cuando navegábamos río arriba –dijo Enkidu–. ¡Cada vez que partes de Erek, cada vez que partes en busca de la Vida Eterna, tu barco es atacado! ¡Vuelve, Gilgamesh, acepta el destino de los mortales!

—No aceptaré la derrota –dijo Gilgamesh–. ¡Iré al Lugar de los Cohetes, aunque tenga que ir caminando! ¡Y tú, Enkidu, vendrás conmigo!

Enkidu levantó un brazo, casi sin fuerzas.

—Vuelve –dijo, señalando en la dirección de la que habían venido–. Y, en cuanto a mí, los músculos se me están fundiendo, me arden las entrañas, y la debilidad se extiende por mis miembros… Es mi final, Gilgamesh.

Enkidu asintió con la cabeza, como para reafirmar sus palabras, y luego se puso a temblar violentamente. Gilgamesh le abrazó, y vio el miedo en los ojos de Enkidu.

—¡No tengas miedo, Enkidu! ¡Invocaré la ayuda del señor Utu!

Gilgamesh se llevó la mano al cuello buscando la piedra que susurra, pero del cordón ya no colgaba nada. Desesperado, Gilgamesh buscó entre sus ropas, incluso se las quitó para rebuscar entre sus pliegues. La Tablilla de los Destinos, oculta en un bolsillo interior, estaba allí…, pero no había ni rastro de la piedra que susurra.

—Debe de haberse soltado durante el remolino –dijo Gilgamesh.

Enkidu le seguía con los ojos en su frenética búsqueda.

—Deja que le rece a tu señor Utu –dijo–, con la piedra o sin ella.

Y, volviendo su rostro hacia el cielo, dijo:

—Oh, gran señor, brillante Shamash, protector de los viajeros. Yo no tuve madre que me diera a luz, ni padre que me engendrara, pues fui ingeniosamente creado por el señor Enki en una cámara… Si me ha alcanzado mi destino para devorarme finalmente, me enfrentaré en paz a mi fin. Pero, en cuanto a Gilgamesh, mi camarada… ¡La dama Ninsun le dio a luz, y tú fuiste su padrino! ¡Dale la Vida Eterna, pues tiene derecho a ella!

Gilgamesh tenía el corazón en un puño.

—¡Oh, amigo mío, mi fiel y leal camarada!

Pero Enkidu ya no le oía; había entrado en coma. Dejó de temblar, y se quedó quieto y rígido. Tenía los ojos abiertos, hinchados, pero inertes. La muerte le estaba devorando las entrañas.

—¡Enkidu! –gritó Gilgamesh–. ¡Tú has vencido conmigo a las más terroríficas criaturas, y has escalado conmigo las montañas! ¡No te rindas ante el demonio que te devora! ¡Lucha, vuelve al combate!

Pero Enkidu estaba inmóvil. Gilgamesh le levantó la cabeza a su camarada, pero ésta colgaba de su cuello sin fuerzas. Le puso la mano en el corazón, pero no había latido alguno. Enkidu había muerto.

Durante siete días y siete noches, Gilgamesh lloró a su compañero sin querer aceptar su destino. Sólo cuando vio salir un gusano de la nariz de su camarada fue cuando se sometió a la voluntad de Namtar, aquel que trae la muerte. Y, finalmente, cubrió su cuerpo sin vida con piedras y guijarros.

—Que ésta sea tu tumba, un monumento a un héroe caído –dijo.

Y luego, se sentó en el suelo y lloró amargamente.

—Cuando muera, ¿seré yo como Enkidu? ¿También me devorarán los gusanos? –gritó.

Nadie respondió a su pregunta.

* * *

Durante el resto del día estuvo caminando, alejándose de la costa, y pasó buena parte de la noche despierto, mirando el firmamento estrellado. No habiendo sido formado para el sacerdocio, sabía muy poco de los caminos de los cielos. ¿Cuál era la estrella de Anu, y cuál la de Ishtar? No lo sabía. La Luna, que representaba en los cielos a Sin, el padre de Utu, era el único dios celestial que podía reconocer en la noche. Tras algunas reflexiones, Gilgamesh pensó que aquello tenía también un significado: los miembros de la casa de Sin, cuya descendiente era Ishtar y su estrella, y Utu y su sol, que gobernaba el día, aceptarían sus oraciones y le concederían protección. De modo que elevó a ellos una breve oración.

—¡Grandes señores del cielo y la Tierra, no permitáis que perezca en este desierto. Dadme la fortaleza que necesito para continuar mi viaje, y mostradme el camino hasta el Lugar de los Cohetes, para que pueda encontrarme con mi antepasado Ziusudra!

Después de pronunciar su oración, una serena fatiga se apoderó de él, y finalmente pudo conciliar el sueño. Se despertó cuando salió el sol, indicándole la ubicación del este, y Gilgamesh supo que sus oraciones habían sido respondidas. Utu, viajando en los cielos de este a oeste, le acababa de indicar el camino hacia Tilmun.

Arrancó el matorral más grande que pudo encontrar y se hizo un bastón con la más gruesa de sus ramas, y de otra rama más corta se hizo un palo, del cual colgó, equilibrándolo sobre sus hombros, tantos racimos como pudo de aquellas frutas parecidas a la uva. La experiencia previa, obtenida en su viaje por el desierto con Enkidu, iba a resultar vital para él en aquellas circunstancias. Siguió el curso de los barrancos, sabiendo que podría encontrar agua subterránea por debajo de sus resecos lechos, y comió bayas de todos los tipos. El desierto, rebosante de vida por las noches, le suministró de roedores, a los que mataba de un golpe para luego devorar su carne cruda. Descansaba durante el día a la sombra de los peñascos, y caminaba por las noches, viendo constantemente en su mente el mapa que su madre le había mostrado, con la ruta terrestre hacia Tilmun.

El terreno, de dunas ondulantes en las cercanías del mar, se fue trasformando poco a poco, tanto en formas como en colores, hasta convertirse en un paisaje de rocas rojizas. Escaló montañas de tierras grises y negras, encontrando en ellas arroyos de agua dulce, en los cuales se bañaba y bebía hasta saciarse, dando alivio así a sus pies hinchados y a su reseca piel.

Pero la vida a su alrededor también iba cambiando. Además de roedores y serpientes, de lagartos y escorpiones, empezó a ver también liebres y cabras montesas, así como los lobos y los chacales que les daban caza. Y poco después comenzó a ver ciervos, antílopes y gacelas, junto con sus depredadores naturales: los leopardos, las panteras y los leones, que imponían su dominio sobre todos ellos.

Recorrió sendas que ningún hombre había hollado, y montañas a las que nadie había dado nombre, hasta que dejó de contar las jornadas que habían trascurrido desde que el barco naufragara. Entonces, un día, vio en la distancia una caravana de camellos; pero temiendo que se tratase de los fieros shagaz, se ocultó para que no le vieran. Sin embargo, consideró aquello un indicio de que no debía de hallarse lejos de los asentamientos humanos, y que no debía de quedarle mucho para salir del desierto.

Después, en uno de aquellos innumerables días, vio en la distancia un paso de montaña y encaminó sus pasos hacia él. Pero antes de alcanzar las estribaciones de las montañas, un temible sonido le hizo detenerse: había escuchado el rugido de los leones. Gilgamesh intentó ocultarse de ellos tras unos peñascos, pero los leones, un macho y una hembra, le habían visto ya. Viéndose sin otra opción que la de defenderse, Gilgamesh sacó su daga mientras la hembra se agazapaba para tomar impulso con las patas traseras y lanzarse sobre él; pero en aquel preciso momento, Gilgamesh tropezó y cayó de espaldas, librándose afortunadamente de la mortal acometida de la leona, que cayó justo a su lado. Y con todas las fuerzas de las que pudo hacer acopio, Gilgamesh le hundió la daga en el corazón, para rodar sobre un costado a continuación intentando alejarse de ella y volver a ponerse en pie. El animal dejó escapar un rugido angustioso y cayó al suelo muerto.

Pero no tuvo tiempo para alegrarse de su victoria. Sin tiempo para reaccionar, el león macho se abalanzó sobre él y le derribó. Gilgamesh estaba desarmado, pues la daga había quedado clavada en el cuerpo de la leona. Desesperado ante las fauces de la muerte que se abrían ante él, consiguió alcanzar una piedra y golpeó salvajemente al animal entre los ojos, para proseguir luego la encarnizada batalla con las manos desnudas, tal como Enkidu le había enseñado a hacer.

El león, aunque aturdido, le mordió y le arañó, pero Gilgamesh consiguió hacer presa con las manos en su cuello, apretando con todas sus fuerzas, yéndole en aquella presa la vida, sin soltarlo, por mucho que el animal se retorciera. Y siguió apretando y apretando con furia, enloquecido, hasta que lo estranguló.

Se levantó de un salto, impulsado aún por la fuerza del pánico y el coraje, y se quedó mirando a las dos bestias muertas. Eran enormes. «¡Ahora soy el rey del desierto!», se dijo eufórico. Y, sin perder un minuto, extrajo la daga del corazón de la leona muerta, la despellejó y se hizo una capa con su majestuosa piel.

Mientras tanto, los cuervos y otras aves carroñeras habían comenzado a trazar círculos por encima de su cabeza, y decidió que sería mejor alejarse de allí, por si los shagaz se acercaran a ver lo que había sucedido.

Finalmente, llegó al paso entre las montañas, Gilgamesh descubrió un extraño montón de rocas, sobre las que se asentaba una columna de piedra con el símbolo de una luna creciente, y supo entonces que había llegado a los dominios del señor Sin, ¡había atravesado la Tierra de los shagaz y los dominios de Marduk!

Rendido tras la titánica lucha con los leones, decidió pasar allí la noche. No le costó conciliar el sueño, y mientras dormía tuvo una hermosa ensoñación. Se vio de pronto en medio de una celebración, donde la gente cantaba y bailaba disfrutando de la vida. Y cuando despertó, tuvo la certeza de que aquel sueño era un buen augurio. Añadió una gran piedra a la pila de rocas que sustentaba la columna y, pronunciando una oración en silencio a los señores Sin y Utu, continuó ascendiendo por la senda que recorría el puerto de montaña.

Desde las alturas, tras superar la cresta más alta del camino, descubrió a sus pies una inmensa planicie, tras la cual se elevaban unas montañas rojizas que abrazaban una inmensa masa de agua de tonos verdes. A través de la calima que se elevaba desde aquel gigantesco lago, alcanzó a ver la trémula y blanca imagen de una ciudad amurallada. Recordando punto por punto el mapa que le había mostrado su madre, supo que había llegado al mar de Sal, y que desde allí podría acceder a los caminos que se dirigían a Tilmun.

El descenso de las montañas fue más caluroso y arduo de lo que esperaba. Las laderas de las montañas caían abruptamente hacia aquel mar interior, que parecía estar incluso más hondo de lo que en un principio le había parecido. Las aves, tan abundantes en las montañas, habían desaparecido de pronto, y Gilgamesh no pudo abstraerse del estremecedor silencio que lo envolvía todo, un silencio que no perturbaban ni voces de pájaros ni de bestias. La calima que se elevaba desde las aguas de aquel mar era ahora tan espesa como el vapor, y el sol, justo encima de su cabeza ahora, le azotaba sin misericordia con un ardor insoportable.

Un temor profundo se apoderó de Gilgamesh, al pensar si no estaría descendiendo a las profundidades del mundo inferior, del más allá. Pero el mismo miedo le hizo acelerar el paso, hasta que llegó al pie de las montañas, allí donde se iniciaba la llanura. Sumido en mitad del trémulo aire cálido y del vapor, ahora era incapaz de ver la ciudad. Pero mientras seguía avanzando hacia el mar, descubrió de repente una casa solitaria rodeada de palmeras.

Eufórico ante la visión, Gilgamesh aceleró el paso para dirigirse a la casa. Mientras se acercaba, vio que delante de la puerta, sentada en un taburete, había una mujer que parecía estar comiendo algo de un cuenco, y dando sorbos de cuando en cuando de una jarra. Y también vio cabras y cerdos a su alrededor.

—¡Oh, mujer! –gritó Gilgamesh mientras su acelerado paso se convertía en una delirante carrera–. ¿No habrá por casualidad cerveza en tu jarra y gachas de avena en tu cuenco?

La mujer se sobresaltó con las voces, levantó los ojos y se aterrorizó al ver lo que se abalanzaba sobre ella: un hombre vestido con una piel de león, con un largo bastón en la mano, con las barbas y los cabellos sumamente largos y enmarañados, con el rostro bronceado como un tizón, y las uñas tan largas como las garras de un águila. Ante una imagen tan poco tranquilizadora, la mujer profirió un grito de terror y se metió apresuradamente en la casa, cerrando la puerta tras de sí y pasando el cerrojo como si en ello le fuera la vida.

—¡Oh, mujer! –gritó Gilgamesh cuando llegó a la puerta–. ¡No tengas miedo! Soy un caminante que vengo de muy lejos y tengo el vientre encogido. ¡Deja que saboree tu cerveza y que pruebe tus gachas, y seguiré mi camino!

—¡Márchate, hombre espantoso! –gritó la mujer desde detrás de la puerta–. ¡Regresa al desierto!

Fue en ese momento cuando Gilgamesh sospechó que debía de tener un aspecto horrible. Se quitó la piel de la leona e intentó peinarse la barba y el cabello con los dedos lo mejor que pudo, y luego llamó a la puerta de nuevo.

—¡Mujer! –dijo en voz alta, pero ya sin gritos–. Ni soy espantoso ni soy un morador del desierto. ¡Soy Gilgamesh, rey de Erek!

No hubo respuesta al otro lado, por lo que Gilgamesh, desesperado, golpeó la puerta con contundencia.

—¡Abre, o derribaré la puerta! –gritó.

—De Gilgamesh y sus hazañas en el bosque de los Cedros se han contado muchas historias –respondió la mujer desde el otro lado de la puerta–. Si eres Gilgamesh, ¡dime el nombre del vigilante de los bosques, de aquél al que dio muerte!

—Yo soy el que venció a Huwawa, el guardián de los bosques, y el que mató al Toro del Cielo. ¡Yo soy Gilgamesh!

—¿Y por qué estás tan demacrado? ¿Qué haces aquí?

—Abre y sálvame de la inanición… –le dijo Gilgamesh– si quieres conocer mi relato.

Con mucha precaución, la mujer abrió la puerta, lo miró de arriba abajo y le dejó entrar. Luego, derramó agua sobre sus manos para que pudiera lavarse la cara, y le ofreció un cuenco de leche de cabra. Después, le sirvió gachas de avena hasta que Gilgamesh sació su hambre, y finalmente le trajo una jarra de oscura cerveza, que bebió con una pajita hasta que sació su sed.

—Me llamo Siduri –dijo ella–, la mujer cerveza, y vivo aquí, sola, desde que murió mi marido. Y, ahora, cuéntame tu historia.

—Yo soy Gilgamesh, rey de Erek, una gran ciudad del Edin. En mi ciudad, el Hombre muere, «El más alto de los hombres no puede alcanzar los cielos, y los dioses han reservado la Vida para sí mismos…». Eso es lo que dice el dicho. Pero yo soy Gilgamesh, dos tercios divino. Descendiente del señor Utu soy, hijo de la divina Ninsun…

Gilgamesh enmudeció de pronto, al sumergirse en sus recuerdos.

—Continúa –dijo Siduri–. Prometiste contarme toda la historia.

—Los dioses me enviaron a un camarada, un valiente compañero –dijo Gilgamesh con el semblante triste, bajando la voz–. Se llamaba Enki-du, porque lo había creado el señor Enki. ¡Pero hasta él se encontró con el destino de la humanidad! Desde que falleció, no he podido hallar el descanso. He recorrido la estepa y he cruzado el desierto…

Gilgamesh se detuvo de nuevo, abrumado por sus recuerdos; hasta que, finalmente, saliendo del embrujo, añadió:

—Y, ahora que conoces mi historia, mujer cerveza, podrás comprender mi aspecto.

—Tu aspecto sí, pero no tus andanzas –respondió Siduri mirándole fijamente–. ¿Cuánto tiempo hace que no te bañas, que no te lavas los cabellos, que no vistes ropa limpia… que no sientes el calor de un lecho?

Y, por vez primera desde la muerte de Enkidu, Gilgamesh se echó a reír.

—Compartiré tu lecho, Siduri, pero no por mucho tiempo. Mis andanzas tienen un sentido. Voy en busca de uno de mis antepasados, de un tal Ziusudra. Deseo hablar con él sobre la Vida Eterna.

—¿Y dónde está ese hombre al que llamas Ziusudra, y cómo llegarás hasta él?

—Está en Tilmun –dijo Gilgamesh–. Tenía previsto llegar allí con un barco, pero naufragó. Desde entonces he recorrido mi camino a pie… He visto una ciudad en la distancia. Sus mercaderes deben de tener caravanas.

—A esa ciudad la llaman Ciudad Luna. Está consagrada al señor Sin, pero sus gentes se han convertido al culto de Marduk. A aquellos que se mantenían fieles a la casa de Sin les dieron a elegir: ¡o se marchaban o los matarían! Mi marido y yo construimos esta casa, pues crecen aquí unas semillas que convierten el jugo de los dátiles en cerveza. Tras la muerte de mi marido he seguido viviendo en esta casa, pero la gente del pueblo viene aquí por mi cerveza, y cubren mis necesidades a cambio.

—Si esa gente se ha convertido al culto de Marduk, son anatema para mí –dijo Gilgamesh–. Tengo que encontrar otra manera de cruzar el mar y llegar a las tierras que hay al otro lado.

—Aún no ha habido mortal que pudiera conseguirlo –dijo Siduri, mientras abría la puerta y señalaba en la dirección de las trémulas aguas–. Es el mar de la Muerte; en él, nada permanece con vida. Y las montañas que lo rodean son baldías también: un horno durante el día y la gélida muerte por la noche. El desierto que has cruzado es un jardín comparado con eso.

Y, volviéndose hacia él, preguntó:

—¿Por qué no te quedas aquí, Gilgamesh? ¡Sé mi esposo y concédeme un poco de gozo y placer!

Gilgamesh tenía la mirada fija en el silencioso mar.

—Tiene que haber alguna forma de cruzarlo –murmuró, ignorando la invitación de Siduri–. Quizás una balsa…

La mujer le tomó por las manos.

—Quédate conmigo un tiempo, y te contaré un secreto.

—¡Mujer! –gritó Gilgamesh–. ¡Me quedaré contigo siete veces más si me dices cómo puedo cruzar el mar!

Siduri le tomó la mano a Gilgamesh y se la llevó a su seno.

—Quiero un niño, un niño pequeño que se agarre de mi mano… ¿Te quedarás conmigo lo suficiente como para que conciba?

El contacto con el seno de Siduri despertó en su interior una ola ardiente que no había sentido desde hacía meses.

—Dime el secreto y te concederé el deseo –le dijo tomándola por la cintura.

—Las aguas son ciertamente aguas de muerte –dijo ella–, y nadie ha conseguido cruzar el mar… salvo Urshanabi.

—¿Urshanabi?

—El barquero de aquellos que viven para siempre. Él tiene unas rocas que flotan, y cruza el mar sin tocar el agua. Viene una vez al mes, cuando llega la luna llena. Deja que él vea tu rostro. Si le caes bien, te llevará al otro lado.

—Así sea –respondió Gilgamesh–. Y ahora ven; ayúdame a lavarme y a desenmarañarme el cabello y la barba, y a cortarme las uñas…, pues voy a ser el mejor amigo de tu piel.

—Para eso tendrás que desnudarte –dijo ella echándose a reír.

* * *

Urshanabi llegó el día señalado. Era un hombre de baja estatura y ancho de espaldas, por lo que, de algún modo, a Gilgamesh le recordó a Enkidu. Pero sus manos, aunque musculosas, eran más delgadas, y era más viejo que ningún otro ser humano que Gilgamesh hubiera visto jamás. Su larga barba y sus cabellos eran completamente blancos, como la plata más pura. Había traído para Siduri cuentas de cornalina y turquesas, y se las entregó sin pronunciar ni una sola palabra.

—Éste es Gilgamesh, rey de Erek –dijo Siduri mientras Gilgamesh se acercaba a la puerta.

Urshanabi no dijo nada.

—Estoy de paso por la zona, pues pretendo ir a ver a mi antepasado Ziusudra –le explicó Gilgamesh–. He recorrido un sinfín de tierras y he cruzado montañas sin nombre. Mi cuerpo, resentido y fatigado, anhelaba descanso, pero mi alma lo cubría de desvelos. El dolor se extendió por todas mis articulaciones, y mi ropa acabó hecha jirones. Maté al oso, la hiena y la pantera; de los reptiles del desierto me alimenté; de la carne del ciervo y del íbice tuve mi porción. Y después maté a dos leones, y devoré su carne y con sus pieles me vestí...

—¿Por qué? –le interrumpió Urshanabi de pronto.

—Porque el Hombre muere –respondió Gilgamesh–, pero Ziusudra no ha muerto. De esto quiero hablar con él, ¡pues tampoco yo tengo intención de morir!

—Es el hijo de Ninsun, la diosa, y el señor Utu es su padrino –intervino Siduri ante la mirada inquisitiva de Urshanabi–. Es dos tercios divino.

—Si es así, ¿para qué, entonces, buscas a Ziusudra? –le preguntó Urshanabi perplejo.

—Porque ése es el destino que se me ha asignado –respondió Gilgamesh que, sacando de entre sus ropas la Tablilla de los Destinos, añadió–. Ésta es la obra del Señor de Señores, el gran Anu.

Tanto Urshanabi como Siduri miraron con curiosidad aquel extraño objeto.

—¿Qué significan esas marcas? –preguntó Siduri.

—Representan la ruta para llegar al cielo –respondió Gilgamesh.

—¿Por qué, entonces, buscas a Ziusudra? –volvió a preguntar Urshanabi.

—Porque él conoce el secreto del que ha sido arrebatado a las alturas por los dioses –dijo Gilgamesh–. Pero... hablas como si le conocieras...

—Quizás –respondió Urshanabi.

—¡Si le conoces, muéstrame el camino! –exclamó Gilgamesh–. ¡Soy de ascendencia divina, créeme! ¡Mira, mira mis manos!

Y le mostró el filo de sus manos, para que viera las cicatrices del sexto dedo.

—¡Por los grandes dioses! —exclamó Siduri sobrecogida—. ¡Es uno de los sanadores! ¡Y con un hijo suyo he sido bendecida!

Urshanabi examinó las manos de Gilgamesh y asintió con la cabeza.

—Desde que existe el tiempo —dijo después—, nadie se ha atrevido a cruzar el mar. Venenosa es la tierra desde donde parte mi barca, y también lo es el lugar al que arriba; y entre ellos se extienden las aguas de la muerte. Pero, siendo dos tercios divino, quizás sobrevivas a la travesía. En la orilla hay unas piedras que flotan, negras como la noche más oscura. Tendrás que caminar sobre ellas para pasar de la orilla a la barca. Después, cuando zarpemos, yo remaré, y tú impulsarás la barca con unas largas pértigas. Pero cuida de que tus manos no toquen el agua, pues te sobrevendría la muerte de inmediato.

—Comprendo —respondió Gilgamesh.

—Entonces, vamos —dijo Urshanabi.

Siduri puso una generosa cantidad de gachas en un cuenco y de cerveza en una jarra, y se las entregó a Gilgamesh.

—¿Volverás? —le preguntó—. ¿Volverás para ver a tu hijo?

—Iré adonde mi destino me lleve —respondió Gilgamesh, y partió con Urshanabi.

14

Poniendo mucho cuidado en pisar sólo las piedras que flotaban, Gilgamesh siguió a Urshanabi hasta la barca. La quilla tenía forma de media luna, y sólo había un asiento en ella, el asiento del remero. Urshanabi se sentó y empuñó los remos, mientras señalaba con un movimiento de cabeza a Gilgamesh dos largos palos con los que también iba provista la barca.

—Cuando cruzo solo –dijo Urshanabi–, llego al otro lado del mar al caer la noche. Pero con un pasajero, no bastan los remos. Tendrás que empujar con una de esas pértigas, y tendremos que seguir la línea de la costa para que puedas tocar el fondo con la pértiga. El tiempo que nos cueste llegar al otro lado dependerá de cuán poderosamente empujes.

Gilgamesh examinó las pértigas. Eran de madera, e inusualmente rectas y largas, y se preguntó por qué la barca iría equipada con ellas.

—Creía que nadie, excepto tú, cruza estas aguas.

—Yo sólo soy el barquero –respondió Urshanabi–. Empuja y zarpemos de una vez.

Estuvieron navegando durante todo el día, siguiendo la línea de la costa, y el sol estuvo azotándoles inmisericorde hasta que se puso por el horizonte. Urshanabi estuvo en silencio durante todo el tiempo, y tan sólo hacía alguna mueca de contrariedad de tanto en tanto para mostrar su disgusto por lo lento de su avance.

—Si hubiera ido solo, ya estaría en el otro lado –dijo finalmente–. Fondearemos aquí para pasar la noche.

Ataron la barca a un gran peñasco que sobresalía del agua. Urshanabi se quedó dormido casi de inmediato, pero Gilgamesh permaneció despierto durante la mayor parte de la noche. Y aunque finalmente se durmió, no tuvo sueños ni, por tanto, tampoco obtuvo augurios de lo que le reservaba el futuro.

Cuando llegó el día reanudaron el viaje. Urshanabi, quejándose entre dientes, se levantaba de cuando en cuando para escudriñar en la distancia; y Gilgamesh, dándose cuenta de que la paciencia de su anfitrión se estaba agotando, redobló la fuerza de su empuje con las pértigas. También intentó duplicar la frecuencia de sus empujes, contando en voz alta el número de veces que hincaba la pértiga en el fondo marino: «Uno y dos, tres y cuatro, cinco y seis…». Pero, cuando llegó a veintiséis, la pértiga se quebró.

Urshanabi miró a Gilgamesh con un evidente gesto de desesperación, pero no dijo nada. Y Gilgamesh estaba a punto de tomar la segunda pértiga cuando, sintiendo una brisa y viendo las ondas en el agua, se le ocurrió una idea. Se quitó la ropa y la extendió en alto con los brazos, formando así una improvisada vela. Le llevó unos segundos orientar la vela correctamente, pero finalmente consiguió que el viento la hinchara y la barca comenzara a moverse.

Urshanabi sonrió y se alejó de la costa, dirigiendo la barca en línea recta a través del mar. Para cuando cayó la noche, habían llegado a la otra orilla.

—Te habría llevado un mes y quince días llegar hasta aquí por tierra, de haber conseguido llegar, claro –dijo Urshanabi–. Pasaremos aquí la noche, pero tendrás que partir por la mañana.

—Te lo agradezco –le dijo Gilgamesh–, y deseo que los dioses te bendigan también. Pero dime, Urshanabi, ¿qué camino tengo que tomar desde aquí?

—Sigue la dirección del sol poniente –le dijo Urshanabi–. Al cabo de tres días de marcha, llegarás a los Pórticos del Cielo, como algunos les llaman. Son unas columnas de piedra erigidas a modo de un portal. Un sendero lleva desde allí hacia el oeste, hacia la ciudad de Itla y el gran mar que está más allá. Gira a la izquierda y atraviesa el portal, y tus pies te llevarán a una cordillera. En ella hay siete picos y seis pasos de montaña, que rodean la llanura donde los cohetes se elevan y descienden. ¡Pero ten cuidado! Los pasos de montaña están custodiados por seres divinos. Son terroríficos, y te pueden matar con sólo mirarte. Su pavoroso rayo barre las montañas, ¡y su mero contacto hace que los mortales se evaporen!

—Yo no soy mortal, soy dos tercios divino –dijo Gilgamesh–. ¡Estoy decidido a encontrar a Ziusudra, a llegar al Lugar de los Cohetes!

—Haz lo que te plazca –dijo Urshanabi–. Yo zarparé de nuevo con la siguiente luna llena. Estate aquí si deseas volver a cruzar conmigo.

Y, dicho esto, dejó a Gilgamesh en la orilla y se fue solo, para pasar la noche en la barca.

A Gilgamesh no le costó demasiado quedarse dormido, y esta vez sí tuvo sueños, visiones de naves celestes y de estrellas fugaces, y despertó completamente descansado al amanecer.

La barca de Urshanabi había desaparecido.

Gilgamesh miró en torno suyo. Salvo el reluciente mar, la más completa desolación se extendía en todas direcciones. Se sentó en el suelo, absolutamente descorazonado, y se le cubrieron los ojos de lágrimas. ¿Acaso le había engañado el anciano Urshanabi? Y, ahora que lo pensaba, ¿quién era Urshanabi y qué hacía en aquella desolación?

La sed y el hambre sacaron a Gilgamesh de sus lúgubres reflexiones. Comió y bebió de las provisiones que Siduri le había dado, reservando algo para poder hacer otra comida más adelante. El sol seguía su recorrido por los cielos, y Gilgamesh decidió seguir su curso, tal como Urshanabi le había indicado.

Al cabo de tres días, Gilgamesh vio los Pórticos del Cielo. Las dos columnas, conectadas por un dintel horizontal de piedra, tenían ciertamente la apariencia de un pórtico. Y cuando se acercó al portal descubrió que había una talla en aquel dintel de piedra, la talla de un disco alado. Era el emblema de Nibiru, el planeta del que procedían los dioses.

El sol se estaba poniendo en el horizonte, enrojeciendo los cielos, y en aquella dirección, según Urshanabi, tenía que encontrarse la ciudad de Itla. ¡Una ciudad! ¡Casas, templos, gente, comida, incluso un lecho donde dormir! ¿No debería quizás abandonar su arriesgada empresa e ir allí, o debía seguir buscando su destino en el desierto? Gilgamesh no sabía qué hacer, y sólo deseaba que Utu pudiera enviarle un augurio.

Encontró una piedra grande y, utilizándola como almohada, se echó a dormir en el suelo junto a aquellas mudas columnas de piedra.

Los graznidos de un águila le despertaron llegada la mañana. Trazaba grandes círculos sobre su cabeza, como si llamara a una invisible pareja. Pero, poco después, el águila descendió y, tras trazar un círculo sobre el lugar en el que se encontraba Gilgamesh, se posó sobre el portal. Miró a Gilgamesh durante unos instantes y, a continuación, remontó de nuevo el vuelo, esta vez derecha hacia la cordillera que se elevaba en el horizonte, más allá del portal.

Gilgamesh estuvo contemplando a la enorme ave hasta que desapareció, y entonces supo que había sido un augurio de Utu, el comandante de las Águilas. Emocionado, levantó las manos en oración.

—¡Oh, Utu, gran señor, extiende tu protección sobre mí, y deja que prosiga mi viaje bajo la sombra de tus alas! ¡Llévame sin contratiempos hasta el Lugar de los Cohetes, y permíteme que encuentre a Ziusudra!

Y, a continuación, atravesó cautelosamente el portal de piedra y encaminó sus pasos hacia la cordillera.

El terreno que atravesaba en su marcha se fue empinando progresivamente, en tanto que la arena y los guijarros del suelo se iban convirtiendo en grandes piedras y rocas. Hacia el mediodía, cuando el sol caía a plomo sobre su cabeza, encontró una sombra bajo un saliente rocoso y se sentó en un rincón para descansar. Pero, de pronto, delante de él, le pareció ver unos destellos rojizos en la montaña. Atónito, se levantó para observar mejor aquel extraño fenómeno, pues lo que veía era como un fuego que ardiera sin que pareciera consumir nada.

Sobrecogido y excitado por la visión, Gilgamesh se dirigió hacia allí, y mientras se aproximaba, la llama lanzó un destello y un terrible fulgor rojizo le alcanzó de lleno. Intentó protegerse los ojos, pero ya era demasiado tarde y quedó temporalmente cegado. Aquel brillante resplandor le alcanzó una y otra vez, y todas y cada una de las veces le dejaba ciego, aunque recuperaba la visión de inmediato.

—¿Quién eres? –oyó de pronto una voz–. ¡Avanza para que podamos verte mejor!

La voz venía de la misma dirección de la llama. Gilgamesh avanzó hacia ella, trepando por entre las rocas, hasta que súbitamente vio una atalaya. Había dos seres en su cima, con unos extraños cascos de cuyo centro emergían unas protuberancias, y con unos cinturones demasiado largos que les colgaban como colas. Parecían tripular un artefacto circular montado sobre un mástil.

—¿Quién eres? –repitió uno de aquellos seres–. Nuestros rayos no disuelven tu carne. Debes de ser un dios, y no un hombre.

—Soy Gilgamesh, rey de Erek –dijo avanzando hacia ellos–. Soy hijo de la diosa Ninsun. Soy dos tercios divino.

—Debes de serlo pues, de lo contrario, ya estarías muerto –dijo uno de los seres–. ¿Qué te trae por aquí? ¡Ésta es zona prohibida! ¡Es la Cuarta Región de los dioses!

—Éste es en realidad mi destino –dijo Gilgamesh–. Si sois los guardianes de esta tierra, os mostraré una señal del gran señor Anu que he traído conmigo.

Y Gilgamesh sacó la tablilla que le había dado su madre y se la mostró a los dos guardianes, que la examinaron por turnos.

—Parece una Tablilla de los Destinos, pero no lo es –dijo uno de ellos–. Está escrita con la escritura del pueblo, y está hecha con un material de la Tierra, no de Nibiru.

El guardián lanzó la tablilla al aire y le disparó un rayo con su dispositivo circular, pero la tablilla cayó al suelo intacta, salvo por el hecho de haber quedado un poco chamuscada y abollada por uno de sus extremos.

—Tenéis razón –dijo Gilgamesh mientras recobraba la tablilla–. Ésta es una réplica, hecha por mi madre, la diosa Ninsun, a partir de la auténtica Tablilla de los Destinos, que iba dirigida a mí en el interior de una obra de Anu que bajó de los cielos. La tablilla original, demasiado sagrada como para llevarla conmigo, la conserva mi madre.

—Aun así –dijo uno de los guardianes–, nadie puede entrar en la zona prohibida sin permiso.

—Tengo la bendición del señor Utu –dijo Gilgamesh–. Soy descendiente suyo, y fui dotado con el sexto dedo divino.

Y Gilgamesh les mostró las manos.

—Ni siquiera un dios puede entrar sin permiso –dijo uno de los guardianes–. Al Lugar de los Cohetes sólo se permite el paso a las naves celestes autorizadas.

—Ziusudra, mi antepasado, está aquí –dijo Gilgamesh–. Tengo que hablar con él. ¡Es una cuestión de vida o muerte! ¡Os ruego, señores, que me dejéis entrar!

—Ziusudra vive en esta región –dijo uno de los guardias–, pero no en el Lugar de los Cohetes. Él vive en un valle apartado, solo, con su mujer.

—¡Si no me podéis conceder la entrada en el Lugar de los Cohetes, dejadme entrar al menos en el valle de Ziusudra!

—¡Nadie puede viajar por estos pasos de montaña! –dijo enfáticamente uno de los guardianes.

—Aunque hay otro camino –añadió el otro–, un túnel…

—¡Pero sólo se metería en él quien buscara una muerte segura! –dijo el primero–. Se extiende a lo largo de doce leguas por el interior de la montaña, en la más profunda oscuridad y con un aire sofocante. Es un túnel muy antiguo, de cuando el rebelde señor Zu buscó refugio en esta región.

—De todos modos pereceré si no encuentro a Ziusudra –les dijo Gilgamesh–. ¡Decidme cómo puedo llegar al túnel!

Uno de los guardianes miró a su compañero, el cual asintió con la cabeza.

—Sígueme –le dijo a Gilgamesh.

El guardián le llevó por un sendero que bordeaba la montaña, hasta que llegaron a un gran peñasco que bloqueaba el camino. Entonces, el guardián tomó el bastón que llevaba al cinto, apuntó al peñasco y, sin emitir sonido alguno, se abrió una abertura en la roca, como si una mano invisible hubiera abierto los cerrojos de una puerta.

Gilgamesh se quedó allí de pie, desconcertado y sobrecogido.

—Nunca había visto una magia como ésta –le dijo.

—El camino se inicia con unas escaleras –le dijo indicándole con la mano–. Son muy resbaladizas. ¡Ve con cuidado!

Y antes de que Gilgamesh pudiera darle las gracias, dio media vuelta y se marchó.

Sujetándose a las paredes de la estrecha abertura, Gilgamesh comenzó a bajar las escaleras, adentrándose en una zona cavernosa. Gracias a la luz que le llegaba desde la puerta, pudo ver la entrada de un túnel delante de él; de modo que se dirigió hacia allí, pero cuando estaba a punto de alcanzarlo, la abertura exterior se cerró tan silenciosamente como se había abierto, y Gilgamesh se encontró de pronto en la más absoluta oscuridad. Tanteando las paredes consiguió encontrar la entrada del túnel. Tenía la anchura suficiente como para tocar ambas paredes con las manos al mismo tiempo, unas paredes que le parecieron extremadamente lisas. El suelo también era liso, pero tenía unas ranuras que le facilitaban la andadura sin resbalar demasiado. El techo estaba demasiado alto como para alcanzarlo con las manos, por lo que no pudo saber qué altura podía tener.

En su forzosa ceguera, caminaba despacio, con mucha cautela, palpando las paredes con las manos y tanteando el suelo con los pies. Al cabo de lo que Gilgamesh estimó que serían dos horas, llegó a una intersección donde el túnel se bifurcaba. Pero cuando se detuvo para decidir qué camino tomar, le pareció ver en uno de los túneles una luz parpadeante, como la de una lámpara de aceite que estuviera a punto de apagarse. Se introdujo por aquel ramal del túnel para encontrarse, de nuevo, en la más absoluta oscuridad. Sin embargo, se percató de que el túnel trazaba una curva e iniciaba una pendiente descendente. Siguió caminando durante lo que le parecieron al menos un par de horas más sin llegar a ninguna parte, y empezó a preguntarse si no estaría caminando en círculo y terminaría encontrándose de nuevo en la entrada del túnel.

Prosiguió su andadura, resbalando aquí y allí, y tropezando de vez en cuando con alguna roca que supuso habría caído del techo. Al cabo de unas diez horas, se sentó en el suelo exhausto, sopesando la situación en la que se encontraba. No tardó en adormecerse, y en aquel estado de semiinconsciencia vio algo parecido a unas puertas secretas que se abrían en las paredes del túnel, a través de las cuales veía a unos dioses extrañamente ataviados realizando rituales mágicos. Cuando volvió en sí y abrió los ojos, no vio nada de lo que acababa de ver en su interior, y pensó que quizás había estado soñando.

Un poco más descansado, se levantó de nuevo y reanudó su cauteloso avance. Al cabo de otras dos horas percibió un olor pestilente, y al cabo de un rato vio un resplandor en el fondo del túnel. El olor se hacía más intenso a medida que se aproximaba a aquel resplandor, pero siguió adelante no obstante hasta llegar a una enorme caverna, que formaba una alta bóveda sobre un lago subterráneo. Entonces constató que tanto el hedor como el resplandor procedían de las aguas, que tenían un color amarillento. Perplejo ante su descubrimiento, Gilgamesh tocó el agua con los dedos, pero retiró la mano de inmediato al sentir una intensa quemazón.

En medio de aquella luz fantasmagórica, vio que el túnel continuaba en el otro extremo del lago, por lo que comenzó a preguntarse el modo de cruzarlo. Buscó una vía posible que circundara el lago, pero las paredes de roca eran tan escarpadas en algunos tramos que hubieran hecho imposible el paso sin verse obligado a meter los pies en el agua. Encontró una piedra y la tiró al agua con la intención de estimar su profundidad, pero ni siquiera escuchó el golpe de la piedra en el fondo, por lo que concluyó que el lago debía de ser bastante profundo.

Estaba a punto de rendirse a la evidencia de que no iba a poder cruzar cuando, intentando vislumbrar el contorno del lago, vio un nicho en una de las paredes. Se acercó a él y miró en su interior, y descubrió una pequeña barca de madera, con un remo igualmente pequeño en su interior. Sacó a rastras la barca y la puso en el agua, y luego tomó impulso mientras saltaba sobre ella. Haciendo uso del remo consiguió llegar con la barca al otro extremo del lago, sorprendido ante el hecho de que sus paladas no generaran sonido alguno. Era como si la caverna, o sus fantasmagóricas aguas, se tragaran los sonidos… Parecía un lugar encantado, quizás incluso estuviera maldito, de ahí que Gilgamesh sintiera un gran alivio cuando logró saltar de la barca en el otro extremo. Sacó el bote de las aguas y lo arrastró hasta donde se abría el nuevo túnel, y se apresuró a entrar en él para alejarse del hedor que, para entonces, le estaba provocando ya intensas arcadas.

El nuevo tramo del túnel trazaba una curva, de modo que, al cabo de un rato, la fantasmagórica luz y el hedor del lago se habían desvanecido. Pero el túnel seguía ahora una pendiente ascendente y, para entonces, Gilgamesh estaba cansado, hambriento y exhausto; y aunque la pendiente no era demasiado pronunciada, el ascenso se le hizo extremadamente fatigoso. Se detuvo en varias ocasiones para sentarse, e incluso echarse en el suelo; y fue entonces cuando se percató de que el suelo, a diferencia de las paredes, era sorprendentemente cálido. Aquel calor le hizo recuperar de algún modo las energías y la confianza en sí mismo, y siguió caminando hasta llegar a un punto en el que el túnel parecía terminar de improviso. Tanteó con las manos las paredes en torno suyo y no le quedó la más mínima duda: no podía seguir adelante.

Enloquecido, Gilgamesh se puso a palpar de nuevo las paredes y el suelo, incluso intentó alcanzar el techo.

—¡Oh, Utu! –gritó–. ¿Acaso he hecho todo este camino en vano? ¿Es éste mi destino? ¿Perecer en las entrañas de la Tierra?

Pero sus gritos tuvieron un efecto mágico pues, sin saber cómo, notó de pronto una brisa de aire fresco justo delante de él, ¡allí donde un instante antes había topado con sólida roca!

El aire fresco le devolvió la vida, y el milagro de la pared que se había desvanecido le envalentonó para proseguir la marcha con renovado vigor; hasta que, finalmente, llegó a un lugar en el que se escuchaba un goteo constante de agua. Tanteando las paredes, localizó el lugar por el que se filtraba el agua y se puso a lamer la húmeda pared. Sí, era agua, la más dulce que hubiera probado jamás. Hizo un cuenco con las manos para recoger aquellas gotas salvadoras, y bebió y bebió hasta que sació su sed. Después, se echó en el suelo para descansar y no tardó en quedarse dormido.

Cuando finalmente despertó, bebió un poco más de agua y prosiguió su camino. El túnel comenzó a descender de nuevo al tiempo que trazaba una nueva curva, y patinó y se resbaló en varias ocasiones durante el descenso. Pero el aire fresco que percibía en su rostro le indicaba que iba en el camino correcto, y aquello le daba fuerzas para seguir adelante. Finalmente, la suave brisa se convirtió en un intenso soplo de aire frío, al tiempo que discernía un nuevo resplandor en el fondo del túnel. Y cuando llegó al lugar del que procedía la luz, descubrió un agujero como el de un pozo en el techo de la caverna.

Se asomó a la abertura... ¡y vio el cielo!

Las paredes en torno al agujero eran bastante escabrosas, como si las hubieran hecho así a propósito para ofrecer puntos de apoyo. Lentamente, Gilgamesh trepó por las paredes y, cuando llegó a la abertura, impulsó su cuerpo afuera. Estaba en la ladera de una montaña. Abajo se abría un pequeño valle, completamente circundado por montañas de redondeados picos. El cielo estaba despejado y brillaba el sol. Había estado recorriendo el túnel durante un día y una noche, ¡veinticuatro horas seguidas!

Abajo, en el valle, Gilgamesh vio una casa de piedra en mitad de un jardín; y, sin pensárselo dos veces, encaminó sus pasos hacia ella. Mientras se acercaba, vio también algunos animales domésticos, pero le extrañó el inusual color de su piel. Aunque la extrañeza se convirtió en sorpresa y asombro cuando llegó al jardín. Crecían allí los más hermosos árboles, arbustos y enredaderas, pero no eran plantas de verdad. Su follaje estaba hecho de lapislázuli, y sus suculentos frutos eran de cornalina. Recorriendo precipitadamente el jardín, de árbol en árbol, y de arbusto en enredadera, constató que todo allí estaba hecho con piedras preciosas. Miró a los animales, inmóviles, y comprobó que también éstos estaban hechos de piedras preciosas, y se acercó a ellos incrédulo para tocarlos.

—Los dioses han hecho este jardín y esta casa para mí —oyó de repente una voz tras de sí.

Gilgamesh se dio la vuelta para ver a su interlocutor. Era un hombre alto, de anchas espaldas, vestido con una larga túnica blanca y un cinto azul. Tenía el cabello blanco, así como su larga barba. En rostro y brazos mostraba una piel tersa y bronceada, y tenía una frente alta y unos ojos grandes, aunque algo hundidos. Los dos hombres se estuvieron mirando durante unos instantes.

—¿Quién eres tú y qué haces aquí? —le preguntó el anciano al fin.

—Busco a Ziusudra, el superviviente del Diluvio —dijo Gilgamesh.

—Yo soy Ziusudra, pero hace miles de años que nadie me llama por ese nombre. Los dioses me llaman Napishtim, que significa «El que Vive», pues vivo, vivo y vivo…

—Y yo soy Gilgamesh, rey de Erek.

—¿Erek? No conozco ningún lugar con ese nombre.

—Es una gran ciudad, con murallas, muelles y mercados, y con un palacio y un Recinto Sagrado con altísimos templos. Está situada en la tierra del Edin, cerca del río Éufrates.

—De esa misma tierra fui rey, pero nunca supe de ninguna ciudad llamada Erek —dijo Ziusudra, mirando suspicazmente a Gilgamesh—. ¿Acaso eres una mera aparición, una visión fugaz?

—¡Anciano —dijo Gilgamesh un tanto molesto—, existe una ciudad llamada Erek, y yo soy su rey! Pero esa ciudad se construyó después del Diluvio y no en vuestros días. Su Recinto Sagrado se construyó en honor a Anu, Señor de Señores, y ahora la dama Ishtar es su señora.

—Entonces, ¿eres sirviente de esa pícara diosa? —le preguntó Ziusudra en tono amistoso.

—¡Y descendiente de su hermano! ¡El señor Utu es mi padrino! —anunció orgulloso Gilgamesh.

—Yo también soy descendiente suyo —dijo Ziusudra—. Mi padre, Ubartutu, que fue rey de Shuruppak antes que yo, tuvo por padre al señor Utu.

—Eso le oí decir a mi madre, la dama Ninsun. Y ése es el motivo por el cual os he estado buscando; pues, al igual que vos, yo también soy en parte divino.

Y extendió las manos hacia Ziusudra para mostrarle las cicatrices del sexto dedo.

Ziusudra observó las manos de Gilgamesh y, a continuación, descubriendo sus propias cicatrices, las puso en contacto con las de Gilgamesh. Después, se volvió hacia la casa y gritó:

—¡Amzara! ¡Un descendiente del señor Utu, un rey de una tierra lejana, ha venido a visitarnos!

Una mujer salió a darle la bienvenida. Llevaba también una larga túnica blanca, y era alta como Ziusudra, aunque mucho más delgada. También tenía la piel tersa y bronceada, y su cabello era asimismo completamente blanco. Tenía los ojos grandes y algo hundidos, como los de Ziusudra, pero su rostro conservaba cierta belleza juvenil.

—Ésta es mi mujer, se llama Amzara –dijo Ziusudra–. Él es el rey de una nueva ciudad llamada Erek, y su nombre es Gilgamesh –le dijo Ziusudra a su mujer–. Cómo o por qué ha llegado hasta aquí, no tengo ni idea.

—Os he estado buscando, Ziusudra, pues estoy buscando la Vida Eterna –dijo Gilgamesh.

—De lo que tú llamas Vida Eterna he tenido mi parte –dijo Ziusudra no sin cierto desdén–. Pero entra en casa y refréscate, y luego nos contarás tu relato.

Una vez dentro, Ziusudra invitó a Gilgamesh a sentarse en una estera y le dio un cojín para que se apoyara, mientras su mujer le servía unas finas obleas de trigo y agua fresca.

—Y, ahora, cuéntanos el relato de tu viaje y tu propósito –dijo Ziusudra.

—Partí de mi hogar abordo de un barco –comenzó Gilgamesh–, pero una mano invisible lo hizo naufragar. Después, proseguí a pie, atravesando el desierto, escalando montañas, cruzando valles. Me alimentaba de bayas y lagartos, y bebía las gotas del rocío cuando no encontraba aguas ocultas. Tuve que matar a un oso y a dos leones, y con una de sus pieles me hice una capa. Finalmente, llegué al lugar donde vive la mujer cerveza. Ella me presentó a Urshanabi, el barquero, que me ayudó a cruzar el mar de la Muerte y me dijo qué sendero debía seguir para encontraros. Los guardianes de la región me atacaron con sus rayos cuando me vieron, pero los rayos no me afectaron; y dándose cuenta de que era dos tercios divino, me abrieron la puerta de las entrañas de la Tierra… He caminado por un túnel circular durante veinticuatro horas, en la más absoluta oscuridad, hasta que llegué a un punto en que el túnel terminaba; pero grité y se abrió una salida, que me trajo hasta vuestro valle.

—¡Podría ser verdad! –dijo Amzara.

—¡Por mi vida que es la verdad! –exclamó Gilgamesh.

—¿Y por qué has venido hasta aquí, enfrentándote a tantas adversidades? –preguntó Ziusudra.

—Debido a un augurio del señor Anu, el padre de los dioses –respondió Gilgamesh mientras sacaba de entre su ropa la Tablilla de los Destinos–. Esto es una Tablilla de los Destinos. Me la enviaron desde los cielos, en la obra del señor Anu.

Ziusudra tomó la tablilla y la examinó.

—Nunca había visto nada así –dijo al cabo.

—¿La obra de Anu… chamuscada y abollada? –dijo Amzara con evidente suspicacia.

Gilgamesh hizo una mueca de disgusto.

—La tablilla que llegó de los cielos la tiene oculta mi madre, Ninsun, pues es demasiado sagrada como para tocarla. Ésta es una réplica, hecha a su semejanza, y está inscrita en nuestra lengua. La hizo un artesano de la madre de mi madre, la gran dama Ninharsag, la gran sanadora; y está chamuscada porque uno de los guardianes la puso a prueba con su rayo.

Gilgamesh tuvo una convulsión en la mano mientras recuperaba la tablilla, y supo que su temblor no había pasado desapercibido.

—Cuando saqué la tablilla celeste de la obra de Anu que cayó de los cielos, me vi afectado por una extraña enfermedad. Se me ha introducido en los huesos, y me está consumiendo las entrañas… Ésta es la razón por la que tengo que alcanzar la Vida Eterna, antes de que me sobrevenga la muerte.

Ziusudra y su esposa intercambiaron una mirada.

—Si eso es lo que buscas… –comenzó a decir Ziusudra.

—Cuéntanos más de tu pueblo, de tu ciudad y de tu país –le interrumpió Amzara–. La última vez que vimos aquellas tierras acababan de ser arrasadas por una avalancha de agua.

Aunque abrumado por el cansancio, Gilgamesh les habló de Erek y del resto de las ciudades del País Entre los Ríos, de la gente, los templos y los dioses que vivían en ellos. Y cuanto más les contaba, más querían saber ellos.

—¡Ha pasado tanto tiempo! –no dejaban de repetir–. Nadie nos había contado todo esto.

—¿Nadie? –preguntó Gilgamesh.

—Ningún mortal ha conseguido llegar hasta aquí –dijo Ziusudra–. Las Águilas nos traen provisiones cada luna nueva, pero no nos cuentan gran cosa, si es que nos dicen algo.

—¡Eso es terrible! –exclamó Gilgamesh–. ¿Y no podéis ir a ninguna parte ni ver a nadie más?

—No, estamos confinados en este lugar, pues nos vimos involucrados en la contienda entre Enlil y Enki…

—¡Debería haberme enterado de eso! –exclamó Gilgamesh.

Ziusudra miró a su mujer, y ésta asintió con la cabeza. Luego, tomó un sorbo de agua y se apoyó en un cojín para ponerse de una manera más cómoda.

—Te voy a revelar un secreto, Gilgamesh, un secreto de los dioses –comenzó–. Cuando yo era rey en Shuruppak, Anu, el padre de los dioses, gobernaba en el cielo, mientras en la Tierra, Enlil y Enki, aunque hermanos, estaban celosos el uno del otro. Shuruppak estaba consagrada a la hermana de ambos, Sud, a la que tú llamas Ninharsag. Pero el pueblo estaba dividido: unos juraban por Enlil y otros por Enki. De este último, del señor Enki, que junto a Sud había creado a la humanidad, yo mismo era un adorador…

Ziusudra hizo una pausa, inmerso en sus recuerdos, mientras Gilgamesh guardaba un mutismo absoluto. Había cerrado los ojos.

—¡Mira al héroe que busca la Vida Eterna! –dijo Amzara–. ¡Se ha dejado envolver por el sueño como por una niebla! ¡Despiértale y que regrese por donde vino!

—No, déjale dormir –dijo Ziusudra mientras tomaba a su mujer de las manos–. Los dioses nos lo han enviado con noticias del pasado. ¡Debe de ser un augurio sobre nuestro futuro!

Amzara miró a su marido por unos instantes a los ojos, y luego asintió con la cabeza. Dejaron dormir a Gilgamesh sobre la estera, y le pusieron un cojín bajo la cabeza.

—Por su constitución y su aspecto, se te parece mucho –le dijo Amzara a su marido.

—¡Han pasado miles de años, y tenemos un aspecto similar, hablamos de forma similar, y somos descendientes de la misma simiente! –dijo Ziusudra–. La humanidad florece de nuevo, las ciudades de antaño se han reconstruido, y se han fundado otras nuevas. Nuestros tres hijos lo hicieron bien… ¿No irá siendo ya hora, mi querida esposa?

Amzara no dijo nada, y se limitó simplemente a asentir con la cabeza.

*   *   *

Gilgamesh despertó sobresaltado. Miró a su alrededor y se acordó de pronto de dónde estaba.

—Me he quedado dormido. ¡Estaba tan cansado…! ¿Por qué no me despertasteis en cuanto cerré los ojos?

—Hemos dejado que te despertaras tú solo, ¡y has estado durmiendo durante siete días y siete noches! –le dijo Ziusudra–. Mi mujer ha cocido un pastel de trigo cada día para ti… ¡Cuéntalos! ¡Hay siete!

—Perdonad mis precipitadas palabras –dijo Gilgamesh avergonzado–. Ha sido como si hubiera pasado sólo un instante desde que comenzarais vuestro relato… ¿Estabais a punto de contarme un secreto de los dioses?

—Cómete el pastel y bebe un poco de agua, pues para escuchar mi relato deberás tener un poco de paciencia –respondió Ziusudra.

En cuanto Gilgamesh dio cuenta del pastel, el anciano miró a su mujer, que estaba sentada a su lado, y comenzó a hablar lentamente.

—En aquella época, el país crecía de día en día, y la humanidad se multiplicaba. Los anunnaki, los que del cielo a la Tierra vinieron, eran en su mayor parte varones y, al cabo de un tiempo, empezaron a sentirse atraídos por las hijas del Hombre. Hasta los grandes señores, como Utu, tuvieron hijos con mujeres mortales. Enki, el creador de la humanidad, estaba encantado con la idea de que los dioses y sus criaturas pudieran entremezclarse y tener descendencia. A Sud también le complacía la idea, y en su ciudad, Shuruppak, incluso ungieron rey a un semidiós. Pero el gran Enlil estaba furioso. Decía que las distracciones hacían que los anunnaki no estuvieran pendientes de su misión, e insistía en que los de Nibiru no debían involucrarse en los asuntos de los terrestres. ¡Todo aquello no le gustaba nada!

Ziusudra hizo una pausa para tomar un sorbo de agua.

—Más tarde, poco antes del cruce de Nibiru, Enlil convocó a consejo a los dioses para decirles, «El tránsito de Nibiru por las inmediaciones de la Tierra va a provocar una marejada que arrasará el planeta. El señor Anu ha ordenado que todos los anunnaki abandonen la Tierra en sus naves espaciales». «¿Y qué pasa con la humanidad?», preguntó Enki. «¡La humanidad debe perecer!», respondió Enlil, y les hizo jurar a todos que mantendrían en secreto ante los mortales la inminente calamidad que iba a caer sobre la Tierra.

—¡El fin de toda carne en la Tierra! –exclamó Gilgamesh.

—Ése era el deseo de Enlil. Pero el señor Enki, aunque había hecho el juramento, me convocó en su templo. Haciendo como que le hablaba a un biombo, se aseguró de que yo pudiera escuchar sus palabras. «Va a haber una gran inundación», dijo, «una catástrofe que va a borrar la superficie de la Tierra. Los anunnaki escaparán con sus naves celestes. Enlil nos ha hecho jurar que lo mantendremos en secreto, con el fin de que la humanidad perezca. Pero Sud y yo te hemos elegido a ti para que preserves la semilla de la humanidad, la semilla de todo cuanto vive en la Tierra… Construye un barco», dijo finalmente. Él me dio las dimensiones y el plano del barco, un barco que pudiera navegar bajo las olas sin naufragar, calafateado de tal manera que volviera a flotar aunque se hundiera. Luego, me imploró que me apresurara y que, cuando hubiera terminado la construcción, esperara una señal. Me dijo, «Cuando Utu ordene un temblor al anochecer y veas una lluvia de erupciones, tienes que subir a bordo del barco con todos tus descendientes, con todos tus familiares y con los artesanos que te hayan ayudado en la construcción, y con un navegante que te enviaré yo, y con todas las bestias del campo y todo tipo de criaturas, para que podáis sobrevivir al Diluvio».

Empezaba a hacer calor dentro de la casa, y Ziusudra se enjugó el sudor de la frente. Amzara guardaba silencio, asintiendo con la cabeza de cuando en cuando a lo que decía su marido, mientras que Gilgamesh parecía hechizado con el relato.

—En el día declarado, un memorable día, con las primeras luces del amanecer, una nube negra se elevó en los cielos por el sur, y la tormenta comenzó a descargar sus rayos sobre colinas y llanuras. En sus bases, los anunnaki se subieron a sus naves celestes e iluminaron la tierra con su resplandor, mientras el suelo se estremecía. Nosotros nos apresuramos a subir al barco y atrancamos las escotillas; y encogidos de miedo como los perros, no agazapamos junto a las paredes del casco. La tormenta barrió la tierra durante seis días y seis noches, y luego la tempestad amainó, y el mar se calmó. El barco salió a flote sobre las aguas, abrí una escotilla y miré afuera. Donde había habido tierra, ahora sólo había agua. Todo estaba cubierto por las aguas, y de ellas no emergía absolutamente nada. Todo cuanto había existido antes en la tierra había sido engullido por las aguas. ¡Toda vida había perecido, y la humanidad se había convertido en lodo!

Los recuerdos hicieron brotar dos gruesas lágrimas en los ojos de Ziusudra que, con voz temblorosa, prosiguió su relato.

—Allá donde miraba, sólo veía agua. Deje salir a dos aves para que buscaran tierra, pero no la encontraron y volvieron, de modo que nos acurrucamos dentro del barco y estuvimos llorando durante muchos días… Pero, entonces, las aguas comenzaron a retroceder, y un día dejé salir a una paloma, y esta vez no regresó, y supimos que había tierra en alguna parte. Después de aquello, Puzuramurri, el navegante que nos había enviado Enki, dirigió el barco hacia una montaña de dos picos, el monte Nisir, siguiendo las instrucciones del señor Enki. Y allí, llegada la noche, el barco se estremeció y se detuvo. ¡Habíamos encallado en tierra firme!

—¡El Diluvio había terminado! –exclamó Gilgamesh.

—La inundación sí, pero no las calamidades. Dejé salir a todos cuantos iban en el barco y ofrecí un sacrificio ardiente. Y cuando los dos picos emergieron de las aguas en toda su extensión, pudimos ver aterrizar las naves celestes, una detrás de otra. Los anunnaki olieron la carne asada y vinieron como moscas a la miel. Uno tras otro aterrizaron, hasta que el señor Enki y el señor Enlil vinieron también. Enlil nos vio y se puso furioso. «¿Quién ha roto el juramento y ha revelado el secreto a estos terrestres?», gritó… La sabia Sud calmó su cólera y sacó a colación el asunto de mi simiente divina, y el resto de los dioses también se pronunciaron pidiendo indulgencia. Al final, Enki habló, admitiendo que él podría haberme revelado el secreto de los dioses. «Valiente Enlil, hermano mío», le dijo, «vamos a necesitar a los terrestres para labrar la tierra, cuidar de los huertos, apacentar el ganado y extraer el oro de las minas. Sin la humanidad, los dioses no podríamos permanecer en la Tierra. ¡Para que los anunnaki sigan en la Tierra, tendremos que compartirla con la humanidad!».

—¿Y Enlil… se dejó convencer? –preguntó Gilgamesh.

Ziusudra levanto una mano, como para indicarle que no le interrumpiera.

—Enlil reconoció que aquéllas eran sabias palabras, pero no perdonó. «Que la descendencia de Ziusudra se multiplique y se difunda por toda la Tierra, pero que la enfermedad y la muerte se ceben con ellos. Que la humanidad comparta la Tierra con los anunnaki, pero escindida y dividida en regiones. Unos darán culto a mi casa y otros darán culto a la casa de mi hermanastro, Enki, pero no se entremezclarán… Y, en cuanto a Ziusudra y su esposa, que no hacían otra cosa que seguir lo que Enki les desvelaba, ¡que vengan y vivan entre los dioses!». Y nos tomó a los dos de la mano y nos llevó a su nave celeste. «Vosotros viviréis en una región de los dioses», dijo, «hasta el próximo cruce de Nibiru, cuando los cohetes se eleven para ir al encuentro de las naves que viajan entre los planetas».

Y, apagándosele la voz, Ziusudra se sumió en el silencio, al igual que Amzara.

—Esa calamidad… el terrible Diluvio… ¿cuánto tiempo ha pasado desde entonces? –preguntó Gilgamesh.

—Nibiru ha venido y se ha ido dos veces desde entonces –respondió Ziusudra.

—Pero Enlil dijo… –comenzó a decir Gilgamesh, pero no acabó de pronunciar su frase.

—Hubo guerras, guerras entre los dioses –le interrumpió Ziusudra–. Terribles batallas, justo aquí, en los cielos de la zona prohibida, en la época del primer cruce… Luego, durante el segundo cruce de Nibiru, no les quedaba sitio para nosotros. Ya ves, Gilgamesh, éste es el verdadero secreto de los dioses: que ellos también envejecen y mueren, pero sus años se cuentan de un modo diferente a los nuestros… Sí, Gilgamesh, viajero de lejanas tierras, todo el mundo tiene marcada su hora, tanto en la Tierra como en los cielos. ¡El instante de nacer tiene por compañero al instante de morir!

—¡Pero vosotros habéis vivido todo este tiempo! ¡En dioses os habéis convertido! –insistió Gilgamesh–. ¡Es este secreto el que quiero que me desveléis, Ziusudra!

—Es el agua de nuestro pozo la que nos rejuvenece –le dijo Ziusudra.

—¡Mi madre me dijo que era una planta, el fruto del Árbol de la Vida! –protestó Gilgamesh.

—Es el agua –dijo enfáticamente Ziusudra–. Sí que hay una planta cuyo fruto es el Fruto de la Vida. Pero si comiéramos de él, ya no volvería a crecer; de ahí que los dioses pusieran aquella planta en el fondo del pozo, para que nunca se marchiten sus frutos. Nosotros bebemos de esa agua y nos bañamos en ella, pues es, gracias al poder del fruto, el Agua de la Vida.

—¿Dónde está el pozo?

—En el jardín artificial. Los anunnaki lo excavaron. Su agua es purísima, y procede de dos corrientes subterráneas. Y, por lo que respecta a la planta, la trajeron de Nibiru.

—¡Es una maravilla! –exclamó Gilgamesh–. ¡Vivir y vivir, sin un final! ¡Es una bendición divina!

—Vivir y vivir… recluidos, sabiendo que tus hijos y tus nietos, y todos los que les siguieron, han ido muriendo… ¿A eso le llamas tú una bendición?

—Vuestras palabras, Ziusudra, son producto de la desesperación –respondió Gilgamesh–. Vuestra reclusión os ha nublado la razón… En cuanto a mí, siempre elegiré la vida antes que la muerte. ¡Llevadme hasta el pozo, para que pueda beber de sus aguas y vivir para siempre!

Ziusudra miró a su mujer, y ésta asintió.

—Para vivir para siempre, tendrías que permanecer aquí también para siempre –le dijo Ziusudra a Gilgamesh–, pues tienes que beber de esa agua a menudo, dado que sus efectos se disipan con el tiempo.

—¡Mostradme el pozo! –insistió Gilgamesh.

—Ven conmigo –dijo Ziusudra.

Ziusudra le llevó a través del jardín de piedras preciosas y le mostró finalmente el pozo.

—Es profundo, muy profundo –dijo.

Y, a continuación, se volvió a su casa y dejó a Gilgamesh solo en el jardín.

Gilgamesh se asomó al pozo, pero no alcanzó a ver el fondo. Luego, desgarró el dobladillo de su ropa e hizo tiras con él, y con las tiras se ató unas pesadas piedras a los pies. Volvió la vista atrás, hacia la casa. Ziusudra y Amzara estaban de pie en la puerta, observándole desde la distancia. Entonces vio que Amzara levantaba la mano, como despidiéndose de él.

«Pero si sólo voy a bucear y a arrancar un fruto», pensó. Gilgamesh levantó la mano a su vez y les saludó de la manera más cordial. Y, a continuación, saltó al interior del pozo.

El agua fría le golpeó como si le hubieran dado con una maza, pero contuvo la respiración mientras las piedras tiraban de él hacia el fondo. Aunque el pozo era en verdad muy hondo, el agua era tan pura que la luz de la embocadura se introducía hasta lo más profundo. Cuando llegó por fin al fondo, vio una planta que se mecía delicadamente en el agua, pues debía de haber corrientes en sus profundidades. La planta tenía un tallo largo y recto, con unas ramas cortas y gruesas de las cuales pendían unos frutos redondos. Gilgamesh agarró la planta por el tallo y, con un fuerte tirón, la desarraigó del suelo. Luego, aferrando fuertemente la planta con una mano, utilizó la otra para cortar con la daga las ligaduras que le sujetaban a las piedras, liberando así sus pies.

Gilgamesh esperaba ascender flotando con la preciada planta entre sus manos; pero, en cuanto arrancó la planta del suelo, el agua comenzó a girar en un violento torbellino, atrapándole en el fondo del pozo. Los pulmones le ardían por la falta de aire y se le estaba nublando la visión; y comenzaba a perder la consciencia cuando sintió como unas manos invisibles que tiraran de él, como si una gigantesca boca le absorbiera. Pero Gilgamesh se aferró a su preciada planta como aquel que se aferra a la vida.

15

.

Tal como requerían los rituales prescritos, establecidos en tiempos remotos, los doce días de la festividad de Año Nuevo comenzaban con la silenciosa partida de Ishtar, Ninsun y las otras diez deidades menores de Erek, en un acto simbólico que conmemoraba los tiempos en que los anunnaki aún no habían llegado a la Tierra. Este acto tenía lugar tras el ocaso, en la primera noche, y exigía que toda la población de Erek, así como sus animales domésticos, estuvieran encerrados en casas y establos, pues permanecer en las calles hubiera significado una muerte segura.

Acompañados por los sacerdotes que portaban las antorchas, los dioses salieron en silencio del Recinto Sagrado y se dirigieron al Muelle Sagrado, donde subieron a unas falúas tripuladas por otros sacerdotes. Navegando a lo largo del Canal de Aguas Profundas, en su camino hacia el río Éufrates, atravesaron la puerta principal de las murallas de la ciudad.

Pasada la medianoche llegaron a la orilla señalada y, descendiendo de las embarcaciones, marcharon en silencio hasta el complejo de *Bit Akiti,* un conjunto de chozas de caña denominadas «La Vida en la Tierra Comienza». Y, tras disponer las antorchas en torno al complejo, los sacerdotes volvieron a las falúas y regresaron a Erek, dejando a los dioses solos. Qué rituales realizarían allí, qué secretas deliberaciones mantendrían, ningún mortal, ni siquiera el sumo sacerdote, lo sabría jamás.

A la mañana siguiente, simulando descubrir que los dioses habían abandonado la ciudad, los sacerdotes hacían sonar sus cuernos de carnero en el Recinto Sagrado para alertar a la población. Los dioses, la fuente de toda abundancia, de una vida segura y de las ordenanzas esenciales, habían abandonado a su rebaño humano. De los templos salían entonces corredores para gritar por las calles, «¡Penitencia! ¡Penitencia! ¡Que todos y cada uno confiesen sus pecados y pidan perdón!», dando así inicio a los cuatro días de penitencia y confesiones. Durante esos días, los ciudadanos de Erek se pedían perdón unos a otros, pedían perdón a los dioses y confesaban sus pecados; algunos en los principales templos, otros en los santuarios de las calles, pero la mayoría dentro de los confines de su hogar, ante sus altares domésticos.

El segundo día, el sumo sacerdote se levantaba dos horas antes del amanecer y, tras purificarse y ponerse un atuendo ritual, entraba en el templo de Ishtar para presentarle las acostumbradas ofrendas matutinas; como si, simulando que la diosa estaba allí, ella fuera a regresar. Pero la diosa no estaba, y los lamentos que se elevaban a continuación se difundían por toda la ciudad.

Durante el tercer día, el sumo sacerdote situaba dos estatuillas ante el trono de Ishtar: una de madera de cedro y la otra de madera de ciprés. Ambas estaban bañadas en oro; una con la imagen de una serpiente y la otra con la de un escorpión. Y, en presencia de una asamblea de sacerdotes, el sumo sacerdote proclamaba que el pueblo estaba dispuesto a sufrir las picaduras de estas criaturas, con la creencia de que su veneno mataría a los pecadores y castigaría a los que fueran justos, haciendo así posible que los dioses regresaran, tuvieran misericordia del pueblo y le devolvieran la vida y la abundancia.

Recordando simbólicamente los tiempos anteriores a la existencia de ciudades y pueblos, de huertos y campos de cultivo, cuando el hombre vivía en estado salvaje, siendo víctima de las mordeduras y picaduras de reptiles e insectos, y presa de los animales salvajes, los sacerdotes dejaban después en libertad a los leones que tiraban del carro de guerra de Ishtar. Los animales corrían desconcertados por las calles de la ciudad, atacando a todo aquel que se encontraran en su camino, y malhiriendo a los pocos hombres que, a fin de demostrar su valor, se atrevían a hacerles frente en las calles.

Llegado el cuarto día, el sumo sacerdote ascendía al gran zigurat, exactamente tres horas y veinte minutos antes del amanecer, y localizaba el lucero del alba, el planeta de Ishtar. Pronunciando las bendiciones requeridas, levantaba las manos y saludaba reverentemente al planeta; para luego, desde lo alto del imponente edificio, dar a voz en grito sus instrucciones a los sacerdotes allí reunidos.

—¡En el cielo, Ishtar se ha elevado! La reina celestial ha escuchado nuestras oraciones. En el Recinto Sagrado, todo cuanto podía hacerse se ha hecho. ¡Ahora, le toca al rey y al pueblo hacer que Ishtar se eleve en la Tierra! ¡Id, pasad la voz, que se sepa en el palacio y en la ciudad!

* * *

Aquel mismo día, en la tarde del cuarto día de la festividad, Niglugal estaba sumamente nervioso, dando vueltas por sus dependencias, y sólo detuvo sus pasos cuando Kaba entró. Tras estrecharse los brazos, Kaba dijo sin más preámbulos.

—La inquietud en la ciudad va en aumento.

—Hasta aquí ha hecho presa la inquietud –reconoció Niglugal.

—Mañana es el quinto día, cuando el pueblo marcha hacia el palacio… Y no tenemos rey. ¡Urnungal tiene que tomar posesión del trono de inmediato!

—No podemos entronizar a un rey sin la bendición previa de la diosa –objetó Niglugal.

—Pero la dama Ishtar… ¡todos los dioses están en el *Bit Akiti!*

—¿Te crees que no lo sé? –dijo Niglugal, levantando la voz–. Es el maldito acuerdo al que llegaron Ishtar y Ninsun…, tenemos que esperar hasta que el rey regrese, o le encuentren muerto… Si no fuera por eso, ¿no crees que hubiera actuado ya?

—¿Actuado? ¿Cómo? –preguntó Kaba, mirando fijamente a Niglugal.

—No importa –respondió el chambelán evitando la mirada del comandante–. Lo cierto es que necesitamos un rey para los rituales de mañana, y no tenemos rey. Por otra parte, el hijo principal, aun en el caso de que pasáramos por alto su edad, no puede ser entronizado sin la diosa…

—¿Entonces?

—Entonces tendrá que haber un rey sustituto, un rey temporal –dijo Niglugal mientras volvía a mirar a la cara a Kaba.

—¿Tú? –preguntó Kaba empuñando la daga que portaba al cinto.

—Sí, yo, a menos que se te ocurra algo mejor… ¿Acaso tú puedes?

—Yo lo ponderaría y lo discutiría con el resto de comandantes –dijo Kaba–. ¡Le he jurado lealtad a Gilgamesh!

—¡Yo también! –dijo Niglugal–. Pero Gilgamesh se ha ido y, al parecer, ya no se encuentra entre los vivos.

Kaba no dijo nada más. Tras estrechar los brazos, partió dejando a Niglugal solo de nuevo. Una amplia sonrisa cruzó el rostro del chambelán. El destino, pensó, había sido generoso con él.

* * *

—¡Abrid la puerta y dejadme entrar! –gritó un hombre a los guardias de las murallas.

Los soldados se asomaron y vieron a un hombre demacrado, con la ropa hecha jirones y el cabello enmarañado, las mejillas hundidas y las sandalias destrozadas.

—¡Vete de aquí, mendigo! –gritó uno de los soldados–. Las puertas de las ciudad están cerradas durante la festividad del Año Nuevo. ¡Hasta los mendigos lo saben!

—¿La festividad del Año Nuevo? ¿Ha pasado ya un año?

—¿Es que no diferencias las estaciones, mendigo? ¡Lárgate, o te haré recobrar el juicio a golpes! –le gritó el soldado levantando la lanza.

—¡No soy un mendigo! –gritó el hombre desde abajo–. ¡Soy el rey!

El soldado estalló en una sonora carcajada.

—¡Venid, rápido, y presentad armas! –dijo a gritos a sus camaradas–. ¡Tenemos al rey de los mendigos a las puertas!

—¡Soy Gilgamesh, rey de Erek! –gritó el hombre de la puerta–. ¡Abrid la puerta y dejadme entrar!

Los soldados que habían llegado ante la llamada de su compañero dejaron de reírse, pues percibieron una evidente autoridad y dotes de mando en la voz de aquel hombre.

—Será mejor que llamemos al capitán –dijo uno de ellos.

—¡Eh, anciano! –gritó el capitán desde la muralla cuando llegó–. El rey Gilgamesh hace tiempo que partió, y ha muerto… Márchate y busca refugio en los campos hasta que podamos abrir las puertas. Entonces te dejaré entrar y te daré alguna limosna. ¡Pero, ahora, lárgate!

—¡Ni soy un mendigo ni necesito limosna! –gritó el hombre desde abajo–. Soy Gilgamesh. Cierto es que me fui, pero he regresado… ¡y estoy entre los vivos! Soy el hijo de la divina Ninsun, el padre de Urnungal. ¡Por los grandes dioses, abrid la puerta para que pueda entrar en mi ciudad!

El capitán intercambió una mirada grave con los soldados.

—Aunque fuera verdad lo que dice, no se pueden abrir las puertas hasta que la festividad haya terminado –dijo.

—¡Llamad a Niglugal, el chambelán! –ordenó a gritos el hombre desde abajo.

El capitán miró a sus soldados indeciso, mientras uno o dos de ellos se encogían de hombros.

—Muy bien –dijo finalmente el capitán–, lo notificaré en palacio. Que los de arriba se las entiendan con el clamor de este extraño.

Pasó algún tiempo hasta que Niglugal apareció en las murallas y, en cuanto lo vio, el hombre de la puerta gritó:

—¡Niglugal, mi fiel chambelán! ¡Soy Gilgamesh, tu rey! ¡Ya he vuelto!

—Esa voz… ¡Es la voz del rey! –gritó Niglugal–. ¡Abrid la puerta, rápido!

—Pero la festividad… –comenzó a protestar el capitán.

—¡Es el rey, imbécil! –le gritó el chambelán–. ¿Acaso quieres que el hijo suceda al padre cuando el padre aún está vivo?

Mientras el capitán daba la orden de abrir la puerta, Niglugal bajó corriendo de las murallas y esperó ante la puerta a que entrara el vagabundo.

—¡Niglugal, mi fiel chambelán! –gritó el hombre abriendo los brazos–. ¡Ven, dame un abrazo!

Niglugal inclinó la cabeza en un principio, pero luego examinó de arriba abajo a aquel hombre. Dio un paso atrás y, agarrándole las manos, les dio la vuelta para buscar las cicatrices. Y allí estaban.

—Perdonad mis dudas –dijo Niglugal–, pero tenía que asegurarme. Salvo en la voz y en la estatura, ¡habéis cambiado mucho, mi rey!

Gilgamesh tiró de él y le abrazó, y estuvieron abrazados durante un buen rato, mientras ambos lloraban.

—Os dábamos por muerto –dijo Niglugal–. Hubo marinos que vieron los restos de vuestro barco… ¡Y aquí estáis, vivo! Pero tenéis las mejillas hundidas y habéis adelgazado… ¡y tenéis la piel como el cuero! ¿Dónde habéis estado? ¿Cómo habéis sobrevivido?

—Te lo contaré todo cuando recupere las fuerzas y el dominio de mí mismo –dijo Gilgamesh, y añadió con una sonrisa–. ¡Llévame a palacio!

Acompañados por un pelotón de soldados, recorrieron lentamente las calles de camino a palacio.

Pero, a medida que avanzaban, comenzó a difundirse por la ciudad la noticia de que el rey había regresado. «¡Gilgamesh está vivo! ¡Gilgamesh ha vuelto!» se gritaban unos a otros, y una muchedumbre comenzó a congregarse en las calles que llevaban hasta el palacio. Gilgamesh saludaba a la gente con la mano, pero sólo algunos le devolvían el saludo.

—¿Qué día de la festividad es hoy para que la gente esté en las calles? –preguntó Gilgamesh.

—El quinto.

Gilgamesh se detuvo y tomó del brazo a Niglugal, obligándole a detenerse también.

—¿El quinto día? ¡Entonces llego justo a tiempo!

—Ciertamente –dijo Niglugal–. Y será mejor que nos apresuremos, antes de que tengamos problemas.

Pero Gilgamesh agarró por el hombro a Niglugal para detenerle de nuevo.

—Si no hubiera vuelto hoy, ¿qué habrías hecho?

—Según lo acordado entre vuestra madre, la diosa, y la dama Ishtar, había que esperar un año. Nadie se ha sentado en el trono.

—¿Y mi hijo Urnungal?

—Está bien, pero no ha sido entronizado.

—¿La dama Ishtar se ha decantado por alguien? ¿Quizás por Enkullab, el sumo sacerdote?

—Enkullab murió –dijo tajantemente Niglugal–, fulminado por la mano invisible de Anu.

—¡Bendito sea Anu! –exclamó Gilgamesh con una maliciosa sonrisa–. ¿Cuándo ocurrió?

—Poco después de que pasarais por Eridú y os adentrarais en el mar Inferior.

—Tienes que contarme cómo sucedió… ¿Quién es ahora el sumo sacerdote?

—Por voluntad de Ishtar, se eligió al sacerdote que más tiempo lleva de servicio. Se llama Dinenlil. Es de la semilla sacerdotal de Nippur. Su padre dirige la academia de los caminos de las estrellas en Nippur, y es un fiel sirviente del señor Enlil.

—Entonces, ¿mi hijo está a salvo? ¿Han cesado las intrigas en el templo contra mí?

—Sí, claro que sí –respondió Niglugal–. Pero será mejor que nos demos prisa. Tenéis que lavaros, adecentaros y cambiaros de ropa, pues el pueblo no tardará en llegar a palacio.

Así pues, reanudaron la marcha y aceleraron el paso. Pero la multitud se iba haciendo más densa a medida que se acercaban al palacio, a tal punto que los soldados tuvieron que formar una falange para abrirle paso al rey y al chambelán. Ya en las proximidades de palacio y a la vista de los centinelas de las murallas, un pelotón de soldados salió por las puertas para fortalecer la escolta y asegurar una vía de acceso para el rey. Entre ellos estaba Kaba, el comandante de las tropas.

—¡Saludad al rey! –gritó cuando los dos grupos se encontraron.

Kaba y Gilgamesh se estrecharon los brazos a la manera de los héroes.

—No sabes cuánto me alegra verte, Kaba –dijo Gilgamesh.

—Bienvenido a casa, mi señor –respondió el comandante inclinando la cabeza–. Todos os hemos echado de menos.

—¿Y dónde está Urnungal? –preguntó Gilgamesh.

—Esperándoos en las cámaras reales –dijo Kaba–. Está bien.

Gilgamesh intercambió una mirada de afecto con su comandante y dijo:

—Me muero por verle.

* * *

El abrazo entre padre e hijo fue largo e intenso, mientras las lágrimas corrían por las mejillas de Gilgamesh y un nudo atenazaba su garganta.

—¡Cómo has crecido! –dijo al fin el rey.

—Dijeron que habías muerto, pero yo no les creí… –dijo el muchacho, volviendo a enterrar el rostro en el pecho de su padre.

Gilgamesh le acarició el cabello.

—Tú eres lo único por lo que me merece la pena vivir –dijo en un murmullo, para luego apartar de sí al muchacho y mirarlo de arriba abajo–. ¡Grande y fuerte, y más maduro! –exclamó con una sonrisa–. ¡Un digno heredero!

—Ahora que has vuelto, sí que tendré tiempo para madurar y conocer bien los asuntos de Estado –dijo el joven mirando fijamente a su padre–. Aunque estás más delgado y más moreno, sigues siendo el de siempre… o puede que estés incluso mejor que antes, ¿no?

Gilgamesh le miró desconcertado.

—Mi venerable abuela, la dama Ninsun, me contó tu secreto, padre –prosiguió Urnungal con una sonrisa–. Me dijo que habías partido para conseguir el Fruto de la Vida, al cual tenías derecho por tu ascendencia divina.

—¿Te lo contó? –dijo Gilgamesh poniéndole la mano sobre el hombro–. Por desgracia, no era eso lo que el destino me tenía reservado… Ven, sentémonos y te lo contaré.

En la sala había frutas y vino en abundancia, y Gilgamesh se puso una copa de vino para recuperar fuerzas.

—Tras nuestro naufragio a manos de un demonio –comenzó el relato–, sólo Enkidu y yo quedamos con vida. Pero Enkidu, siendo una criatura de Enki, no pudo soportar el agua salada del mar, y falleció ante mis propios ojos… Atravesé el desierto solo, a pie, recordando el mapa que mi madre me había mostrado. De mis aventuras y desventuras hablaré más tarde, pues deseo que un escriba lo deje todo reflejado. Tras múltiples aventuras, crucé el mar, un mar cuyas aguas causan la muerte, con la ayuda de Urshanabi, el barquero de los dioses. Atravesé los portales sagrados, y superé el desafío de los guardianes de la zona prohibida. Ellos me mostraron el camino, a través de un túnel, hasta el valle donde Ziusudra, el héroe del Diluvio, ha estado viviendo con su esposa. Ellos han vencido a la muerte durante miles de años gracias a un pozo en cuyo fondo crece el Fruto de la Vida. Bebiendo de su agua, rejuvenecían constantemente…

—¡Qué buena noticia! –exclamó Urnungal–. Se estuvo hablando de mi ascenso al trono, pero les dije que yo no quería ser rey…, ¡no mientras tú estuvieras con vida!

Una convulsión sacudió la mano de Gilgamesh.

—Éste es mi secreto –dijo–. La muerte anida en mis huesos… Mis días están contados… ¡y tú serás rey!

—Pero el Fruto de la Vida…, ¡acabas de decir que lo encontraste!

—Después de arrancar la planta, los ojos se me nublaron y los pulmones me estallaron; y las dos corrientes subterráneas que se juntaban en el fondo del pozo me engulleron en un remolino. Perdí la consciencia, y las corrientes me arrastraron como un cuerpo sin vida… Cuando desperté, estaba en la orilla de un mar desconocido, aunque aún tenía la planta en mis manos. Recorrí la costa, sin encontrar el valle ni las montañas que rodeaban la casa de Ziusudra. Al final, me encontré con un pescador, que me dio de comer y de beber. Él no había oído hablar de Erek ni de nuestras tierras, pero me dijo que al otro lado de aquel estrecho mar encontraría una aldea. Él me cruzó con su barca y me llevó a un lugar con muchos árboles que daban sombra y una fuente de agua fresca…

Gilgamesh se detuvo unos instantes para dar un sorbo de vino.

—Y aunque mi terrible experiencia había tenido lugar en el agua, no sé por qué, estaba sediento y con la boca seca… Me quité la ropa y la dejé a un lado, junto con la planta, junto a la fuente, y me sumergí en las aguas de su estanque para refrescarme…

Una violenta convulsión sacudió la mano de Gilgamesh, mientras las lágrimas brotaban de nuevo en sus ojos.

—¿Y qué ocurrió entonces? –preguntó Urnungal.

—¡Que una serpiente… una serpiente me robó la Vida Eterna!

—¿Una serpiente?

—Sí, una serpiente, la más vil de las criaturas, olfateó la fragancia de la planta que yo había dejado junto a la fuente… ¡Salió de entre las rocas y se llevó la planta! La vi deslizarse mientras se alejaba, cuando salía del estanque. Agarré una piedra para aplastarla pero, antes de que pudiera alcanzarla, había desaparecido entre las rocas y, por mucho que la busqué, todo fue en vano…

—¿Y la planta, el Fruto de la Vida? –gritó Urnungal.

—Se desvaneció con la serpiente… Me senté y lloré amargamente, hijo mío. Las lágrimas recorrieron mis mejillas durante horas. Levanté mi voz a Utu, al señor Anu le grité en mi cólera y mi angustia… y luego me eché a reír… y estuve riendo durante horas…

—¿Te echaste a reír?

—¿Acaso no te das cuenta de lo irónico de la situación, Urnungal? Al arrancar la planta del pozo sin pensar en las consecuencias, había traído la muerte para Ziusudra y para su mujer… Y el solitario pescador, y la serpiente hasta la cual me había llevado, no habían sido otra cosa que los instrumentos de mi castigo… Entonces me di cuenta de que el Hombre no puede escapar a su destino. ¡Cuanto más alto te elevas, más dura es la caída!

Urnungal posó su mano sobre el brazo de su padre.

—Pero has visitado lugares que nadie ha visto jamás –le dijo–, has escalado montañas nevadas, y venciste a Huwawa y al Toro del Cielo… ¡Tu nombre jamás será olvidado, y tu historia será recitada eternamente!

—De mis viajes y mis actos, de mis lejanas aventuras y de este día de mi regreso a Erek, daré cuenta a Dubshar, el escriba real, para que lo inscriba todo en tablillas de arcilla. Pero ahora, hijo mío, si no deseas convertirte en rey todavía, tendrás que dejar que me prepare para los ritos… y hasta puede que me dé tiempo de dormir un poco.

El muchacho aceptó comprensivamente la sugerencia de su padre y, tras recibir de él un beso en la frente, se marchó a sus dependencias.

* * *

Después de cuatro días de angustia y penitencia, el quinto día de la festividad de Año Nuevo ofrecía una vía de escape para el desahogo de las emociones acumuladas durante esas jornadas. Llegado el mediodía, la población de Erek había tomado ya las calles, levantando un ruido ensordecedor con el batir de tambores y el bramido sordo de los cuernos. Pero la conmoción llegó a su punto álgido al atardecer, cuando la gente vino a converger en el palacio en una alborotada procesión. Los sacerdotes habían hecho lo que estaba de su mano para garantizar el regreso de los dioses, pero ahora le tocaba al rey interceder por el pueblo, expiando en su nombre sus pecados, aceptando las humillaciones y los castigos impuestos por sus trasgresiones, para que la ciudad y sus gentes fueran purificadas de nuevo y se hicieran merecedoras así del regreso de los dioses.

Para esta ocasión, el rey tenía que salir del palacio solo, sin escolta y sin séquito real, y tenía que aceptar los insultos y las burlas de la gente mientras encabezaba la procesión hasta el Recinto Sagrado.

—Ésta es la parte que más me desagrada –dijo Gilgamesh a quienes estaban con él en el baluarte de la puerta principal del palacio–. Pero, como rey, tengo que hacer lo que debo…

Gilgamesh esperó hasta que la multitud, a gritos, le exigió que saliera y encabezara aquella procesión penitencial. Entonces bajó y salió por la puerta, mientras se abría para él un sendero entre la multitud, cerrándose a su paso para ir todos tras él hasta el Recinto Sagrado. En cuanto Gilgamesh inició la marcha, arreciaron de nuevo los gritos, el batir de tambores y el bramido de cuernos. Pero, por suerte para el rey, los empujones y el griterío de las masas quedaron amortiguados en gran medida por los Ancianos de la ciudad, que caminaban en la procesión detrás de él.

Abriendo las puertas del Recinto Sagrado con fingida reluctancia, los sacerdotes dejaron entrar a la multitud, mientras el rey se dirigía a la mesa de los sacrificios para ofrecer a los dioses ausentes no el habitual sacrificio de una oveja, sino sus símbolos regios. Auxiliado por los sacerdotes, entregó primero su corona y su manto, símbolos de su autoridad divinamente concedida; después se le arrebató el símbolo de su realeza, el cetro; y, finalmente, tuvo que entregar la maza sagrada, símbolo del poder y la conquista. Y así, privado de toda autoridad, tanto celeste como terrenal, el rey se puso de rodillas ante el sumo sacerdote.

—Estoy aquí para confesar mis pecados y mis trasgresiones –dijo el rey, pues era su Día de la Expiación.

Y, a la vista de todo el pueblo, el sumo sacerdote abofeteó al rey en ambas mejillas y le tiró de las orejas, como señal de la más extrema degradación y humillación.

—Estoy aquí para confesar mis pecados y mis trasgresiones.

Lo repitió una y otra vez, las siete veces que marcaba el ritual, hasta que el sumo sacerdote, con voz alta y solemne, proclamó:

—Ve al santuario y reza para pedir el perdón.

Después, el pueblo esperó en silencio hasta el ocaso, momento que señalaba el inicio del sexto día de celebraciones.

Cuando cayó la noche y las estrellas se hicieron plenamente visibles en el cielo, el sumo sacerdote hizo acto de presencia en el Eanna y comenzó a subir ceremonialmente la gran escalinata del zigurat, entonando himnos y oraciones, y ofreciendo libaciones en cada una de las terrazas del gran edificio. Finalmente, y ante el sobrecogedor silencio de la multitud, el sumo sacerdote dio inicio a la lectura anual de *Cuando en las Alturas,* la Epopeya de la Creación, la declaración de fe de la religión mesopotámica. Era el relato sagrado sobre los orígenes del sistema solar y la creación del firmamento y la Tierra, sobre la irrupción de Nibiru en el sistema solar y el comienzo de la vida, y sobre la construcción del Pórtico de los Dioses en la Tierra por obra de los anunnaki.

Aunque había oído recitar aquel relato poético desde que era niño, Gilgamesh no podía dejar de sentirse sobrecogido ante la trascendencia y la majestad de aquellos antiquísimos versos:

Cuando en las Alturas el cielo no había recibido aún nombre,
y abajo el suelo firme –la Tierra– no había sido llamada,
nada había salvo el Apsu primordial, el que los engendró,
Mummu, y Tiamat, que les dio a luz a todos,
que entremezclaron sus aguas.

Ni el cañaveral se había formado aún, ni tierra pantanosa había
    surgido.
Ni los celestiales habían sido traídos aún al ser,
nadie tenía nombre, sus Destinos estaban por determinar.

En el más absoluto silencio, el sumo sacerdote hizo una pausa, y luego continuó recitando el antiguo poema.

Con un lenguaje vivo, hablando de los planetas como de seres vivos, nacidos por parejas a partir de los tres cuerpos celestes primordiales, el poema relataba la irrupción de Nibiru procedente del espacio exterior, de lo Profundo, en el cual había sido creado:

Su silueta era seductora, rutilante el brillo de sus ojos;
nobles eran sus andares, imponentes como los de los tiempos
    antiguos.
Se le exaltó en gran medida por encima de los celestiales;
superándolos a todos, él era el más elevado.

Al pasar junto a los planetas exteriores, «de sus labios exhaló fuego», mientras que el resto de los planetas «arrojaban sobre él sus imponentes relámpagos». De Nibiru arrancaron pedazos, dando así forma a sus adláteres, y tiraron de él hasta situarlo en medio de todos ellos.

De este modo le dieron a Nibiru un Destino, un rumbo en los cielos que le llevó a una apocalíptica colisión con Tiamat.

Se escucharon clamores de adoración y temor reverencial cuando el sumo sacerdote recitó los versos que relataban la celestial colisión, en la que los adláteres de Nibiru partieron a Tiamat en dos. Una de sus mitades la hicieron pedazos y fragmentos para dar forma al Brazalete Celestial y la Brillante Manada, y con la otra mitad forjaron la Tierra. Y viéndolo todo de su agrado, el dios celestial separó las aguas del suelo seco en la Tierra, y creó vida en sus aguas y sobre el suelo seco, y encargó a los anunnaki que construyeran en la Tierra su Hogar lejos del Hogar y forjaran al Hombre a su imagen y semejanza.

—Así fueron creados el cielo y la Tierra –concluyó el sumo sacerdote, recitando la sexta tablilla.

Entre la multitud se levantó un enorme clamor de satisfacción y entusiasmo, mientras los sacerdotes apostados en las murallas y sobre las plataformas de los templos encendían sus antorchas todos a una, haciéndose de pronto la luz sobre el gran patio y sobre el inmenso gentío. El sumo sacerdote pasó a recitar entonces la séptima tablilla, con los sesenta nombres de Nibiru, mientras la gente repetía los nombres a medida que los iba desgranando el sumo sacerdote. Y, cuando el último nombre hubo sido pronunciado, tañeron los címbalos y se elevaron gritos de alegría, pues el vacío y la oscuridad habían dejado paso a la luz. La Tierra y sus gentes habían sido recreadas, garantizándosele así al pueblo las estaciones, las lluvias y la abundancia.

Ante la puerta del Recinto Sagrado, un séquito esperaba al rey para acompañarle de vuelta al palacio. El sumo sacerdote, acompañado por su comitiva, se retiró al interior del templo principal, mientras la multitud se dispersaba entre cantos y danzas, pues tenían ahora por cierto que los dioses regresarían.

El séptimo día fue, tal como prescribían los ritos, el día del retorno de los dioses; pues, del mismo modo que todo había comenzado cuando la Tierra, el séptimo planeta, fue establecida, así también los dioses debían restablecerse en Erek durante el séptimo día.

Siguiendo la costumbre, la gente levantó estandartes con los emblemas celestiales de los dioses: el refulgente planeta, símbolo de Nibiru y de su soberano, Anu; la estrella de siete puntas, emblema de Enlil, señor de la Tierra; la luna creciente, símbolo del hijo de Enlil,

Sin, cuyo homólogo celeste era la Luna; y la estrella de ocho puntas, símbolo de Ishtar, cuyo homólogo celeste era el siguiente planeta después de la Tierra, siguiendo el orden desde los confines exteriores de los doce miembros del sistema solar.

Los dioses llegaron en sus falúas al Muelle Sagrado, donde fueron recibidos por un alborozado gentío y un gran contingente de sacerdotes, ya con las literas dispuestas para portar a los doce dioses, encabezados por Ishtar. Varios pelotones de soldados mantenían a raya a la multitud, que empujaba a fin de poder ver de cerca a las deidades, y mantenían abierto el camino por el cual debía discurrir la sagrada procesión. Cuando los dioses estuvieron sentados en los tronos de sus literas, los sacerdotes comenzaron a interpretar su música procesional con címbalos y harpas de mano. Los sacerdotes porteadores levantaron las literas y, encabezados por el sumo sacerdote, dieron inicio a la procesión en su ascenso hasta el Recinto Sagrado. En cuanto los dioses y los sacerdotes abandonaron el muelle, los soldados dieron vía libre a la multitud, que se arremolinó con rapidez detrás de la procesión sagrada.

Se detuvieron en las siete estaciones prescritas, en las que los sacerdotes hicieron los pronunciamientos requeridos para conmemorar el tránsito de los anunnaki por los distintos planetas exteriores hasta su llegada a la Tierra. Y así, en una exhibición de sonidos, colores y alegría, la procesión entró en el Recinto Sagrado por de la puerta principal.

Cuando los dioses bajaron de sus literas, Ishtar llamó al sumo sacerdote.

—Dinenlil, ¿se ha tomado alguna decisión en el palacio mientras he estado ausente? ¿Será el chico mi consorte, o Niglugal tendrá el coraje suficiente como para declararse a sí mismo sucesor?

—Ni una cosa ni la otra, mi señora –dijo Dinenlil mientras se postraba ante ella–. Gilgamesh ha regresado.

—¿Gilgamesh ha regresado a Erek?

—Sí, reina del cielo.

—Te llamaré más tarde. Estate a punto con todos los detalles –le dijo Ishtar.

De regreso a su morada sagrada, mientras los sacerdotes que la acompañaban se quedaban atrás y su fiel sirvienta, Ninsubur, la recibía, Ishtar estaba visiblemente alterada.

—¿Ocurre algo, mi señora? –le preguntó Ninsubur, mientras Ishtar arrojaba iracunda sus alhajas contra el suelo.

—¡Gilgamesh ha vuelto! –gritó Ishtar–. Pero ¿cómo puede ser?

—¿No debería complaceros eso, mi señora? –dijo Ninsubur–. Me dijisteis, si no recuerdo mal, que, de todos los hombres que habíais tenido desde la muerte de Dumuzi, Gilgamesh era el más querido para vos.

—Por eso precisamente estoy tan molesta, Ninsubur –dijo Ishtar–. Pues lancé una maldición sobre él, y también sobre su madre. Que buscara la vida para siempre y nunca la encontrara; ésa fue mi maldición. Si no ha de vivir, ¿para qué ha regresado, para alborotar mis sentimientos en vano?

—Quizás la maldición no tuviera efecto. ¿Y si hubiera encontrado la Vida Eterna?

Ishtar sonrió.

—Eres sabia, Ninsubur. Siempre encuentras las palabras adecuadas para calmarme… Pero, ahora, ayúdame a prepararme para recibir al sumo sacerdote… quiero que me diga qué más sabe.

—¿Queréis que haga venir a Niglugal por la puerta lateral, para que podáis conservar la opción entre él o Urnungal? –preguntó Ninsubur.

Ishtar vaciló.

—No. Si el destino ha traído de vuelta a Gilgamesh, dejemos que el destino juegue su mano.

* * *

A lo largo de los dos días siguientes, Gilgamesh estuvo recluido en sus dependencias reales, dictando febrilmente a Dubshar, el escriba real, el relato de su vida y sus aventuras en su intento por escapar de su destino mortal. A la única que deseaba ver era a su madre, Ninsun, pero estaba recluida en el Recinto Sagrado hasta el término de las celebraciones del Año Nuevo, y Gilgamesh no tenía permitida la entrada.

Cuando comenzó el décimo día, tras el ocaso, le pidió a su hijo que le acompañara en la cena. Comieron en silencio, pues Urnungal esperaba a que su padre hablara primero, y Gilgamesh estaba absorto en sus pensamientos. Fue cuando acabaron de comer y los sirvientes fueron despedidos cuando Gilgamesh finalmente habló.

—Hijo mío, Niglugal y Kaba me han contado ya todo lo acaecido en Erek durante mi ausencia. Por otra parte, me dijiste que mi madre te había desvelado el motivo por el cual partí en mi segundo viaje en busca de la Planta de la Vida… Tanto mi enfermedad como las muertes en el Recinto Sagrado tienen una misma causa en su origen: el hecho de que tocara la Tablilla de los Destinos, la tablilla que extraje de la obra de Anu y que mi madre conservó para protegerme.

—Hasta ahí había llegado yo en mis conjeturas –dijo Urnungal.

Gilgamesh asintió con la cabeza.

—El problema es si Ishtar ha llegado a las mismas conjeturas. No sé qué explicación habrá podido darle mi madre con respecto a la tablilla, de ahí que no sepa a qué me enfrento mañana, cuando vaya a su morada para los ritos del Matrimonio Sagrado. Después de todo, la tablilla era un mensaje del señor Anu para ella.

—Pero, por otra parte, quizás esté complacida con tu regreso, padre –dijo Urnungal–, y hasta puede que invoque una cura para la divina enfermedad que te aqueja.

—Sabias palabras, hijo mío, pero mucho me temo que nacen de una esperanza infundada. Ni siquiera mi madre, la sanadora, conoce una cura para mi aflicción, y su madre, que sana a todos los sanadores, sólo pudo sugerir como remedio la Planta de la Vida. No, hijo mío, por muchas vueltas que le demos, la conclusión es la misma. Lo único que desconocemos es el tiempo que me queda.

Gilgamesh se levantó, se dirigió a un arcón de su aposento y sacó de él una tablilla redonda.

—A lo largo de todas mis tribulaciones, sólo me he aferrado a estos dos objetos –dijo Gilgamesh–. Uno es la fiel réplica de la Tablilla de los Destinos, hecha por el artesano divino de la dama Ninharsag para que sus inscripciones pudieran ser legibles. Los guardianes de la zona prohibida la pusieron a prueba con sus rayos, pero lo único que consiguieron fue chamuscarla un poco… –añadió mostrándole a Urnungal el filo quemado–. No es la obra de Anu, pero no deja de ser de naturaleza divina. No hay nada igual en la Tierra, y me vino bien para convencer tanto a los guardianes como a Ziusudra de que por mis venas corría sangre divina. ¡Tómala y guárdala entre tus posesiones!

—¿Para qué? –preguntó Urnungal.

—Porque no sé lo que me espera mañana en el Recinto Sagrado; por eso. Mira, Urnungal, aunque soy el rey, en estos momentos estoy desposeído de la realeza. Mi cetro, mi corona, todos los atributos de la realeza, me han sido arrebatados, tal como prescribe la costumbre. Sólo si sobrevivo a los ritos del Matrimonio Sagrado seré reinvestido con ellos. Sólo entonces podré proclamar a mi sucesor... Hasta entonces, no puedo pronunciarme, y el trono está legalmente vacante durante estos días –dijo Gilgamesh, acariciándole la cabeza a su hijo–. Si no sobrevivo al encuentro con Ishtar, ésta será la prueba de que yo te he confiado a ti la sucesión.

—¿Por qué te muestras tan inseguro con los ritos de mañana? ¿Es por la enfermedad, o es por la cólera de Ishtar?

Gilgamesh esbozó una sonrisa irónica.

—Mañana, hijo mío, ayunaré desde el amanecer hasta el ocaso. Una vez en el templo, los sacerdotes me lavarán por dentro y por fuera, me restregarán la piel, me cepillarán los cabellos y me ungirán los genitales... Cuando sea admitido finalmente en el Gigunu, el Lugar del Gozo Nocturno de Ishtar, comeremos siete tipos de frutas y beberemos del néctar divino. En una cámara adyacente, los músicos y los cantores nos ofrecerán dulces melodías de amor, e Ishtar cantará y tocará la lira también. Después, la reina del cielo me llevará hasta su lecho doselado. Primero, la elevaré en un lecho flotante de sogas, y la meceré adelante y atrás, y la penetraré cincuenta veces para llevarla hasta el éxtasis y probarle mi virilidad. Y cuando se acerque al éxtasis, me pedirá que me una a ella en su lecho doselado, y que la penetré como lo hizo su amado Dumuzi. Pero si no consigo penetrarla las cincuenta veces, o si entro en su lecho antes de tiempo, no volveré a ver la luz del día...

Los ojos de Urnungal se tensaron con una mirada de incredulidad.

—Veo que te estás enfrentando a un reto peligroso... –concluyó el muchacho.

—Pero es un reto absolutamente divino –añadió Gilgamesh guiñándole un ojo.

Luego, se lo acercó, lo abrazó y le dio un beso en la frente.

—Ahora, déjame solo, pues necesito descansar. Debo estar fresco para los agotadores ritos de mañana.

Aunque no tendría que presentarse ante la diosa antes del ocaso, despertaron al rey poco después del amanecer, para llevarle a continuación y sin más preámbulos hasta el Recinto Sagrado. No comió ni bebió nada en aquel décimo día, pues los ritos del Matrimonio Sagrado exigían que estuviera limpio y purificado, liberándose de todo aquello que fuera profano o no hubiera sido santificado.

En la puerta del Recinto Sagrado, los sacerdotes se hicieron cargo del pequeño grupo de funcionarios de palacio que habían acompañado a Gilgamesh, y llevaron a éste a una sección especial del Gran Templo para hacerle pasar por una serie de procedimientos de limpieza, básicamente fregamientos y baños rituales, que garantizaran que su cuerpo llegara ante la diosa en su más puro estado. Le cortaron las uñas; le recortaron el pelo, se lo lavaron y se lo cepillaron, para luego enrollárselo en la nuca y sujetárselo con una banda de lana hilada. Luego, le ungieron el cuerpo de pies a cabeza con aceites aromáticos, poniendo un cuidado especial en los genitales, tras lo cual le vistieron con una sencilla túnica de lino blanco y le permitieron que se echara y se relajara.

Dos horas antes del ocaso comenzaron los preparativos finales. Frotaron el cuerpo del rey con aceites aromáticos una vez más, y luego los sacerdotes le vistieron con el atuendo ceremonial del novio: una túnica blanca de gasa con una toga azul de ribetes blancos por encima. La toga fue cuidadosamente plegada para dejarle desnudo el hombro derecho, y finalmente le ciñeron un cinturón multicolor, el tradicional regalo de la novia, para mantener los pliegues de la toga en su lugar.

Ya cerca del ocaso, se dispuso la procesión nupcial; en primer lugar, los músicos y los cantores; luego, los sacerdotes con los siete tipos de frutas en bandejas de oro, que era un regalo del rey a la diosa; después venía el rey, flanqueado por dos sacerdotes de alto rango, y detrás de ellos venían los doce Ancianos seleccionados, que tenían que ser los testigos oficiales de la entrada del rey en el Gipar, la casa de los Consuelos de Ishtar.

Las sacerdotisas que atendían a la diosa también estaban inmersas en los preparativos finales. Después de bañarla, ungirla con aceites aromáticos y peinarla, la vistieron con una túnica blanca semitrasparente, sobre la cual le pusieron el divino vestido de lana con flecos. Como toque final, su sirvienta personal, Ninsubur, le puso en torno al cuello su alhaja favorita, un collar de cuentas de lapislázuli de múltiples hileras, entregándole después el casco divino con cuernos, puesto que Ishtar prefería ponérselo por sí sola.

Cuando todo estuvo dispuesto, Ninsubur dio un par de pasos atrás para obtener una visión general del aspecto de su señora. Habiendo desaparecido ya los últimos rayos del sol, la cámara estaba bañada ahora en la tenue luz azulada. La luz azul celeste se reflejaba en el cuerpo, el atuendo y los aderezos de la diosa, que recordaba ahora al cuerpo celestial que ella misma representaba en la Tierra.

—¡Estáis ciertamente divina, una reina del cielo! –dijo Ninsubur–. El rey estará encantado ante vuestro divino aspecto.

—El rey… Me han dicho que está bastante demacrado –dijo Ishtar–. ¡Sus pecados claman al cielo!

—Pero, de todos los hombres, ¡es al que más amáis!

—Le amaba, pero él me rechazó, y me robó la tablilla de Anu… ¡Y yo lo maldije!

De pronto, llegaron hasta sus oídos los cantos y la música de la procesión del novio, que ya se aproximaba.

—¿Y lo dejaréis así? –preguntó Ninsubur.

—La maldición no se puede retirar, Ninsubur. Buscar para siempre la vida y nunca encontrarla… ¡A eso le he destinado!

Una expresión de desconcierto cruzó el rostro de Ninsubur.

—Pero, ¿cómo va a buscar para siempre si no vive para siempre?

Ishtar asintió con la cabeza.

—Ése es, ciertamente, el enigma que tiene que resolver el destino.

16

•

Cuando Astra abrió los ojos, lo primero que pensó fue que estaba muerta, y lo siguiente que pasó por su cabeza fue que la habían enterrado viva.

El lugar estaba completamente oscuro y en absoluto silencio, y hacía frío. Intentó volver la cabeza, pero no pudo, pues le pesaba y le dolía demasiado, y tenía el cuello agarrotado. Intentó mover una mano, pero sintió una extraña debilidad en sus miembros y una intensa rigidez en los dedos…, el entumecimiento que suele provocar un corte del riego sanguíneo. Estaba acostada boca arriba, pero no podía moverse. Intentó mover los labios, pronunciar alguna palabra, para saber si realmente estaba viva o muerta; pero tenía los labios secos y fríos, y tampoco pudo pronunciar ningún sonido coherente. Al menos, dejó escapar una especie de gemido, y supo que seguía con vida.

Estaba viva…, pero ¿dónde estaba?

«Tengo que moverme como sea», pensó; y, con un enorme esfuerzo, consiguió al fin mover ligeramente los dedos, sintiendo al cabo de un rato que volvía a correr la sangre por ellos y, poco después, por los brazos. Forzándose al límite, consiguió levantar poco a poco los brazos para tocarse la cara con las manos. El mero contacto de sus dedos le resultó tranquilizador, y comenzó a frotarse las mejillas.

Poco a poco se fue mitigando el entumecimiento de la cara, hasta que finalmente pudo girar la cabeza de un lado a otro, aliviando así la rigidez del cuello. Dejó caer los brazos de nuevo y palpó lo que había bajo sus manos, percatándose de que se encontraba sobre una cama. Cuando por fin pudo estirar los pies y doblarlos hasta el suelo, se dio cuenta de que estaba medio enredada entre unas sogas, en una especie de red. Masculló entre dientes unas cuantas palabras malsonantes, preguntándose qué sentido podía tener aquella estúpida red encima de una cama.

Y, en ese mismo momento, el destello de un recuerdo cruzó por su cabeza: yacía sobre una hamaca…, había un hombre, un hombre desnudo. Ella se balanceaba, adelante y atrás, adelante y atrás… Y había algo cálido que se difundía hacia arriba por su cuerpo… Era una especie de calor, de resplandor interior…

Tuvo un estremecimiento. Ahora tenía frío. Ya no sentía aquel calor, aquel resplandor interior. «¿Habrá sido un sueño?».

Finalmente, consiguió salir de la cama y ponerse de pie. Sintió el suelo frío, y un estremecimiento recorrió su cuerpo, y con él llegó el destello de otro recuerdo… Una habitación. Una habitación llena de objetos. Una lira. Había escuchado música de lira…

Pero ahora todo estaba en silencio. Sin moverse, echó un vistazo a su alrededor. Le pareció ver una tenue luz, y se dirigió lentamente hacia ella. Cuando llegó al lugar, extendió las manos y tocó una cortina, y con un movimiento torpe la descorrió. Tras la gruesa cortina había una ventana, y la luz le golpeó en los ojos como un martillo. Cerró los ojos y, aturdida, se sujetó a la cortina para mantener el equilibrio. Abrió y cerró los ojos varias veces, parpadeando, hasta que sus pupilas se acomodaron lentamente a la luz.

Se dio la vuelta y observó la habitación. Había una lira, y había también otros muchos objetos. Un lecho con dosel. Había un hombre en la cama; yacía de costado, con la cara incrustada en la almohada. «¡Eli! –recordó– ¡Él me trajo aquí anoche!».

«¿Anoche?».

Instintivamente, levantó la muñeca para mirar el reloj. Faltaban veinte minutos para las nueve.

Entonces se percató de que estaba completamente desnuda, salvo por una especie de túnica trasparente. El hombre que estaba en la cama también estaba desnudo.

—¡Maldita sea! –murmuró Astra–. Me he pasado la noche folleteando. ¡Y ahora llegaré tarde al trabajo!

Eli no respondió. «No me extraña que el pobre diablo esté exhausto –pensó Astra–. ¡Debemos de haber estado follando toda la noche!».

Encontró su ropa esparcida por el suelo y se vistió apresuradamente. «¿Cómo demonios salgo de aquí ahora?», pensó, viendo que Eli seguía profundamente dormido. Ahora que ya se había habituado a la luz y podía distinguir los rincones más oscuros de la habitación, descubrió el ascensor y la figura femenina que había en él. Se acercó a ella y observó detenidamente aquella estatua que parecía viva, y otro recuerdo le cruzó por la mente. Ishtar, la diosa… Eli le hablaba de ella, de cosas de la antigüedad… Lo veía todo como en un sueño después de haberse quedado dormida…

Tocó la estatua.

—¡Eh, Eli! –gritó de pronto–. ¡Adivina lo que me ha pasado! He soñado que yo era una diosa, como esta estatua… He soñado que era Ishtar, y que tú eras un rey… ¡Gilgamesh!

Sus palabras deberían haberle despertado, pero Eli no se despertó.

Aquello la irritó. Se metió en el ascensor, junto a la estatua, y pulsó un botón, y luego otro, pero no ocurrió nada. Estaba frenética ante la perspectiva de llegar tarde al trabajo; pero, además, estaba frustrada e irritada por el hecho de verse encerrada, sin poder salir de allí.

Salió del ascensor y se dirigió a la cama.

—¡Venga, Eli! –le gritó mientras se acercaba–. ¡Toque de corneta! ¡Levántate y déjame salir de aquí!

Él ignoró, o no escuchó, sus voces; de modo que Astra le agarró de la mano y tiró de él varias veces para despertarle. Pero, cuando le soltó, su mano cayó como un plomo sobre la cama.

«¿Qué está pasando aquí?», se preguntó Astra, sintiéndose de pronto invadida por cierta aprensión.

Sacudió varias veces más a Eli y, al ver que tampoco aquello funcionaba, se inclinó sobre él y, no sin cierto esfuerzo, le dio la vuelta.

Tenía los ojos abiertos, pero los tenía vidriosos. Y no respiraba, a pesar de tener la boca entreabierta. Tenía el pene erecto, pero de un color azul oscuro. Le tomó el pulso…, no tenía pulso.

Estaba muerto.

—¡Oh, Dios mío! –gritó Astra dando un paso atrás, horrorizada.

Durante unos instantes, estuvo contemplando su cuerpo sin vida, sin saber qué hacer. Sabía que tenía que salir de la casa, ¿pero cómo? Frenética, miró a su alrededor por toda la habitación de nuevo, y entonces descubrió el pomo de una puerta en una de las paredes. Se precipitó sobre él y, ya de cerca, constató que el papel pintado de la pared se había ajustado para camuflar perfectamente la puerta. Giró el pomo y empujó, y la puerta se abrió a un tramo de escaleras que bajaban. Pero la escalera estaba a oscuras, y tuvo que bajar a tientas hasta que dio con una puerta abajo del todo. La abrió y se encontró de pronto en una sala de estar, una sala que le resultó familiar por haber estado en ella la noche anterior.

La luz azulada que iluminaba la habitación unas horas antes ya no alumbraba, pero unos rayos de luz se filtraban por entre unas gruesas cortinas, de modo que Astra se dirigió hacia ellas. Pero antes de llegar, descubrió su chaqueta y su bolso, y vio el sillón sobre el cual había estado sentada. Y, dejándose llevar por un impulso, se sentó de nuevo en el sillón.

Cerró los ojos e intentó recordar lo que había ocurrido en aquella habitación la noche antes. Su anfitrión, ahora muerto, le había estado explicando algo, mostrándole unas diapositivas... «Pero, ¿de qué me hablaba?». Se acordó de Baalbek, de su infancia, del sexto dedo... «Le conocí en el museo, y vine con él aquí... Bebimos néctar...». Astra abrió los ojos. Sí, las copas aún estaban allí, en la mesita. Se acordó que había sentido un intenso calor interior, y como si flotara. «¿Y después? ¿Qué pasó después?». Había un aroma embriagador en todos aquellos recuerdos, pero lo que su olfato le traía ahora era un olor de habitación húmeda y cerrada, un olor que interfería con sus recuerdos.

Miró la habitación a su alrededor, intentando recuperar el rumbo. Allí estaba el proyector de diapositivas, otro vínculo con sus recuerdos. «Sí, me habló de la estatua... Subimos arriba... Era la noche del Matrimonio Sagrado...».

El olor a humedad se le hizo insoportable, y sintió un escalofrío. ¿Estaba recordando todo aquello o no era más que una ilusión? ¿No lo habría soñado todo?

Sacudió la cabeza, recogió sus pertenencias y se dirigió hacia las escaleras. La luz azulada que las había iluminado la noche anterior tampoco alumbraba allí, pero entraba suficiente luz de la calle a través de los ventanucos de los rellanos como para ver dónde ponía los pies. Al llegar a la puerta de la calle, tropezó con una pila de papeles que había amontonados en el suelo. La puerta estaba cerrada pero, tanteando con las manos, encontró el cerrojo y lo abrió. Tiró de la manija de la puerta, pero la puerta no cedió. Ya histérica, Astra empujó la puerta con el hombro y, finalmente, la puerta se abrió de un tirón.

A la luz del día, vio que la pila de papeles con la que había tropezado estaba compuesta principalmente por cartas y revistas que, evidentemente, debían de haber arrojado a través de la rendija del correo. Cerró la puerta tras de sí y, mientras se alejaba por el callejón, se fijó que encima de ella había una placa con el número 6. Cuando llegó a la esquina, se fijó también en el letrero del nombre de la calle: Coptic Mews, intersección con Coptic Lane.[2]

—¡Vaya, que me aspen! –murmuró Astra, preguntándose si todo aquello no eran más que coincidencias.

Seguía lloviznando –o, quizás, volvía a lloviznar–, y Astra se acordó que se había dejado el gorro y el impermeable en el museo la noche anterior; de modo que volvió allí para recogerlos, pero el guarda la detuvo en las puertas de hierro forjado.

—Aún no está abierto para visitantes –le dijo–. Ahora sólo se permite el acceso a los lectores.

—Sólo quiero recuperar mi impermeable y mi capucha. Me los dejé aquí anoche.

—De acuerdo –dijo el guarda mirándola de pies a cabeza–. Entre.

Mientras cruzaba el patio, no pudo evitar acordarse de la noche anterior, cuando pasó por aquel mismo lugar sintiéndose como un pez fuera del agua.

«¿De verdad creería ese hombre que el destino nos llevaría de vuelta al antiguo Sumer, o simplemente ha sido una forma ingeniosa de llevarme a la cama?», se preguntó. Sacudió la cabeza incrédula ante su propia ingenuidad, se encogió de hombros y subió la escalinata.

Cuando llegó al guardarropa, mostró la plaquita de plástico que le habían dado la noche anterior.

—Me temo que me dejé el impermeable y el gorro anoche –le dijo al celador–. ¿Podría devolvérmelos, por favor?

—¡Cómo no! –respondió él.

El hombre se dirigió a los percheros y regresó un minuto más tarde.

—Lo siento –dijo–, pero no hay nada con este número. Además –añadió mirándola inquisitivamente–, todas las chapas de este número están en su sitio. ¿De dónde la ha sacado?

—¿Cómo…? Ya se lo he dicho –respondió Astra desconcertada–. Anoche, cuando estuve aquí… en la exposición de Gilgamesh.

---

2. «Callejuela Copta» y «Calle Copta» respectivamente. *(N. del T.)*

El celador miró a Astra con evidente desconfianza.

—¿La exposición de Gilgamesh? Anoche no había ninguna exposición de Gilgamesh. ¿Está segura de que no se confunde usted con otro museo o galería?

—¡Venga! –dijo Astra nerviosa–. No estoy loca, ¿sabe? Me dejé el impermeable y el gorro aquí… ¡Los dejé cuando llegué a la exposición!

Desconcertado, el celador llamó a uno de los guardas del museo.

—Oye, Charlie –gritó–, hay aquí una dama que dice que estuvo aquí anoche en la exposición de Gilgamesh. ¿Sabes algo de eso?

El guarda se acercó.

—¿La exposición de Gilgamesh? –repitió mirando a Astra–. Sí, tuvimos una, pero no fue anoche. ¡Debió de ser hace al menos un año!

—¿Hace un año? –exclamó Astra–. ¡Pero… si fue anoche… en este museo!

—Sí, tienes razón, Charlie –dijo el celador–. Ahora me acuerdo. Fue más o menos por estas fechas, hace un año. Me acuerdo que servían bebidas en la cafetería…

—¡Esto es de locos! –estalló Astra–. ¡O me dan mi impermeable y mi gorro o hablo con el supervisor!

—Tómeselo con calma, señora –dijo el celador lanzando una mirada fugaz al guarda–. Fuera cuando fuera la exposición, lo cierto es que su impermeable y su gorro no están aquí, y tampoco nos falta ninguna placa de guardarropa. Ahora, tome su plaquita y llame a Objetos Perdidos, a la Policía Metropolitana. Allí es donde enviamos todo lo que la gente se deja olvidado y no vuelven a recogerlo.

—Tiene un teléfono aquí mismo, al otro lado del tabique –añadió el guarda indicándole con la mano.

Sin entender nada, Astra recuperó la chapa y se dirigió adonde le había indicado el guarda. Buscó una moneda en el bolso, pero de pronto se acordó de que no necesitaba monedas para llamar a la policía.

—¿A qué servicio de emergencia quiere llamar? –respondió una operadora.

—A la policía.

Se oyó un clic y, a continuación, una voz masculina se identificó al otro lado de la línea como el sargento Watson, de la Policía Metropolitana.

—Quiero informar de un fallecimiento –dijo Astra con voz vacilante.

—¿Una muerte violenta?

—No, no…, es un hombre que ha muerto…

—¿Cómo se llama usted, señora?

—Su nombre era Eli…, es decir, Helios.

—Necesito su nombre, el de usted, y su dirección. ¿De dónde llama?

—Sí…, número seis, Coptic Mews…, hay un hombre muerto…

—¿Cómo ha muerto? ¿Cuándo?

Astra no respondió.

—¿Hola? ¿Está usted ahí? –preguntó el sargento con cierta tensión–. ¿Sabe cuándo ha muerto ese hombre? ¿Hoy? ¿Ayer?

—No lo sé exactamente… –dijo Astra en un susurro.

De pronto, se le apagó la voz y se le cayó el teléfono de la mano. Le había parecido ver a alguien que le resultaba familiar, junto a los percheros. Era Eli. Pero ¿él la había visto a ella?

Astra cerró los ojos y los abrió de nuevo. Pero, cuando volvió a mirar, él ya no estaba.

ÍNDICE

Quinto título de la serie *Crónicas de la Tierra* en el que Zecharia Sitchin nos muestra cómo los denominados «Arquitectos de Stonehenge» vinieron hace miles de años a la Tierra para introducir en la humanidad la primera Nueva Edad (Nueva Era) del crecimiento científico y el esclarecimiento espiritual.

Bajo la guía de estos antiguos visitantes de los cielos, la civilización humana floreció como jamás lo había hecho: adelantos revolucionarios en la ciencia, el arte y el pensamiento. Sin embargo fueron «barridos» del mundo habitado y dejaron tras de sí magníficos monumentos, monolitos incomprensibles para nosotros y estructuras imponentes y altísimas que aún hoy, en nuestros días, están en pie y resisten el embate de los tiempos.

Son los testimonios de una pretérita grandeza. En este trabajo extraordinariamente documentado y meticulosamente investigado, Sitchin muestra las notabilísimas correlaciones que existen entre los acontecimientos que hace miles de años dieron lugar a nuestra civilización, señalando con asombrosa exactitud el principio tumultuoso de los tiempos y revelándonos la firma indiscutible e indeleblemente escrita en la piedra de dioses extraterrestres.

La memoria mítica ha sostenido siempre que en la tierra existe un lugar en el que podemos unirnos a los dioses y trascender la muerte.

En *La escalera al cielo*, su autor, Zecharia Sitchin, apunta este deseo de retornar sobre la historia de la tierra. En sus análisis de las distintas leyendas que hablan de las tentativas humanas de ascender a los cielos, al igual que los dioses, en pos de la inmortalidad, el autor se adentra en las vidas de los faraones de Egipto que enseñaron cómo recorrer la Ruta de los Dioses hacia el eterno Más Allá.

Además, Sitchin se adentra también en la vida de personajes ilustres: el rey sumerio Gilgamesh que viajó a tierras remotas tratando de «escalar hacia el cielo» y eludir así su destino de mortal; Alejandro Magno quien creía ser hijo de un Dios; y Ponce de León que exploró Florida en busca de la legendaria «Fuente de la Juventud». Finalmente, el autor nos pone frente a la mirada de la Esfinge, el «Guía Sagrado», presentándonos una perspicaz reflexión sobre esta pasión arquetípica por la vida eterna.